La Edad de Oro
y otros relatos

Letras Hispánicas

José Martí

La Edad de Oro y otros relatos

Edición de Ángel Esteban

CÁTEDRA
LETRAS HISPÁNICAS

1.ª edición, 2006

Ilustración de cubierta: Portada de un número de la revista
La Edad de Oro © Archivo Anaya

Juan Ignacio Luca de Tena, 15. 28027 Madrid
Depósito legal: M. 33.822-2006
I.S.B.N.: 84-376-2323-5
Printed in Spain
Impreso en Anzos, S. L.
Fuenlabrada (Madrid)

Índice

Introducción

El año de 1889 es uno de los más importantes en la vida y en la obra de José Martí, que cuenta sólo con treinta y seis años, y ha desarrollado ya una intensa labor política, literaria, diplomática e ideológica. Su patria, Cuba; su deseo, una América Latina unida e independiente; el lugar de su destierro, Nueva York. Desde un cuarto piso del 120 Front Street, recibe en la oficina los asuntos relativos al consulado de Uruguay, aunque su labor se extiende también a personas de casi todos los países de la América Hispana. Colabora en el club «Los Independientes», recién fundado en Brooklyn por emigrados cubanos, para canalizar la acción revolucionaria que desemboque en la proclamación de la independencia para la Isla. Es corresponsal en varias instituciones y periódicos, como la Academia de Ciencias y Bellas Artes de San Salvador, la Asociación de Prensa Argentina en Estados Unidos y Canadá, *La Opinión Pública* (periódico uruguayo), y trabaja para otros tantos: *The Evening Post*, *El Economista Americano*, *La Juventud*, etc. Desde hace un par de años su pensamiento ha ido madurando y las ideas que lo perfilan son muy claras. La separación política de Cuba con respecto de la metrópoli no es ya un ímpetu juvenil, generado por el ambiente universitario, sino una cuestión existencial, que justifica una autorrealización personal, en la entrega a un proyecto colectivo, cubano, caribeño y latinoamericano. Martí, que desde hace casi diez años vive en los Estados Unidos, se da cuenta de que la guerra es inevitable, y que tiene que fraguarse desde allí, con el apoyo de todos los exiliados y emigrantes, sean civiles o militares. También sabe que, aunque el momento se acerca, no conviene precipitarse: la cabeza debe conducir al corazón.

Pero, sobre todo, Cuba tiene que hacer frente al peor de los enemigos: el del norte. Los intereses yanquis en la situación estratégica de la América Central y las Antillas no pasan desapercibidos para el diplomático, que observa con verdadero terror los preparativos y desarrollo de la Conferencia Internacional Americana. La idea había sido de Blaine, Secretario de Estado del Presidente Garfield, en 1881, y pretendía reunir «amistosamente» a los representantes legales de los países latinoamericanos para revelarles —sólo entonces— el verdadero propósito anexionista e imperialista de su política. El proyecto cuajó, y en 1889 se dieron cita todas las naciones americanas excepto la isla Dominicana, recientemente agredida por los Estados Unidos, y Cuba y Puerto Rico, que todavía eran colonias españolas. Son varios los actos públicos, a menudo populosos, y los foros literarios y periodísticos donde se expresa en contra de la prepotencia yanqui y a favor de la cuestión latinoamericana: en su artículo «Vindicación de Cuba», del 25 de marzo, luego publicado en folleto aparte con el título *Cuba y Nueva York*, critica la ambición de poder y el individualismo exacerbado de la mentalidad norteamericana, contestando a otro artículo aparecido en el periódico de Filadelfia *The Manufacturer*, en el que se afirmaba que los defectos de los cubanos (pereza, falta de virilidad) son los únicos inconvenientes para la adquisición de la Isla; el 10 de octubre pronuncia un discurso en el Hardman Hall de Nueva York. En el mismo lugar, mes y medio más tarde, diserta nuevamente a propósito de una fiesta en honor del poeta José María Heredia. Para culminar el año, pronuncia un discurso pocos días antes de la Navidad en los salones de la Sociedad Literaria Hispano-Americana de Nueva York, al que asisten todos los Delegados presentes en la Conferencia Internacional Americana.

1889. El agitador de las masas, el *hombre para todo* de los diferentes consulados, ese que apenas puede ofrecer un refugio a su timidez, en una época especialmente ajetreada y peligrosa para los destinos de su país, dedica una gran parte de su tiempo a escribir cuentos y relatos diversos. No son los únicos pero sí la mayor parte de su narrativa breve. En España (principios de los 70) había hecho leves incursiones en ese género literario, en 1875 publica uno en México, y en sus cuadernos de apuntes de 1882 y 1894 hay alguna muestra suelta. Sin embargo, el cuerpo fundamental de su narrativa corta se condensa en una obra, *La Edad de Oro,* profundamente original y con una carga ideológica fuera de lo común, a pesar de su dedicatoria: «a los niños de América». Cuando estamos a un paso de la independencia y el futuro de «Nuestra América» se encuentra peligrosamente comprometido, ¿qué hace un hombre de Estado, rodrigón de un país que está aprendiendo a nacer y crecer, escribiendo literatura fantástica y didáctica? La paradoja está servida.

Un pequeño gran hombre

La Habana es el escenario de su nacimiento el 28 de enero de 1853. Hijo de un militar valenciano, Mariano Martí Navarro, y de una canaria, Leonor Pérez Cabrera, su infancia se debate entre la pobreza económica, la adquisición de las primeras y letras y la necesaria ayuda en las labores de su padre. Ingresa en la escuela y enseguida destaca por sus calificaciones. Conoce a Fermín Valdés, uno de sus mejores amigos, quien le acompañará en alguno de sus proyectos revolucionarios. En la escuela del poeta Mendive (1865) y en el colegio de San Pablo (1867), también con Mendive, se interesa por la literatura, la historia y todo lo relacionado con la independencia de la Isla y la idea de libertad. Como consecuencia de la agitación social protagonizada por el estamento universitario, Mendive es encarcelado, bajo la acusación de vinculaciones independentistas, y tras él todos los jóvenes que se han formado en su órbita: Martí, Valdés, Sellén, etc. Se solicita pena de muerte, y Martí es condenado, finalmente, a seis años de presidio (marzo de 1870). Es seleccionado para trabajos forzados, deportado a la Isla de Pinos y, finalmente, desterrado a España.

En la Península vive cuatro años (1871-1874), dos en Madrid y dos en Zaragoza, tiempo que aprovecha para estudiar Derecho y Filosofía y Letras, conocer a fondo la cultura española, intimar con escritores, políticos, iniciarse en la oratoria política y escribir sus primeras obras: *El presidio político en Cuba* (1871), *La República española ante la revolución cubana* (1873), etc. En Francia, de paso hacia México, conoce a Victor Hugo y, una vez instalado en el continente que le vio nacer, comienza una nueva vida. Colabora con varios periódicos, para aliviar las penurias económicas de sus padres, instalados en México. En mayo de 1875 se incorpora a la plantilla de redactores de *La Revista Universal*, donde publicará una traducción de *Mes fils*, de Victor Hugo. Ese mismo año estrena su primera obra dramática, *Amor con amor se paga*. Escribe para *El Socialista* y en 1877 imparte clases de literatura en Guatemala y escribe otro drama, *Patria y libertad*. Contrae matrimonio con Carmen Zayas a finales del 77 y publica *Guatemala*, donde recoge sus impresiones sobre el país en el que ha vivido momentos inolvidables. Se traslada a Cuba y en noviembre del 78 nace su hijo José Francisco en La Habana. Desterrado nuevamente a España en 1879 y tras una fugaz estancia en la metrópoli viaja a Nueva York, donde vivirá el resto de sus días, a excepción de una temporada, durante 1881, en Venezuela, donde publicará la *Revista Venezolana* y escribirá su primer libro de poemas, *Ismaelillo*, publicado al año siguiente en Nueva York.

Los años posteriores son los más fecundos de su actividad creadora, diplomática y revolucionaria. Publica en diversas revistas y periódicos de toda América, como *La Opinión Nacional*, *La Nación*, *La América*, *El Partido Liberal*, *La República*, *El Economista Americano*, *La Juventud*, *The Evening Post*, *El Avisador Cubano*, *La Opinión Pública*, etc. Se ocupa del Consulado de Uruguay, pronuncia discursos por todo el país y anima constantemente, en concentraciones multitudinarias de emigrados, a sus compatriotas a secundar la revolución. Prepara, junto con Maceo y Máximo Gómez, el ejército que habrá de enfrentarse al poder español, y contribuye a la creación del Partido Revolucionario Cubano, redactando sus bases. Pero es también una época literariamente fértil. Escribe poco a poco sus *Versos libres*, que se publicarán póstumamente; da a conocer ininterrumpidamente sus artículos de crítica literaria, artística, de costumbres, filosófica, etc.; en 1885 ve la luz su única novela, *Amistad funesta*, retitulada más tarde *Lucía Jerez*. 1889 es el año de *La Edad de Oro* y dos años más tarde publica dos de sus obras maestras: los *Versos sencillos* y el ensayo *Nuestra América*.

Los cuatro últimos años de su vida se caracterizan por la aceleración del proceso revolucionario. Los viajes para recabar fondos, negociar movimientos concretos y levantar ánimos se multiplican. El 8 de diciembre del 94 redacta el plan definitivo de ataque a la Isla; en febrero del 95 comienza la guerra y días más tarde firma, junto con Máximo Gómez, el *Manifiesto de Montecristi*, esbozo de la Constitución de la nueva República de Cuba. El 15 de abril, ya en la Isla, es nombrado Mayor General del Ejército Libertador. El 13 de mayo llega a Dos Ríos y seis días más tarde muere en pleno combate.

Los relatos de Martí en el contexto de la literatura de su tiempo

La producción literaria de Martí es tan relevante como su actividad revolucionaria; lo es en su jerarquía de valores y lo es en el balance final de sus frutos, a un siglo vista de su muerte. Por ejemplo, el 17 de octubre de 1889, en plena actividad diplomática, y comprometido a sacar a la luz una serie más de *La Edad de Oro*, compartía su intimidad con Miguel Tedín. Por sus palabras observamos el cúmulo de obligaciones junto con el lugar que merece el quehacer literario, en unos momentos tan difíciles que incluso impiden el trato que es debido a la familia y los amigos:

> Mi madre me llama hijo ingrato, y Ud., con tanta injusticia como ella, me llamará amigo olvidadizo. Dígame moribundo, y estará en la razón, primero porque lo estoy, por las congojas de adentro y las fealdades de afuera, y luego porque han venido a ayudarme a bien morir los muchos quehaceres de octubre, que es el mes político para los cubanos, y lo fue más este año por causas que no pueden desatenderse sin delito, porque cabe apatía en lo que a uno mismo le aprovecha, y es para su bien, pero no en lo que puede preparar el bien de los demás (...). Después *La Edad de Oro*, el artículo diario de México, el consulado, que es un entra y sale en estos días de congresos y delegaciones, y muchas cosas más...[1].

[1] José Martí, *Obras completas*, La Habana, Editorial de Ciencias Sociales, 1975, 2.ª edición, pág. 395. Mientras no se especifique algo distinto, todas las citas de Martí se realizarán dentro del texto, con el número del tomo (romanos) y de la página (arábigos) entre paréntesis, con base en esta edición.

A la vista de estas declaraciones, nunca dejará de sorprendernos que Martí sea, además del estadista imprescindible, uno de los primeros y mejores poetas modernistas, el creador de la primera novela propiamente modernista, el verdadero renovador de la prosa en lengua española en el siglo pasado, con sus artículos de crítica literaria, artística, política, sus cartas, aparte de su talla como orador y autor teatral, y el pionero, en las letras hispanoamericanas, de la narrativa corta dedicada a la instrucción de los más jóvenes, aunque apta para todas las edades.

Orígenes del cuento hispanoamericano

Si bien es el siglo XX el momento de esplendor de la narrativa corta hispanoamericana, que hace de ella un modelo de calidad literaria y fuerza expresiva para todo occidente, los cimientos fueron íntegramente colocados en el siglo anterior. Desde que Poe sentara las bases mínimas para una demarcación de la técnica que debe seguir el cuento literario (brevedad, unidad de acción e impresión, efecto final, lenguaje cuidado y ajustado a la narración, etc.), América y Europa aprenden a separar el género de otros con los que hasta entonces había estado fundido o confundido. En nuestra América tuvo hasta mitad de siglo muchas concomitancias con el cuadro de costumbres, y la huella de Larra, Mesonero Romanos y Estébanez Calderón estuvo presente en autores de la talla de Fray Mocho, Jotabeche, Guillermo Prieto, etc. También tardó en separarse de la novela, a juzgar por algunos de los títulos de la época: Altamirano, en sus *Cuentos de invierno,* escritos a finales de los 60, se acerca más a la novela, así como Juan León Mera, incluyendo novela y cuento en su obra *Novelitas ecuatorianas*[2]. No obstan-

[2] Cfr. Juana Martínez, «El cuento hispanoamericano del siglo XIX», en VV. AA., *Historia de la literatura hispanoamericana,* t. II, coordinado por Luis Íñigo Madrigal, Madrid, Cátedra, 1987, pág. 229.

te, las primeras muestras del género pertenecen a los años 30. José María Heredia (cubano, 1803-1839) publica en periódicos de la época sus *Cuentos orientales* (1829-1832) y Esteban Echeverría (argentino, 1805-1851) escribe entre 1838 y 1840 *El matadero,* una de las obras cumbre —con ser la primera— de la cuentística hispanoamericana del XIX, no bien difundida hasta 1871, cuando se publicó en la *Revista del Río de la Plata.*

A partir de esos primeros vestigios, la narrativa corta va adquiriendo paulatinamente más solidez y diversidad, y el cuento, en sus diferentes subgéneros temáticos (sentimental, fantástico, social, histórico) crece casi paralelo a la novela, en temas, estilo, conciencia de género y prestigio literario, acompañado por la leyenda y la tradición, género éste último creado por Ricardo Palma y bien diferenciado del resto de los tipos de relatos cortos. Pero llega el modernismo y con él la primera aceleración fuerte en el proceso de crecimiento del cuento hispanoamericano. Los quince últimos años del XIX y los primeros del XX constituyen una treintena memorable en las letras de la América Hispana, verdadera antesala del «boom» de la narrativa corta de mitad de este siglo. Las dos generaciones de narradores modernistas (la primera compuesta por José Martí, Manuel Gutiérrez Nájera, José Asunción Silva, Rubén Darío, Amado Nervo, Manuel Díaz Rodríguez y Leopoldo Lugones, casi todos y sobre todo, también, poetas, y la segunda compuesta por Enrique López Albújar, Rufino Blanco Fombona, Horacio Quiroga, Rafael Arévalo Martínez, Alfonso Hernández-Catá y Ricardo Güiraldes, más específicamente narradores)[3] llenaron de originalidad las páginas literarias de la época finisecular, al mejorar las estructuras de los relatos, proponer contenidos nuevos, enriquecer el lenguaje, llenarlo de recursos poéticos, profundizar en la caracterización de los personajes, ampliar los puntos de vista de la narración y desarrollar temas novedosos.

---

[3] Cfr. Enrique Pupo-Walker, «El cuento modernista: su evolución y características», en VV. AA., *Historia de la literatura hispanoamericana, op. cit.,* pág. 515.

La literatura infantil en el siglo XIX

Hasta el siglo XIX, el cuento siempre fue un género menor. Poe consiguió, teorizando acerca de él y practicándolo con maestría, elevarlo a categoría literaria en el ámbito anglosajón, y medio siglo más tarde, Horacio Quiroga hizo otro tanto en el hispánico. Sin embargo, fue Martí quien preparó una tradición y despertó el interés de todo tipo de público por el cuento infantil. En Europa, el parisino Perrault, bien situado en la corte de Luis XIV, había recogido en 1697 multitud de cuentos populares, de carácter infantil, que sobrevivían en la tradición oral, y los había publicado bajo el título de *Narraciones o cuentos de un tiempo pasado,* como lo había hecho también Basile en Italia poco antes. En el siglo XVIII Rousseau mantiene despierta la atención hacia el niño en el programa educativo de su *Emilio* (1762), obra centrada —como las *opera omnia* del ginebrino— en el recurso a la naturaleza y la aventura, a través del elemento popular. Para Rousseau explicar la bondad natural del hombre, no impregnado todavía de los males que acarrea la sociedad, era fácil desde la perspectiva de las edades tempranas. En el siglo siguiente son ya muchos los autores que recogen ese testigo, cuya procedencia es doble: los temas, el estilo y el tipo de personajes vienen de Perrault, y el sesgo ideológico, ya romántico, de Rousseau. Son, entre otros, los hermanos Grimm, Amicis (el italiano, autor de *Corazón,* sobre quien Martí proyectó escribir un libro), Lewis Carroll (Charles Lutwidge Dodgson), Julio Verne, Laboulaye, el ruso Pushkin, el estonio Kreutzwald y, por supuesto, el indiscutible Andersen, de quien Martí aprovecha las mejores páginas, y cuya influencia entre sus contemporáneos todavía no ha llegado a delimitarse con precisión, debido a su extraordinaria fortuna literaria en la Europa decimonónica.

España, sin embargo, apuntaba hacia otro tipo de literatura, más realista, y Martí no tuvo en su propia lengua elementos suficientes para inspirar su obra. El niño aparece en nuestra literatura casi siempre como algo pasajero o secundario, y los pícaros, por ejemplo, son niños obligados por las circunstancias a crecer por dentro en el período de la niñez, y manifestarse enseguida como adultos. Las revistas españolas para niños en el XIX carecían de pretensiones literarias y, si alguna vez lo intentaban, permanecían en un estilo realista, cargadas de pedagogía directa y rancia, y henchidas de moralina fácil. El ejemplo de *Los Niños,* publicación periódica subtitulada *Conferencias Infantiles,* basta para demostrarlo. Ahí, autores de la talla de Fernán Caballero (seudónimo de Cecilia Böhl de Faber) publican cuentos desprovistos de la más mínima calidad literaria y efecto pedagógico positivo. Algo parecido ocurre en nuestra América, a juzgar por los comentarios que aparecen en la obra *Bibliografía de la literatura infantil cubana, siglo XIX*[4]. Lo cierto es que la literatura infantil de la época, incluida en ocasiones la de los grandes autores europeos, aunque sirviera para distraer al niño, no era capaz de estimular sus capacidades intelectuales, transmitir adecuadamente ideas o enseñanzas éticas, reproducir los esquemas infantiles de adquisición de experiencias vitales o procesos cognoscitivos, desarrollar la imaginación con vistas a la futura creatividad, sembrar inquietudes, y más bien servía para adormecer las mentes de los lectores, provocar la evasión inútil, evitar simplemente la ociosidad o trasladar la imaginación a la esfera de lo irreal.

Las fuentes de los relatos martianos

Por eso Martí cuidó mucho la selección de sus fuentes literarias para llevar a cabo una obra de calidad. Una década antes de publicar *La Edad de Oro* ya había colaborado en una empresa similar. La revista se llamaba *La Niñez,* estaba dirigida por Fernando Urzais y en la nómina de autores se localizaba a José Martí en primer lugar, junto con otros escritores de la talla de Mendive, Varona o Bachiller y Morales. Los modelos inmediatos, sin embargo, de *La Edad de Oro* son algunas

[4] Publicada en La Habana, Biblioteca Nacional José Martí, Dpto. Juvenil, 1969. Cfr. Elena Jorge Viera, «Notas sobre la función de *La Edad de Oro*», *Universidad de La Habana,* 198-199 (1973), págs. 39-56.

revistas norteamericanas de la época, mucho mejor concebidas en todos los sentidos. Martí fue un hombre que admiraba lo bien hecho, llegara de donde fuera. El antiimperialismo y los frecuentes choques de mentalidad con la sociedad norteamericana no cegaban sus ojos a realidades innegables. Los Estados Unidos tenían aspectos dignos de admiración, como el educativo, la idea de progreso, el amor al trabajo, algunos puntos de la organización social y, en este caso, varias publicaciones destinadas al público más joven, como la *Harper's Young People, The Youth's Companion* o *St. Nicholas*. Y fue probablemente esta última la que más directamente sirvió como base para Martí, pues pertenece a la misma época —siendo un poco anterior la norteamericana—; en algunas ocasiones cita el cubano personajes creados por los autores de *St. Nicholas* y coinciden en propósitos y motivaciones[5]. *La Edad de Oro* fue concebida, también, como una revista, mensual, para recreo e instrucción de menores, compuesta por diversos relatos, de tipo fantástico, histórico, social, cultural, y terminó siendo una de las obras clave del género en la literatura occidental, sobre todo después de publicarse como libro de conjunto, por primera vez en 1905, en el volumen V de las obras del maestro, gracias a Gonzalo de Quesada y Miranda, y todavía más a partir de 1932, publicada en La Habana por Emilio Roig de Leuchsenring.

Si bien la revista norteamericana *St. Nicholas* entregó a Martí una idea de conjunto, las fuentes concretas de cada relato son diversísimas y muy adecuadas a los propósitos de la publicación. De las veintitrés piezas que componen la obra, sólo seis son creaciones absolutamente originales, aunque entre ellas se encuentran algunas de las obras mejor concebidas y de mayor calidad literaria: se trata de tres composiciones en verso y otras tres en prosa. «Dos milagros» y «La perla de la mora», de apenas ocho versos, y «Los zapaticos de rosa», algo más amplia, ofrecen diversos argumentos en verso, cada uno

[5] Cfr. Silvia A. Barros, «La literatura para niños, de José Martí en su época», en José O. Jiménez (ed.), *Estudios críticos sobre la prosa modernista hispanoamericana*, Nueva York, Eliseo Torres & Sons, 1975, págs. 107-109.

con su conclusión final, los cuales no pierden fuerza ni capacidad comunicativa, a pesar de la brevedad del relato. Los cuentos en prosa «Bebé y el señor don Pomposo», «Nené traviesa» y «La muñeca negra» tienen el inconfundible acento martiano, y tanto la elaboración formal como el trasfondo ideológico los convierten en unidades insoslayables para explicar los comienzos de la narrativa corta modernista.

Las diecisiete narraciones restantes tienen origen conocido, y basculan entre la fuente literaria, la histórica y la sociocultural. Tres son los artículos históricos, referidos al pasado americano, cada uno de los cuales quema una etapa en la historia de la América Hispánica: el pasado precolombino corre a cargo de «Las ruinas indias», el relativo a la conquista lo ocupa «El Padre Las Casas», y el más cercano y glorioso relata la historia de la independencia americana gracias a los «Tres héroes»: Bolívar, San Martín y el cura Hidalgo. Aunque el estilo de estas piezas difiera del de las anteriores y haya rasgos propios de la narración histórica mezclados con los del cuento literario, Martí aclara en la última línea de «Las ruinas indias»: «¡Qué novela tan linda la historia de América!» (pág. 169)[6], estableciendo así un principio pedagógico por el cual una materia ardua puede ser digerida por el público más difícil, si se le sirve en un recipiente bello, literario.

Las fuentes socioculturales son también muy variadas y amenas. Tres giran en torno a uno de los grandes acontecimientos del año, la Exposición Universal de París, con la Torre Eiffel como novedad atractiva, y a su alrededor los pabellones de los distintos países. Son «La Exposición de París», «La historia del hombre, contada por sus casas» y, el más anecdótico, «La Galería de las Máquinas». No estuvo ese año el cubano en París, pero describe el lugar y relata anécdotas como si hubiese visitado a conciencia el lugar. Probablemente, su fuente de inspiración fue un libro de Henri Parville sobre el tema, publicado el mismo año 1889[7]. El relato «Un pa-

[6] Las citas de los cuentos de *La Edad de Oro* se realizarán siempre en el texto, sobre la base de esta misma edición.

[7] Herminio Almendros, *A propósito de «La Edad de Oro». Notas sobre literatura infantil*, La Habana, Instituto Cubano del Libro, 1972, pág. 9.

seo por la tierra de los anamitas» comienza con un cuento de la tradición hindú y continúa describiendo costumbres actuales de ese pueblo oriental. En «Un juego nuevo y otros viejos» también son costumbres, en este caso acerca de determinadas formas de diversión de diferentes pueblos. «Cuentos de elefantes» hace un recorrido por las tierras de África para llenar de anécdotas el tema de la caza de elefantes, oscilando entre la crueldad de los métodos y la valentía de los aventureros; la presencia del dato concreto y el estilo realista no apagan el interés de la narración, conduciéndola magistralmente hacia la narrativa de ficción. Otro tema cultural que adquiere categoría literaria, superando el tono del mero documental, es la «Historia de la cuchara y el tenedor», que huye de la frialdad del estilo científico, pero logra explicar con exactitud y concisión el proceso de producción de los utensilios clásicos con los que el hombre occidental se alimenta. Por último, en «Músicos, poetas y pintores» ofrece unas breves pinceladas sobre la vida y la obra de los artistas más sobresalientes en esos tres campos, aunque aquí hay una fuente más concreta y directa que en alguno de los anteriores: el libro del inglés Samuel Smiles *Life and Labour*, de 1887, sobre todo de su capítulo tercero, «Niños famosos».

Las seis piezas que faltan para completar la obra declaran dentro del mismo texto el origen del préstamo, en todas ellas literario, y de la más alta consideración. «La *Ilíada*, de Homero» lo hace en el propio título, y es una recreación, esquemática, de la guía argumental de la obra clásica. Las demás pertenecen a autores contemporáneos de Martí, y son dos historias en verso y tres en prosa. Las rimadas pertenecen a autores norteamericanos: «Cada uno a su oficio», de algo más de veinte versos, es subtitulada por Martí como «Fábula nueva del filósofo norteamericano Emerson», el poeta, pensador y líder religioso del trascendentalismo estadounidense, que dio a Martí mucho más que una idea para una fábula en verso, a juzgar por el número de veces que es citado por el cubano en sus obras completas y la semejanza en ciertas concepciones del universo, de la cuestión moral y la misma poética. El otro poema descriptivo, algo más largo, «Los dos príncipes», también descubre la fuente en el subtítulo: «Idea de la poetisa norteamericana Helen Hunt Jackson», de la que dos años antes había traducido su novela *Ramona,* interesante para Martí porque daba cuenta, junto con otras obras maestras del género *(Atala, Aves sin nido, Cumandá, Guatimozín, Enriquillo,* etc.) de la presencia cada vez más clara del indio en la literatura occidental, desde la perspectiva del abolicionismo, como hiciera Stowe con *La cabaña del tío Tom,* detalle que no pasó desapercibido para Martí en el prólogo a la traducción. Y los tres cuentos en prosa son versiones o ideas de autores clásicos de la literatura infantil: de Andersen elige «Los dos ruiseñores», en versión libre, y de Laboulaye «Meñique» y «El camarón encantado», de claro origen popular y folclórico, siendo el último una versión que a su vez el escritor francés había hecho de una traducción alemana del original estonio del folclorista Kreutzwald.

Lo que debe aprender el niño: análisis temático

El primer número de la revista salió en julio de 1889, y el último en octubre. Durante esos meses, aunque ya lo venía preparando desde antes, dedicó gran parte de su tiempo a escribir, adaptar, traducir, editar, etc., la publicación mensual que sólo tuvo cuatro números y que murió por falta de entendimiento con su editor, el portugués A. Da Costa Gómez, el cual la había apoyado desde el principio, había puesto su dinero, junto con tres empresas norteamericanas que se anunciaban en ella, y había dejado que el cubano cubriese por entero las treinta y tantas páginas de cada número.

Y a principio de agosto, poco después de haber salido el primer número, en una conocida carta a su amigo Manuel Mercado, intenta justificar su dedicación a esa empresa. Cuánta gente se habría hecho la misma pregunta que apuntábamos en las primeras páginas, por dos motivos: primero, por la utilización para la *literatura* de un tiempo siempre escaso de servicio al ideal revolucionario, y segundo, por el tipo de *literatura,* es decir, un género sin prestigio, como es el cuento, para un público —el infantil— que, en principio, no necesita, ni valora, ni está acostumbrado al supuesto nivel que un escritor *de calidad* debe tener. Pero Martí convence. El mismo explica cómo aquellos que habían desconfiado de su empresa se han encontrado con una agradable sorpresa:

> Los que esperaban, con la excusable malignidad del hombre, verme por esta tentativa infantil, por debajo de lo que se creían obligados a ver en mí, han venido a decirme, con su sorpresa más que con sus palabras, que se puede publicar un periódico de niños sin caer de la majestad a que ha de procurar alzarse todo hombre (XX, 146).

Pero Martí no buscaba la admiración de los críticos y entendidos, sino efectos mucho más profundos, comenzando por aquellos que no se publican, ni se dan a entender, ni se cuentan si no es en la intimidad. Martí ha de dar, en primer lugar, un paso más en la propia maduración existencial. Sabe que su *yo* tiene una doble necesidad de proyectarse: en *sí mismo,* la realización personal relativa al crecimiento, como expresa, por ejemplo, en el comienzo de «Músicos, poetas y pintores», al sentenciar: «Cada ser humano lleva en sí un hombre ideal, lo mismo que cada trozo de mármol contiene en bruto una estatua tan bella como la que el griego Praxiteles hizo del dios Apolo» (pág. 170); es el paso del *ser dado* —como se nace— al *ser pleno* —como se es cuando se han desarrollado todas las capacidades posibles—, y en *el otro,* entendiendo por tal todo aquello con lo que se pueda identificar, a lo que se pueda entregar, etc., y que contribuya a su realización existencial, sea una persona, un lugar, un ideal; «Enseñar es crecer» (XX, 216), dirá años más tarde a su pequeña hija María Mantilla en una carta.

Y es consciente de que las ideas de aprendizaje e identificación han de calar en la juventud de América como lo hicieron en él, porque el único modo de construir su proyecto político es por medio de la educación entendida como concienciación. Transmitir eso es ser útil y, por tanto, realizarse. Además, el cubano no distingue demasiado entre teoría y praxis, un poema y un disparo, una reunión diplomática y un cuento para niños, por eso termina su artículo sobre los cuentos de Rafael de Castro diciendo que «es más que un libro: es una buena acción» (V, 111), y por eso sintetiza su pensamiento, su proyecto vital y su obra literaria, en la misma carta a Mercado del 3 de agosto, definiendo *La Edad de Oro* como «una empresa en que he consentido entrar, porque, mientras me llega la hora de morir en otra mayor, como deseo ardientemente, en ésta puedo al menos, a la vez que ayudar al sustento con decoro, poner de manera que sea durable y útil todo lo que a pura sangre me ha ido madurando en el alma» (XX, 146). La *otra mayor* es, evidentemente, la guerra final de independencia, que ya veía cercana, y en la que intuyó, prefigurada, su muerte en muchas ocasiones. Tan necesaria era como la publicación de los cuentos de niños. De nada sirve ganar una guerra si la juventud no sabe qué se es, qué se ha sido y cómo se ha de ser. Con mucha agudeza, un gran poeta, contemporáneo suyo, iniciador —como Martí— del modernismo, dijo de *La Edad de Oro* nada más ser publicado el primer número:

> El trabajo que en él se emprende y cumple es el trabajo del alba: *despertar*. Pero, despertar suavemente; despertar besando... como ella[8].

El niño frente al reto de la educación

No es la primera obra dedicada a los niños que escribe Martí. Siete años antes, un pequeño libro de poemas, *Ismaelillo,* había abierto los caminos del modernismo. Dedicado a su hijo, de corta edad, confiesa en el prólogo que «Espantado de todo, me refugio en ti» (XVI, 17). La infancia es refugio, pero también baluarte de esperanzas, como indican las siguientes palabras: «Tengo fe en el mejoramiento humano, en la vida futura, en la utilidad de la virtud, y en ti» (XVI, 17). Son los mismos temores y las mismas ilusiones que gravitan en torno a *La Edad de Oro*. Para Martí, el niño es el futuro, pero ese futuro es el del mejoramiento humano y el de la virtud. Para con-

[8] Manuel Gutiérrez Nájera, «*La Edad de Oro*», *El Partido Liberal,* México, 23 de septiembre de 1889, pág. 1.

seguir los fines que persigue (libertad, búsqueda de la verdad, americanismo, utilidad, independencia de Cuba, desarrollo, vuelta a la Naturaleza) hay que educar al niño adecuadamente. En México, al volver de España en 1875, sigue las reformas educativas del continente latinoamericano. Pero es en los Estados Unidos, a partir de los años 80, donde solidifica y asienta su ideario pedagógico. Aprende mucho del sistema educativo norteamericano y, al compararlo con el de muchos países de nuestra América, saca conclusiones. En septiembre de 1883, afirma en *La América* de Nueva York:

> En nuestros países ha de hacerse una revolución radical en la educación, si no se les quiere ver siempre, como aún se ve ahora a algunos, irregulares, atrofiados y deformes, como el monstruo de Horacio: colosal la cabeza, inmenso el corazón, arrastrando los pies flojos, secos y casi en el hueso los brazos (VIII, 279).

Y por esas mismas fechas, como quien lo tiene bien pensado, madurado, y listo para ser puesto en práctica, propone su concepto de educación, al compararlo con la idea tradicional. No es coincidencia que lo haga, precisamente, para prologar o reseñar un libro de cuentos. Este texto da continuidad al pensamiento martiano sobre la educación infantil, ya que desde la primera tentativa editorial a finales de los 70 hasta *La Edad de Oro,* su preocupación por la pedagogía y predilección por el género narrativo corto confieren unidad y consistencia a un proyecto que desea perpetuarse. «Por educación —dice en el prólogo al libro de cuentos de Rafael de Castro— se ha venido entendiendo la mera instrucción, y por propagación de la cultura la imperfecta y morosa enseñanza de modos de leer y escribir. Un concepto más completo de la educación pondría acaso rieles a esta máquina encendida y humeante que ya viene rugiendo por la selva, como que trae en sus entrañas los dolores reales, innecesarios e injustos de millones de hombres» (V, 102). Y a continuación ofrece un párrafo donde desciende a detalles, muchos de los cuales serán la base para *La Edad de Oro* y el resto de su obra educativa, si bien al principio del artículo ha comenzado a hacerlo, cuando explica qué tipo de educación contribuye al desarrollo de los pueblos, y tiene más carácter de progreso que el mismo progreso:

> La educación suaviza más que la prosperidad: no esa educación meramente formal, de escasas letras, números dígitos y contornos de tierras que se da en escuelas demasiado celebradas y en verdad estériles, sino aquella otra más sana y fecunda, no intentada apenas por los hombres, que revela a éstos los secretos de sus pasiones, los elementos de sus males, la relación forzosa de los medios que han de curarlos al tiempo y la naturaleza tradicional de los dolores que sufren, la obra negativa y reaccionaria de la ira, la obra segura e incontrastable de la paciencia inteligente (V, 101-102).

Partiendo de esos presupuestos, los escritos martianos de los años 80 se llenan de alusiones acertadas al problema educativo, pensando en la idiosincrasia particular del pueblo latinoamericano. Martí alude a la necesidad de fortalecer las más altas reservas morales y enseñar que la libertad es el mayor bien que el hombre puede poseer, y por el que hay que luchar, si es necesario, hasta la muerte. Eso significa elevar al sujeto, darle autonomía, dejarle crecer, formar hombres, que sean aptos para desenvolverse en la praxis mejor que en la teoría. En ese sentido, hace una llamada especial a la formación del indígena, como paso previo para el igualitarismo social y necesario para el desarrollo total de los pueblos. Aboga por una enseñanza que elimine el aprendizaje memorístico y estimule las inteligencias. Al hombre hay que ponerlo a solas consigo mismo, y sacar de él todas sus potencialidades. Anima a utilizar el espíritu crítico, método constante no sólo de aprendizaje sino también medio específico para conseguir mejoras en la vida personal, familiar y social. Si es necesario, la crítica debe desembocar en la revolución. Por supuesto, Martí señala también métodos concretos, aparte de las ideas-madre, en los terrenos de la enseñanza primaria, la educación universitaria, el trabajo en la fábrica, el cultivo de la tierra, la labor intelectual, la dedicación a las artes o la literatura, el estudio de la propia historia americana, el conocimiento de todo lo autóctono, el servicio a la colectividad por medio de la política o el ejército.

Consideración especial merecen las ideas martianas sobre la educación infantil, y su práctica en *La Edad de Oro*. Para llegar al niño sólo hay dos maneras: llamar su atención o poner delante de él sus propios esquemas psicológicos, muy distintos de los del adulto. Las publicaciones de la época remitían al primer caso, y llevaban al lector fuera de la realidad que lo circunda. Martí consigue entrar en la psicología infantil, debe hacerlo, porque al niño no hay que negarle la realidad, sino presentársela de modo que la pueda entender. ¿Cómo aspirar, si no, a que participen de los grandes problemas de América, como el racismo (en «El Padre Las Casas»), la desigualdad social, la pobreza (en «Los zapaticos de rosa», «La muñeca negra», «Los dos príncipes»), la libertad (en «Tres héroes») o problemas universales como la bondad moral y las virtudes (en «La perla de la mora», «Cada uno a su oficio», «Nené traviesa», «El camarón encantado»), la muerte, tan presente en muchos cuentos, etc.? Se trata de despertar la conciencia del niño, darle un vaho de ideas anterior a las mismas ideas, como se le da alimento triturado o líquido antes de darle carne, provocar que descubra verdades, hablarle con la claridad que demanda. Fina García Marruz ha escrito a este respecto unas páginas memorables, volcando el énfasis en el modo de penetrar en la psicología infantil:

> Esto no puede lograrlo la buena voluntad —así esté asistida de sincero amor a los niños— sino la poesía (...). Un niño siempre gustará más de un poema que no entiende del todo que de otro hecho sólo para que lo entienda (...). *La Edad de Oro*, y es su principal mérito, parte de este profundo *respeto* al niño, alterna lo que él puede comprender y lo que, quizás, no puede comprender del todo, pero que por lo mismo le abre el deseo del conocimiento (...). Lo primero que advierte Martí es que los niños saben mucho más de lo que parece (...). El niño casi siempre se asombra en secreto de que los demás los crean tan pequeños como de veras son (...). Lejos de decirles cosas infantiles con un lenguaje de adulto, les copia su pintoresco y gráfico lenguaje para decirles cosas profundas y bellas[9].

---

[9] Fina García Marruz, *Temas martianos*, La Habana, Biblioteca Nacional José Martí, 1969, págs. 294-295.

Cosas profundas y bellas. La verdades se enriquecen con la belleza. Por eso la de Martí es una obra de arte, no sólo formativa o informativa. La forma bella educa, implícitamente, en sí considerada, y debe estar equilibrada con el caudal ideológico. Enseñar deleitando, pero no fríamente, al estilo del siglo anterior, sino encontrando en el deleite una vía para la enseñanza. Y así también, la fantasía, la magia, el juego, estarán al servicio de la pedagogía. Por eso, la suerte de Meñique no es tal, sino manifestación exterior de una belleza y bondad interiores. Es la fuerza de lo indirecto. No deben exponerse las verdades tal cual, sino indirectamente, a través de las imágenes, la forma, el color, los adjetivos, llamando a los sentidos, fragmentadamente, para que el niño elabore y sintetice. He ahí el papel de lo literariamente adecuado.

Hay dos elementos, especialmente valiosos, en la forma martiana dirigida al público infantil: la particular ordenación gramatical y la utilización de términos-clave y palabras-guía repetidos en posiciones estratégicas. En general, si comparamos el resto de la extensa prosa del cubano con los relatos de *La Edad de Oro,* observamos que aquí ha desaparecido la amplitud de la frase propia del fin de siglo, la gran cantidad de períodos subordinados en disposición de hipérbaton y los neologismos apenas rescatables por la lógica o un nivel cultural medio. La sintaxis es lineal, fluida, ordenada, sin interrupciones, con abundancia de conjunciones copulativas, más propias del lenguaje infantil. La presencia de términos-clave y palabras-guía fue una aportación de un gran experto en esta obra martiana, Salvador Arias[10], en el contexto del relato «Tres héroes», pero aplicable a la mayoría de los cuentos de Martí. Según él, se puede descubrir la estructura del relato y su carácter pedagógico entresacando las palabras más repetidas y observando su posición y la relación con las otras palabras relevantes. Así, los conceptos que Martí quiere dejar claros en la mente del niño son asimilados con rapidez y sin apenas esfuerzo. Todo esto es parte de un plan concienzudo, una ver-

[10] Salvador Arias, «Martí como escritor para niños», en *Búsqueda y análisis. Ensayos críticos sobre literatura cubana,* La Habana, Cuadernos de la revista «Unión», 1974, págs. 58-88.

dadera estrategia pedagógica, que está en la base de cada relato y responde a un proceso que se genera en la misma concepción de la obra, y continúa en la redacción y ejecución de cada pieza. Este plan tiene cuatro fases[11]:

1. Definición de una serie de elementos educativos, para ser posteriormente llevados a las páginas de la revista.
2. Reiteración de esos elementos educativos, presentes en todos los relatos.
3. Ordenación de esos elementos, que aparecen como esenciales en algunas narraciones y colaterales en otras.
4. Variación de enfoques de esos elementos educativos, presentando en cada ocasión los aspectos más oportunos de su carácter pedagógico.

Pocas veces Martí pone una obra suya como ejemplo; sin embargo, en una carta a su hija María Mantilla afirma el carácter pedagógico de su *Edad de Oro*. Un mes antes de su muerte, en plena campaña militar, escribe a la pequeña dándole consejos para su instrucción cultural:

> Yo no recuerdo, entre los que tú puedes tener a mano, ningún libro escrito en este español simple y puro. Yo quise escribir así en *La Edad de Oro;* para que los niños me entendiesen, y el lenguaje tuviera sentido y música (XX, 217).

Las dos Américas: problemas de identidad

Nuestra América es el título de uno de los ensayos ideológicamente más ambiciosos de Martí, sólo un año y tres meses posterior a la publicación del último número de *La Edad de Oro,* y muy relacionado con ella en presupuestos e intenciones. Con *Nuestra América* Martí se erige en el principal teórico de la *latinoamericanidad,* acuñando además un término que

[11] Cfr. Alejandro Herrera, «Algunos criterios sobre la estrategia pedagógica martiana en *La Edad de Oro*», en VV. AA., *Acerca de «La Edad de Oro»*, selección y prólogo de Salvador Arias, La Habana, Ed. Letras Cubanas, 1989, págs. 383-396.

se sitúa lejos de polémica entre hispanoamericanos, iberoamericanos y latinoamericanos. El concepto de *nuestra América,* cara de una cruz donde se exhibe la *otra* América, distinguidas perfectamente por la idiosincrasia, el idioma, la historia y la estructuración de la sociedad y la cultura, desarrolla, completa y llena de luz el pensamiento independentista y aglutinador comenzado en la obra teórica y práctica de Bolívar y continuado por multitud de pensadores del XIX. Toda *La Edad de Oro* se halla poseída de alusiones, en forma de idea principal o colateral, según los relatos, al modo de explicar o hacer asimilar ese concepto no sólo al niño, sino a cualquier lector de la revista. La suma de lo que hicieron los tres héroes establece los contornos fronterizos de nuestra América, la labor del Padre Las Casas marca un hito en el proceso civilizador del Continente, el relato de la Exposición de París va encaminado a ensalzar lo autóctono y observarlo unido, el de los anamitas sirve como pretexto para afirmar que es necesario conocer la propia historia, etc. Y por si no quedara claro, en las últimas páginas, donde resume y sintetiza el contenido del número, suele volver sobre el problema, sugiriendo, sin imponer, delicadamente. Véase la sutileza, por ejemplo, del final del tercer número cuando, al aludir al artículo sobre la Exposición, que en la edición original va acompañado de láminas ilustrativas, sugiere un sentimiento de solidaridad con todos los pueblos de nuestra América:

> Hay que leerlo [el artículo de la Exposición] dos veces: y leer luego cada párrafo suelto: lo que hay que leer, sobre todo, con mucho cuidado, es lo de los pabellones de nuestra América. Una pena tiene *La Edad de Oro;* y es que no pudo encontrar lámina del pabellón del Ecuador. ¡Está triste la mesa cuando falta uno de los hermanos! (pág. 228).

La unidad de nuestra América se asienta sobre la base de una verdadera independencia. Martí ha expresado, al tiempo que publica los cuentos, su inquietud por la Conferencia Internacional de Washington, y afirma que no habrá libertad real hasta que no cese el imperialismo norteamericano. Por eso afirma, rotundo: «De la tiranía de España supo salvarse la América Española; y ahora, después de ver con ojos judiciales los antecedentes, causas y factores del convite, urge decir, porque es la verdad, que ha llegado para la América española la hora de declarar su segunda independencia» (VI, 46). Por eso tanto interés en enseñar a la juventud algo que va a afectarles probablemente toda su vida. En otro artículo de las mismas fechas enuncia claramente las dos únicas posibilidades futuras, o «poner sus negocios los pueblos de América en manos de su único enemigo» o «ganarle tiempo, y poblarse, y unirse, y merecer definitivamente el crédito y respeto de naciones, antes de que ose demandarles la sumisión el vecino» (VI, 56).

Martí escribe su obra para el pueblo americano, y con la pedagogía de la repetición estratégica alude a ello de varios modos en el prólogo. Al principio anuncia que se publica *La Edad de Oro* «para que los niños americanos sepan cómo se vivía antes, y se vive hoy, en América, y en las demás tierras» (pág. 83); más adelante, al describir el tipo de colaboraciones que los niños pueden mandar a la revista, insinúa la primera enseñanza moral, que involucra a todo un pueblo: «Así queremos que los niños de América sean: hombres que digan lo que piensan, y lo digan bien: hombres elocuentes y sinceros» (pág. 84); y para terminar las palabras introductorias, invita por primera vez al hombre americano a ser solidario en voz alta: es la llamada más temprana a la unidad latinoamericana:

> Lo que queremos es que los niños sean felices (...) y que si alguna vez nos encuentra un niño de América por el mundo nos apriete mucho la mano, como a un amigo viejo, y diga donde todo el mundo lo oiga: «¡Este hombre de *La Edad de Oro* fue mi amigo!» (pág. 85).

Esa felicidad de la que tantas veces hablará Martí en sus páginas está ligada a la belleza moral y a la tierra o la naturaleza. En la carta a Mercado de agosto de 1889 ha vuelto a confirmar que su propósito «es llenar nuestras tierras de hombres originales, criados para ser felices en la tierra en que viven, y vivir conforme a ella, sin divorciarse de ella, ni vivir infecundamente en ella, como ciudadanos retóricos, o extranjeros desdeñosos nacidos por castigo en esta otra parte del mundo (...). A nuestros niños hemos de criar para hombres de su tiempo, y hombres de América. Si no hubiera tenido a mis ojos esta dignidad, yo no habría entrado en esta empresa» (XX, 147).

La doble acepción de «Naturaleza»

Evidentemente, la insistencia en la unidad de nuestra América no es una obsesión personal ni un mecanismo de defensa o revancha contra un pueblo opresor, sino una verdadera necesidad de autodefinirse y llamar al progreso desde la propia idiosincrasia. Los tres héroes se dieron cuenta de ello, y por eso eran hombres con *decoro*. Para Martí no basta vivir contento, con la alegría del animal sano y alimentado. El hombre debe vivir con *decoro,* que es una especie de conciencia de la dignidad de ser hombre, de ser libre, de pertenecer a una tierra, de poseer una naturaleza concreta (entendiendo *naturaleza* tanto en el sentido abstracto de *esencia,* modo de ser, como en el sentido concreto, físico, de *espacio natural)* y luchar por unos ideales. Así lo explica Martí:

> Hay hombres que viven contentos aunque vivan sin decoro. Hay otros que padecen como en agonía cuando ven que los hombres viven sin decoro a su alrededor. En el mundo ha de haber cierta cantidad de decoro, como ha de haber cierta cantidad de luz. Cuando hay muchos hombres sin decoro, hay siempre otros que tienen en sí el decoro de muchos hombres. Ésos son los que se rebelan con fuerza terrible contra los que les roban a los pueblos su libertad, que es robarles a los hombres su decoro. En esos hombres van miles de hombres, va un pueblo entero, va la dignidad humana. Esos hombres son sagrados. Estos tres hombres son sagrados: Bolívar, de Venezuela; San Martín, del Río de la Plata; Hidalgo, de México (pág. 87).

Existe una *Naturaleza* americana (en el doble sentido, complementario, antes aludido) que ha de imponerse en los modos de actuar, valorar la vida, gobernarse, etc. Para conseguir ese *decoro,* Martí entiende «que las formas de gobierno de un país han de acomodarse a sus elementos naturales» (VI, 20), y el momento de aplicarlos está llegando, ya que, «por la armonía serena de la Naturaleza (...) le está naciendo a América, en estos tiempos reales, el hombre real» (VI, 19-20), que es el *hombre natural*, el que parte de lo autóctono y construye. Por eso, «el libro importado ha sido vencido en América por el hombre natural. Los hombres naturales han vencido a los letrados artificiales. El mestizo autóctono ha vencido al criollo exótico. No hay batalla entre la civilización y la barbarie, sino entre la falsa erudición y la naturaleza» (VI, 17).

Estas últimas sentencias, recogidas del ensayo *Nuestra América*, poco posterior a *La Edad de Oro*, en época turbulenta para los destinos de Cuba y del Continente, imponen unos criterios nuevos a la extensa polémica decimonónica sobre la civilización y la barbarie, sobre los modelos sociales, políticos y culturales que el hombre americano debe seguir si desea el progreso. Martí, que es «un hombre sincero / de donde crece la palma» (XVI, 63), asimila la civilización a la naturaleza, a la sinceridad del que creció junto a la palma, y la barbarie a la falsa erudición de lo importado, a la máscara. En la fábula «Cada uno a su oficio», del primer número de la revista, insiste en que no se debe envidiar lo ajeno por el hecho de no poseerlo, y en «La perla de la mora» recoge la amargura de una mujer que se cansó de la perla preciosa que poseía, y sólo después de abandonarla lloró desconsoladamente la pérdida de la propiedad. En «La Exposición de París» afirma, al hilo de varias anécdotas relacionadas con la historia de México, que se debe querer a la tierra en que uno nace con fiereza y con ternura (pág. 194), y en los relatos propiamente americanos, como hemos visto, la idea es omnipresente. La naturaleza es también la tierra, en el sentido físico y concreto: esta tierra, que es tratada desde varias perspectivas: gozar la tierra, la comunión con la tierra y la explotación *natural* y racional de la tierra, aspectos que, de igual manera, son susceptibles de ser estudiados y formar parte del proceso educativo del hombre, junto con la ciencia, la técnica o las humanidades:

> Puesto que a vivir viene el hombre, la educación ha de prepararlo para vivir. En la escuela se ha de aprender el manejo de las fuerzas con que en la vida se ha de luchar. Escuelas no

> debería decirse, sino talleres. Y la pluma debía manejarse por la tarde en las escuelas; pero por la mañana, la azada (XIII, 53).

Y en las líneas que cierran la última página del número final de la revista, como si de una recomendación final se tratase, hace Martí una alabanza de la vida en contacto con la naturaleza: «La vida de tocador no es para hombres. Hay que ir de vez en cuando a vivir en lo natural, y a conocer la selva» (pág. 277).

Libertad e igualdad: valores absolutos

Consecuencia de la necesidad anterior, es decir, de afirmar una *naturaleza propia,* que incluye el nivel individual (el *yo* que quiero ser, y que voy conformando poco a poco en mi particular proceso de maduración o autorrealización), nacional (sentirme miembro de mi país, en este caso Cuba independiente) y de idiosincrasia (la comunidad amplia de nuestra América), como tres círculos concéntricos que se sitúan dentro de un cuarto y definitivo, la *Naturaleza Universal,* donde todo tiene unas leyes, llega otra necesidad, que debe estar presente a la vez en cada uno de los círculos: la libertad. En «La historia del hombre, contada por sus casas» expone Martí que los etruscos, mientras eran una república libre vivieron dichosos, pero al llegar la esclavitud se hicieron viciosos y ricos, como sus dueños los romanos (pág. 149).

Y el momento que vive (la segunda mitad del XIX) es para el cubano el claro ejemplo de la entrada en el mundo del reino de la libertad, como eje fundamental que estructura la religión (véase la influencia que tuvo en Martí el krausismo español, el trascendentalismo norteamericano y el modernismo europeo), la literatura (obsérvense, por ejemplo, su libro *Versos libres* y los postulados de su teoría poética), la vida social y política (la lucha por la libertad en su país es un paradigma de unión de teoría y práctica, también aplicable a otros países de nuestra América y otras regiones del planeta), etc. Martí piensa que la entrada del hombre en la órbita de la libertad, con su *ordenación* especial de todas las cosas, produce la profunda confianza en la utilidad y la justicia de la naturaleza. El cubano cree en una ley *natural*, basada en el concepto de *libertad*, que destituye las leyes antiguas de funcionamiento de las sociedades. A tiempos nuevos, presupuestos y comportamientos nuevos. «Libertad es el derecho que todo hombre tiene a ser honrado, y a pensar y a hablar sin hipocresía» (pág. 86) dice Martí en la primera página del artículo que inaugura *La Edad de Oro*, invitando al hombre moderno a replantearse un concepto, hasta entonces expresado y vivido de modo diferente. La libertad de pensamiento y de expresión preceden y justifican la libertad de los pueblos. Así, no es extraño que esas palabras den entrada al relato sobre los tres héroes que consiguieron la independencia de nuestra América.

Para ese nuevo apologista, todo debe estar al servicio de la libertad, incluso las manifestaciones humanas más sublimes, como el arte. En alguna ocasión ha comentado que, cuando no se disfruta de la libertad, el único derecho y la única excusa que tiene el arte para existir es ponerse a su servicio, y que todo debe ir al fuego, incluso el arte, para alimentar la hoguera de la libertad. En «La última página» del primer número de la revista, por ejemplo, explica cuál ha de ser la función del poeta nuevo en estos tiempos de cambio: «lo que ha de hacer el poeta de ahora es aconsejar a los hombres que se quieran bien, y pintar todo lo hermoso del mundo (...) y castigar con la poesía, como con un látigo, a los que quieran quitar a los hombres su libertad» (pág. 136), y en «Los dos ruiseñores» pone en boca de Confucio una enseñanza que desea para la juventud de su época: «¡Cuando no hay libertad en la tierra, todo el mundo debe salir a buscarla a caballo!» (pág. 264).

Parte de esa cuestión se centra en el enorme problema de la desigualdad social, porque la batalla de la libertad no termina en el pensamiento, la expresión o la autodeterminación de los pueblos. Hay que asegurar que la libertad no se convierta en el egoísmo de unos pocos. En algunos relatos, la conciencia social aparece de modo prioritario, y presentada con tintes de dureza, ternura, generosidad, según el caso. «Los dos príncipes», idea tomada de Helen Hunt Jackson, analiza paralelamente la muerte y entierro de un príncipe y un pastor. La igualdad del suceso (la muerte sobreviene a todos) pone de manifiesto la desigualdad social, entre las clases, y se inclina sentimentalmente del lado del pobre, a través de unos mínimos elementos descriptivos. El dolor de las clases humildes destaca por su pureza y sinceridad. En «Los zapaticos de rosa» la generosidad instintiva de una niña llega más a fondo que la superficialidad materialista de los adultos; por eso hay quienes no entienden o tardan en apreciar el gesto de la pequeña, de clase acomodada, que regala sus zapatos nuevos a una niña pobre. «Nené traviesa» afronta las dificultades de la infancia marcada por la orfandad, y «La muñeca negra», quizá el cuento original mejor logrado de Martí, es un alegato en contra de la marginación social o racial. La niña protagonista del relato, incomprendida por la sociedad burguesa, se pone radicalmente al lado del oprimido, la muñeca negra, hasta el punto de exclamar: «¡Te quiero, porque no te quieren!» (pág. 253).

La naturaleza humana entre la ética y la estética

Lo útil, lo bello y lo bueno se pueden unir de muchas maneras. El positivismo manifestó, en uno de sus principales axiomas, que sólo lo útil es bueno, entendiendo por tal lo que tiene un rendimiento práctico, cuantificable, y ha sido conseguido a través del método científico. Con él, superadas ya las etapas históricas mítica y metafísica, la segunda mitad del siglo XIX debería llevar al progreso indefinido. No hay que negar cierta asimilación de estas ideas en algunos planteamientos teóricos de Martí, su fe en el *mejoramiento humano* (XVI, 17), etc., pero la espiritualidad modernista (al igual que su esteticismo, también de corte modernista, ambos relacionados por una base ideológica común) y su idealismo omnipresente le alejaron casi por completo de los planteamientos materialistas del positivismo. Por eso, su fe en lo útil es fe en la *utilidad de la virtud* (XVI, 17). Lo bueno y lo útil tienen unos contenidos sobre todo *éticos*. En *La Edad de Oro*, la *bondad* y sus derivados son los términos-clave de mayor aparición, y su utilidad viene siempre marcada por comportamientos éticos. Meñique, por ejemplo, «no tenía gusto sino cuando veía a su pueblo contento, y no les quitaba a los pobres el dinero de su trabajo (...). Cuentan de veras —continúa Martí— que no hubo rey tan bueno como Meñique» (pág. 110). Y no se conforma el narrador con declarar que el rey era bueno; desarrolla el contenido de esa bondad y saca una consecuencia ética práctica:

> Pero no hay que decir que Meñique era bueno. Bueno tenía que ser un hombre de ingenio tan grande; porque el que es estúpido no es bueno, y el que es bueno no es estúpido. Tener talento es tener buen corazón; el que tiene buen corazón, ése es el que tiene talento. Todos los pícaros son tontos. Los buenos son los que ganan a la larga. Y el que saque de este cuento otra lección mejor, vaya a contarlo en Roma (pág. 110).

Talento no significa la inteligencia del letrado (en alguna ocasión ensalzó esa otra inteligencia *natural* de las cosas colgando «de un árbol marchito / Mi muceta de doctor» [XVI, 65]), sino la sabiduría que da la disposición *natural* para lo bueno. Cada uno debe llegar a ser sabio en su campo, el letrado en sus letras, el obrero en su obra y el rudo en sus ocupaciones. Lo importante es desarrollar las capacidades de formación. Por eso, otro de los términos-clave en la pedagogía martiana es el campo léxico relativo a *pensar*. Al comienzo de «Tres héroes» recomienda que «El niño, desde que puede pensar, debe pensar en todo lo que ve» (pág. 86), y en «Bebé y el señor don Pomposo» repite dentro de cada párrafo, al principio, al final o en el pleno desarrollo de la idea, fórmulas como «no está dormido, Bebé está pensando», «La verdad es que Bebé tiene mucho en qué pensar», «Bebé está pensando en la visita del señor don Pomposo», «Y Bebé vuelve a pensar en lo que sucedió en la visita», etc. (págs. 133, 134, 135). El contenido de esos pensamientos, que tanto inquietan al narrador, tiene un marcado sesgo ético, mostrando una vez más la generosidad del mundo de los niños, que se sienten instintivamente movidos a compartir lo que tienen con los niños necesitados. En las primeras líneas de «Músicos, poetas y pintores» vuelve a unir formación intelectual, entendida como deber y no posibilidad, con bondad —ética—, esta vez con un claro matiz estético:

> Pero todo hombre tiene el deber de cultivar su inteligencia, por respeto a sí propio y al mundo. Lo general es que el hombre no logre en la vida un bienestar permanente sino después de muchos años de esperar con paciencia y de ser bueno, sin cansarse nunca. El ser bueno da gusto, y lo hace a uno fuerte y feliz. «La verdad es —dice el norteamericano Emerson— que la verdadera novela del mundo está en la vida del hombre, y no hay fábula ni romance que recree más la imaginación que la historia de un hombre bravo que ha cumplido con su deber» (págs. 170-171).

Por eso el Padre Las Casas «parece que está vivo todavía, porque fue bueno» (pág. 213), y por eso también «los que se están con los brazos cruzados, sin pensar y sin trabajar, viviendo de lo que otros trabajan, ésos comen y beben como los demás hombres, pero en la verdad de la verdad, ésos no están vivos» (pág. 241). Para el pensador cubano, estos valores no discriminan cultura, raza o época alguna: pertenecen a la naturaleza humana desde siempre y para siempre. De ahí que la revista trate temas históricos y culturales de civilizaciones y fechas muy diversas, como dan a entender los dos siguientes textos, entresacados respectivamente de «La historia del hombre, contada por sus casas» (igualdad *sincrónica*, en un mismo tiempo y lugares diferentes) y «Un paseo por la tierra de los anamitas» (igualdad *diacrónica*, en tiempos diferentes y lugares diversos). Con ellos termina este estudio de una obra que, más de un siglo después, sigue siendo el paradigma de lo que debe hacer un país si quiere progresar:

> el hombre es el mismo en todas partes, y aparece y crece de la misma manera, y hace y piensa las mismas cosas, sin más diferencia que la de la tierra en que vive (pág. 140).
>
> [...] lo que se ha de hacer es estudiar con cariño lo que los hombres han pensado y hecho, y eso da un gusto grande, que es ver que todos los hombres tienen las mismas penas, y la historia igual, y el mismo amor, y que el mundo es un templo hermoso, donde caben en paz los hombres todos de la tierra, porque todos han querido conocer la verdad, y han escrito en sus libros que es útil ser bueno, y han padecido y peleado por ser libres, libres en su tierra, libres en el pensamiento (pág. 230).

Mestizaje y razas indígenas

Para llegar al concepto del indio que Martí elaboró en *La Edad de Oro* y en algunos ensayos conviene aludir al desarrollo de su imagen desde los primeros contactos entre las civilizaciones de ambos lados del Atlántico. El mito del buen salvaje no es una invención rousseauniana, sino una abstracción cuyos parámetros tienen vinculación con los primeros exploradores europeos. Del mismo modo, la visión del indígena como ser inferior al humano occidental, un bárbaro degenerado, es también una propuesta temprana: Oviedo llega a afirmar que la naturaleza del habitante de aquellos parajes no difiere demasiado de la de un animal común, y Buffon asegura que todas las especies animales americanas son netamente inferiores, incluyendo al indio, ya que el medio lo ha condicionado a través de la humedad, que ha provocado la falta de madurez. Los territorios indianos han evolucionado menos que los europeos porque allí la superficie terrestre es más joven, y todavía no se ha secado. La tesis de Buffon, expresada con vehemencia y sistematicidad en su *Historia Natural* de 1749, hunde sus raíces en los comentarios de conquistadores y colonizadores, aunque su origen no es tanto político, religioso o social como biológico, ya que parte de la base de que el medio físico es particularmente nocivo para el desarrollo de especies superiores, civilizadas, inteligentes[12]. A partir de ahí se creará en Europa una corriente de opinión que origina una larga polémica, cuando Montesquieu, favorecido por su prestigio y siguiendo la tendencia mecanicista que establece un nexo causal y una conexión necesaria y orgánica entre los seres vivos y su hábitat, propone en *De l'esprit des lois* (1749) que el clima determina las costumbres e incluso las mismas leyes de los pueblos, y por ende, en los lugares donde se disfruta de un clima cómodo, cálido y benig-

---

[12] Cfr. Antonello Gerbi, *La disputa del Nuevo Mundo: historia de una polémica, 1750-1900*, México, FCE, 1982, págs. 7-9.

no, la civilización se deteriora hasta la indolencia y la pereza más corrosivas.

Dos décadas más tarde aparece la obra que culmina el proceso denigratorio contra la dignidad del indígena americano: De Pauw publica *Recherches sur les americaines* (1768), obra vituperada por la opinión pública española y por los jesuitas expulsados de los territorios americanos que se encontraban en Europa, pero que encontró un generoso eco en Francia y en la Europa calvinista. De Pauw centraba su argumentación en la corrupción de la naturaleza, debido a una serie de catástrofes naturales, como el diluvio que allí tuvo lugar, el cual, según Bacon, tuvo consecuencias irreparables. Apoyado en textos clásicos de los cronistas más conocidos, desempolvó De Pauw la antigua tesis aristotélica sobre la existencia de *esclavos por naturaleza.* Aristóteles, caído en desgracia en pleno Siglo de las Luces, arrinconado por racionalistas y sensualistas, es utilizado por heterodoxos y ortodoxos cuando conviene. Intereses coloniales, prejuicios raciales, leyenda negra que oculta el exterminio casi absoluto del indígena del norte y revancha ideológica protestante frente al mundo católico[13] son algunos de los factores que explican esta actitud. Ahora bien, no faltan en el entorno hispánico autores que coinciden con los postulados de De Pauw, Raynal *(Histoire philosophique et politique des établissements des Européens dans les deux Indes,* 1770) o Robertson *(History of America,* 1777). En Ecuador existe un testimonio contemporáneo (1774) que acentúa si cabe el cariz peyorativo de las opiniones antiespañolas de los europeos. Francisco de Requena, en su *Descripción de la Provincia de Guayaquil,* no duda en confirmar:

> El carácter de las gentes de esta ciudad, es semejante al de las demás de la provincia, que no saben aprovecharse de los bellos frutos (...) ni de una infinidad de cosas que producen

[13] Cfr. Antonello Gerbi, *op. cit.,* págs. 66 y ss.; Pilar Ponce Leiva, «Un espacio para la controversia: la Audiencia de Quito en el siglo XVIII», *Revista de Indias,* 52, 195-196 (1992), pág. 861; Vittorio Messori, *Leyendas negras de la Iglesia,* Barcelona, Planeta, 1996, págs. 21 y ss.; Concha Meléndez, *La novela indianista en Hispanoamérica (1832-1889),* Río Piedras, Universidad de Puerto Rico, 1961, págs. 57 y ss.

estos terrenos y de los cuales podrían sacar muchas comodidades si se tomaran el trabajo de cogerlas (...); es verdad que para esto no son propios los que nacen en temperamentos cálidos y suaves, porque les falta inclinación a los ejercicios penosos, apeteciendo más la quietud que la fortuna (...), y así aman la ociosidad y holgazanería[14].

Son detalles que algunos teóricos del XIX no pasarán por alto cuando traten de descubrir las raíces de la identidad nacional, una vez conseguida la independencia. Sarmiento, en su obra capital *Facundo* (1845), sugiere una cierta inferioridad de las etnias autóctonas frente a las civilizadas europeas, y gran parte de los escritores gauchescos presentan al indio como un bárbaro ante el gaucho[15]. Incluso escritores indigenistas de principio del siglo XX, influenciados por el darwinismo social, el positivismo o el racismo de Gobineau, atribuyeron el retraso de las civilizaciones hispanoamericanas a una supuesta *mala sangre* que no sólo afecta a los indios, sino que se extiende a negros, mestizos, mulatos y zambos. Esta corriente puede rastrearse en obras como las de los argentinos Carlos Octavio Bunge *(Nuestra América,* 1903) y José Ingenieros *(Sociología argentina,* 1910), los bolivianos Alcides Arguedas *(Pueblo enfermo,* 1909 y *Raza de bronce,* 1919) y Nicomedes Antelo, los peruanos Francisco García Calderón *(Las democracias latinas de América,* 1913), Javier Prado y Mariano Cornejo (éste llegó a afirmar que la raza indígena es *esencialmente* débil de ánimo), o autores más tardíos como Homero Guglielmini *(Temas existenciales,* 1939), quien aplaude la evolución de la conquista de toda América por los europeos, porque la raza blanca, civilizada y verdaderamente humana ha vencido (sobre todo en Estados Unidos y Argentina) a las fuerzas telúricas y elementales, representadas por indios y negros[16].

---

[14] Cit. por Pilar Ponce Leiva, *op. cit.*, pág. 862.

[15] Cfr. Juan José Sebreli, «Indigenismo, indianismo, el mito del buen salvaje», *Cuadernos Hispanoamericanos*, 487 (1991), pág. 48.

[16] Más información en Martin S. Statt, *América Latina en busca de una identidad. Modelos del ensayo ideológico hispanoamericano 1900-1960*, Caracas, Monte Ávila, 1969.

La tendencia contraria responde al conocido mito del buen salvaje, origen de una gran cantidad de novelas del XIX. El problema de estas teorías estriba precisamente en la simplicidad de sus planteamientos. Son concepciones maniqueas de la cultura, la civilización, la raza y los efectos de un determinado ambiente físico y social sobre el hombre. Defensores a ultranza y estigmatizadores dividen el mundo en buenos y malos. Por eso el gran descubrimiento de algunos intelectuales de nuestro siglo, bien encaminados por las indagaciones de Martí y algunos modernistas hispanoamericanos, ha sido la disolución de una frontera estrecha entre *civilización* y *barbarie,* propuesta en principio por Sarmiento, y a cuyo sostenimiento contribuyeron escritores de toda índole, moviendo las piezas de un lado a otro de la oposición. Pocos escritores de Indias supieron captar la multiplicidad de las culturas indígenas y la variedad de matices sociales y culturales que pueden encontrarse dentro de una región geográfica más o menos amplia.

Sin embargo, desde Cristóbal Colón, la literatura se llena de elementos descriptivos simples. El genovés coloca al indígena como un elemento más del paisaje, y se admira de su bondad interior y exterior. Las categorías que utiliza no van más allá de la oposición bueno/malo, y su espectro de valores es definido en términos claramente etnocéntricos. En esa línea circularán los escritores de la colonia hasta que se plantee en toda su crudeza el debate sobre la dignidad del indio y su carácter plenamente humano. Algunos autores, como O'Gorman, García Gallo, Abellán, aseguran que nadie llegó a pensar realmente que los indígenas fueran sólo animales evolucionados o razas inferiores, y que si ese argumento se utilizó con frecuencia fue exclusivamente para justificar la dominación. El planteamiento antropológico daba credibilidad y fuerza moral a las posibles alternativas jurídicas. Si bien en 1495 Isabel autoriza a Colón en una cédula para la venta de esclavos, acto seguido eleva una orden al obispo de Badajoz para suspender todo tipo de transacción comercial con ellos hasta que, consultados teólogos y juristas, se afirmase o no la legitimidad de la acción. Cinco años más tarde, en una Cédula Real, se declara libres a los pertenecientes a otras etnias, se condena la esclavitud y el tráfico de seres humanos. Ahora bien, legalizado el régimen de encomiendas en 1509, el indio se vio sometido, en la práctica, a ese régimen de explotación.

Pocos años después de la muerte de Las Casas, primer gran defensor de la causa indígena, la influencia de la corriente utópica empieza a notarse en literaturas no hispánicas. Antes de que Garcilaso aplicara el concepto a los incas, diferenciándolos por tanto del resto de los indios, y Guamán Poma de Ayala nos recordara el estilo apologético del obispo de Chiapas en su *Nueva Corónica y Buen Gobierno*, Montaigne escribía *Des cannibales* (1580), basado en el testimonio de un sirviente suyo que le contó sus aventuras durante doce años en Brasil, y en las conversaciones del escritor francés —al menos así lo afirma Montaigne— con algunos indios que habían llegado a Francia. De ese modo llegó a concebir un estado perfecto de naturaleza, no contaminado por la civilización occidental, ajeno a las mezquinas preocupaciones sociales de los europeos. Detrás de esta primera apología vinieron una serie de obras indianistas que comenzaron a exaltar al personaje exótico. En la *Utopía* de Tomás Moro y en el *Encomion Moriae* de Erasmo ya había ideas parecidas. En 1650, Juan de Palafox ensalza al indio por su inocencia, su modo de vida, su resignación, su sobriedad, en *Virtudes del indio*. Más adelante, se dan a conocer y causan una gran admiración los relatos sobre las misiones jesuíticas en Canadá de Lafitau o del padre Charlevoix, y los correspondientes al Paraguay. Tales relatos fueron muy leídos durante los siglos XVII y XVIII, y contribuyeron a que, tanto en Francia como en Inglaterra, España e Hispanoamérica, el indio se convirtiera en una figura decorativa, folklórica, que es el origen más cercano de la novela indianista hispanoamericana, de la que *Cumandá* (1879), del ecuatoriano Juan León Mera, representa la última fase, un momento de transición hacia la narrativa indigenista reivindicativa[17].

En el siglo XVIII se plantan las bases para que el nacimiento de la novela responda a las demandas de los lugares en vías

[17] Cfr. Ángel Esteban, estudio preliminar a Juan León Mera, *Cumandá*, Madrid, Cátedra, 1998, págs. 11-72.

de emancipación. Junto a los procesos sociales, el mundo de la cultura y el pensamiento contribuyen a la creación de los elementos necesarios para que los futuros países desarrollen la idea de la identidad nacional. El buen salvaje aportará una visión positiva de lo periférico tanto en autores europeos como americanos. Voltaire, en 1736, concede al indio unas virtudes superiores a las del europeo en su tragedia *Alzire,* pues su simplicidad, su vida natural, supera en bondad a la del civilizado. Las obras de Voltaire fueron traducidas al español durante el dominio borbónico en España, y circularon por América Hispánica nada más terminar el proceso revolucionario. Un discípulo suyo, Marmontel, aporta ya en su novela *Les Incas* (1777) algunos rasgos románticos, y tiene como fuentes fundamentales los *Comentarios Reales* de Garcilaso y las obras de Las Casas y Antonio de Solís. Por ahí vuelven a entrar en Francia de modo directo las nociones sobre el buen salvaje que ya tenían dos siglos. En el pensamiento de Vico o Herder se siente también la importancia que el siglo atribuye al primitivo y el ambiente de época, que insiste en los efectos nocivos de la corrupción de las costumbres y la degeneración de las instituciones en los países civilizados, todo lo cual se presenta como causa inmediata de la decadencia de los pueblos. Por eso el siglo de la Ilustración pone tanto énfasis en el problema de la educación y su literatura se llena de aspectos didácticos. Sin ir más lejos, Rousseau entra en vibración con el problema del buen salvaje a través de un proyecto educativo. En una de las caminatas que solía dar en 1749 para visitar a Diderot lee en el *Mercure* la convocatoria de un concurso, en la Academia de Dijon, por el que se otorgaba un premio de ensayo a quien escribiera sobre la relación entre el avance de las ciencias y el estado de las sociedades. En concreto se trataba de describir qué efecto tiene sobre los individuos el restablecimiento de las artes de las ciencias; es decir, si los avances científicos, técnicos y las obras de pensamiento influyen positivamente en la conducta social y moral de los miembros de una comunidad. En ese momento comenzó —asegura en sus *Confesiones* y en sus *Ensoñaciones*— a vislumbrar las contradicciones del sistema social imperante en su época y en su entorno geosocial, los abusos de las instituciones, la profunda perversión del hombre contaminado por el contacto con otros hombres, así como la esencial bondad del hombre cuando se encuentra en estado de naturaleza, neutro, sin influencias externas ni procesos educativos o integraciones en grupos sociales. En los ensayos de las siguientes décadas, Rousseau dudará de la existencia real del hombre en estado de naturaleza *(Discurso sobre el origen de la desigualdad entre los hombres,* el *Emilio,* el *Contrato Social),* pero esa mera hipótesis es un concepto regulador que permite afrontar el problema de la corrección y la transformación de la degenerada sociedad presente[18]. No desea apartarnos de la historia o de la antropología concebida como ciencia basada en cierta experimentabilidad, sino demostrar los puntos débiles del pensamiento ilustrado referentes a la educación y la perfectibilidad. En el segundo discurso sobre la desigualdad presenta abiertamente la hipótesis sobre el estado de naturaleza. Imagina al salvaje con apenas necesidades, incapacitado para sorprenderse y valorar los fenómenos naturales pero a la vez carente de vanidad y malas ambiciones, inocente, anterior a los criterios de moralidad que separan el bien del mal.

Los años 60, a través de las obras de Rousseau, se llenan de páginas que evocan el tipo abstracto del indio exótico, y a ello también contribuyen los abundantes viajeros que surcan los océanos y encuentran lugares que llaman la atención por el estado de primitivismo de sus habitantes. Bougainville, que se convierte en el primer francés que navega alrededor del mundo, entre 1766 y 1769, y el Capitán Cook, a partir de 1768, despiertan con sus relatos el interés por las islas del Pacífico, por la belleza de sus mujeres, la suavidad del clima, el estado de naturaleza, la soledad y el aislamiento. Incluso Denis Diderot, en su comentario al viaje del francés titulado *Suplemento al viaje de Bougainville,* de 1772, ensalza la vida de los salvajes, tomándola como argumento para criticar la huella perniciosa que las instituciones consagradas y tradicionales dejan en los miembros de las sociedades supuestamente avanzadas.

---

[18] Cfr. Esteban Tollinchi, *Romanticismo y Modernidad. Ideas fundamentales de la cultura del siglo XIX,* Río Piedras, Universidad de Puerto Rico, 1989, págs. 481 y ss.

A todo esto hay que añadir el enorme eco expansivo de la polémica sobre el indio que enfrentó las tesis racistas de Raynal, De Pauw, etc., con los defensores a ultranza del indio hispanoamericano, en la que cobran una importancia vital los jesuitas, religiosos expulsados de América en la segunda mitad del XVIII.

Con todas estas aportaciones no es extraño que la literatura tanto europea como americana se pueble durante el siglo XIX de ejemplos que aludan al comportamiento y la naturaleza del indio. Buen salvaje y sentimientos a flor de piel pasarán desde Rousseau hasta *Cumandá* (1879) por el largo puente de Chateaubriand, Saint Pierre, Manuel Belgrano *(Molina,* 1823), Cooper, Humboldt y los más cercanos Mármol e Isaacs. Y precisamente en esa época crepuscular del romanticismo hispanoamericano comienza Martí a formar su concepto del indígena y su idea más general de las razas, que recorre cuatro etapas:

1) La segunda mitad de los 70. Martí llega a principios del 75 a México, después de pasar cuatro años en el destierro de España. Allí se familiariza con los problemas de la raza indígena, y comienza a concebir una imagen que se irá corroborando en Guatemala (1877-1878) y otros países hispanoamericanos.

2) La década de los 80. Su estancia en los Estados Unidos le completa su imagen del indígena hispanoamericano al contrastarla con el proceso de exterminio y ostracismo que los conquistadores del norte han llevado a cabo con el indígena angloamericano. Sigue de cerca la política yanqui y le da cabida en sus crónicas de *La Nación*. Es posible que durante esta época leyera, además, los textos de Tylor, Morgan, Mac Lennan y otros sociólogos, publicados entre 1860 y 1880, sobre las fases del desarrollo humano, con la idea común de una evolución lineal de la humanidad. Estas teorías, junto con el darwinismo social (que el mismo Darwin criticaba) y el creciente influjo del positivismo, calaron en el ambiente de la época y se aplicaron al estudio científico de las razas. Por otro lado, en los años 70 y 80 culmina la obsesión clasificadora, propia de una actitud cientificista, en lo referente a las razas:

Huxley en 1870, Haeckel en 1875, Topinard en 1878, Deniker en 1889, etc., dividen la humanidad en familias y subramas según el tipo de procedencia, y a menudo establecen, con criterios muy dudosos, ciertas jerarquías y diferenciaciones que cabría presentar como esenciales. Es lo que Martí denominó las «razas de librería», inventadas por los «pensadores canijos», «que el viajero justo y el observador cordial buscan en vano en la justicia de la Naturaleza, donde resalta, en el amor victorioso y el apetito turbulento, la identidad universal del hombre» (VI, 22).

3) Al final de la década de los 80, cuando Martí ha reparado ya en la importancia de la educación integral para el desarrollo de los pueblos, escribe su revista para los niños de América, donde concede un espacio relevante, dentro del plan educador para la juventud americana, a la cuestión indígena, aludiendo a la igualdad esencial de todos los hombres, explicando la historia de América basado en la riqueza de las culturas precolombinas, etc., precisamente en su revista para los niños de América. De su proyecto pedagógico hay que destacar sobre todo el relato sobre «Las ruinas indias», donde ensalza, a través de los vestigios de los pueblos precolombinos, unas civilizaciones y unas culturas excelsas, de las que el pueblo hispanoamericano actual (siglo XIX) no sólo es deudor, sino también parte integrante de su idiosincrasia.

4) Los últimos años de su vida, metido de lleno en la preparación de la guerra de independencia, escribe constantemente en sus cuadernos de apuntes referencias al mundo indígena, lee estudios sobre el tema, etc., porque el futuro no sólo de Cuba, también del Continente, depende en gran medida de la solución de los problemas que atañen a la población indígena.

Martí supera el maniqueísmo con el que se ha tratado la cuestión indígena durante siglos. La postura que relega al indio a un ser humano de segunda categoría, raza inferior por naturaleza, es inadmisible en el contexto socio-moral del cubano, pero también considera como perniciosa la que exalta idealmente al indígena, lo califica como un buen salvaje, y no afronta con objetividad la situación con el fin de dar soluciones concretas y rápidas. De todas formas, en algunas ocasiones, en sus cuentos de *La Edad de Oro,* prefiere generalizar, exaltando ciertas virtudes de los indígenas, que aceptar la enorme diversidad del colectivo americano, como en su relato sobre los «Tres héroes», donde asegura «que son tan mansos y generosos» (pág. 89). Martí, además, contradice *a radice* el discurso antiindigenista de Sarmiento. Éste partía de la base de que la fusión de las tres grandes familias étnicas (las indígenas americanas, la hispánica y las afro-americanas) ha tenido como resultado «un todo homogéneo, que se distingue por su amor a la ociosidad e incapacidad industrial, cuando la educación y las exigencias de una posición social no vienen a ponerle espuela y sacarle de su paso habitual (...). Las razas americanas viven en la ociosidad y se muestran incapaces, aun por medio de la compulsión, para dedicarse a un trabajo duro y seguido. Esto sugirió la idea de introducir negros en América, que tan fatales resultados ha producido. Pero no se ha mostrado mejor dotada de acción la raza española cuando se ha visto en los desiertos americanos abandonada a sus propios instintos»[19]. Es lo que Sarmiento llamaba la *barbarie,* frente a la *civilización* representada por la Europa no hispánica y los Estados Unidos. Su planteamiento llegaba hasta el extremo de sugerir el exterminio de la raza inferior. Leopoldo Zea glosa este aspecto del argentino, que es uno de los pilares donde descansa la interpretación de la historia de la modernidad en la América anglosajona, frente al subdesarrollo de nuestra América:

> «No esperemos nada de Europa —dice Sarmiento—, que nada tiene que ver con nuestras razas. Algo puede venirnos de los Estados Unidos, de donde nos vinieron nuestras instituciones.» ¿Qué es lo que podemos aprender de Norteamérica? Su capacidad de ser una raza pura. Y continúa: «Los anglosa-

---

[19] Domingo F. Sarmiento, *Facundo,* Buenos Aires, Espasa Calpe, 1959, 5.ª ed., pág. 68. Hay dos artículos que ponen de manifiesto el contraste entre las teorías de Sarmiento y las de Martí a este respecto: cfr. Jaime Alazraki, «El indigenismo de Martí y el antindigenismo de Sarmiento», *Cuadernos Americanos,* 140 (1965), págs. 135-157, y Antonio Sacoto, «El indio en la obra literaria de Sarmiento y Martí», *Cuadernos Americanos,* 156 (1968), págs. 137-163.

jones no admitieron a las razas indígenas ni como socios, ni como siervos en su constitución social.» Ésta fue la base de su éxito, a diferencia de la colonización española, la cual se hizo como «un monopolio de su propia raza, que aún no salía de la Edad Media al trasladarse a América y absorbió en su sangre una raza prehistórica servil»[20].

Otros autores de la época, como el boliviano Nicomedes Antello, familiarizado con las tesis de Sarmiento al haber residido en Buenos Aires de 1860 a 1882, sostienen que de un modo natural el indio hispanoamericano dejará de existir, porque se trata, mal que nos pese, de una raza inferior, y según las tesis evolucionistas mezcladas con otros determinismos de tipo positivista, las especies inferiores inadaptadas al medio van siendo sustituidas por las superiores que logran hacerse un hueco en el entorno que las rodea:

> ¿Se extinguirá el pobre indio al empuje de nuestra raza? Si la extinción de los inferiores es una de las condiciones del progreso universal, como dicen nuestros sabios modernos y como lo creo, la consecuencia, señores, es irrevocable, por más dolorosa que sea. Es como una amputación que duele, pero que cura la gangrena y salva de la muerte[21].

No es la de Martí una actitud simplemente filantrópica o visceral frente a posturas racistas que violan el espacio más directo de los derechos humanos inalienables, sino un resultado de la coherencia de todo su pensamiento humanista, que se manifiesta en su obra literaria y político-social. Con un sentido trascendente de la vida humana y su destino, postula la unidad y la armonía del universo. En el primer poema de sus *Versos sencillos* declara: «Todo es hermoso y constante, / Todo es música y razón», y en «Pollice verso», de *Versos libres:* «La vida es grave / Porción del Universo, frase unida / A frase colosal», por eso contemplando lo particular se interpreta lo universal y vice-versa. En «Dos patrias», de *Flores del destierro,*

---

[20] Leopoldo Zea, *Dos etapas del pensamiento en Hispanoamérica,* México, El Colegio de México, 1949, pág. 115.

[21] Cit. por Leopoldo Zea, *op. cit.,* pág. 258.

concreta: «El Universo / Habla mejor que el hombre.» Se trata de la intuición de la analogía universal que ya predicaron pitagóricos, platónicos, y en una época más cercana al cubano, Hölderlin, Swedenborg, Novalis, etc. Martí aprende de todos ellos, pero su maestro indiscutible en esta intuición fue Emerson, junto con Whitman y los trascendentalistas norteamericanos de mitad del XIX[22]. La analogía supone «el entendimiento del universo como un vasto lenguaje de ritmos y correspondencias, donde no tienen asiento el azar y los caprichos de la historia»[23]. El destino trascendente de unidad analógica tiene una base filosófica teórica y una supuesta constatación práctica, pero también queda claro que es un objetivo difícilmente alcanzable, pues lo que el ser humano experimenta con frecuencia es la otra cara de la moneda, la ironía: la «conciencia de la precariedad y fragmentación de su vivir»[24]. La vida es una continua ruptura, un proceso constante de caídas y rupturas, y al mismo tiempo una lucha constante por alcanzar el ideal analógico o asimilarse a él. Y como los actos humanos son irrepetibles, sólo en la perfectibilidad reside la esperanza, es decir, en la tendencia hacia lo mejor, hacia lo perfecto, hacia el máximo grado de ser que la naturaleza permite a *este ser* concreto para su autorrealización[25]. Así, el sentido *agónico* de la existencia, en la terminología de Unamuno, se resuelve en el conflicto continuo entre consciencia de la contingencia personal y el anhelo de infinitud, felicidad, perfección y armonía que existe naturalmente en el primer peldaño del espectro de los deseos humanos, es decir, el conflicto entre analogía e ironía. Por eso, cuando Martí alude a

---

[22] Cfr. José Ballón, *Anatomía cultural americana: Emerson y Martí,* Madrid, Pliegos, 1986. Para el tema de la analogía y la ironía en la obra martiana, consultar el magnífico estudio, del que se han obtenido algunas de las ideas de este trabajo, de José Olivio Jiménez, *La raíz y el ala. Aproximaciones críticas a la obra literaria de José Martí,* Valencia, Pre-Textos, 1993. Un libro clásico sobre analogía e ironía en la cultura occidental, sobre todo a partir del romanticismo, es el de Octavio Paz, *Los hijos del limo,* Barcelona, Seix Barral, 1974.

[23] José Olivio Jiménez, *op. cit.,* págs. 178-179.

[24] José Olivio Jiménez, *op. cit.,* pág. 175.

[25] Para estudiar más a fondo el problema de la autorrealización en Martí cfr. Ángel Esteban, *José Martí, el alma alerta,* Granada, Comares, 1995.

los desastres que produjeron los europeos en la conquista de América, con frecuencia se refiere a la pérdida de la armonía universal y la llegada de la ironía perturbadora:

> No más que pueblos en ciernes, no más que pueblos en bulbo eran aquellos en que con mano sutil de viejos vividores se entró el conquistador valiente, y descargó su ponderosa herrajería, lo cual fue una desdicha histórica y un crimen natural. El tallo esbelto debió dejarse erguido, para que pudiera verse luego en toda su hermosura la obra entera y florecida de la Naturaleza. Robaron los conquistadores una página al Universo[26].

Obsérvese la función analógica de los términos *natural, Naturaleza* y *Universo*. Martí califica al crimen de los conquistadores como *natural*, es decir, generador de ironía en un contexto donde la analogía significa la comunión del hombre con la Naturaleza, entendida ésta como espacio físico y como esencia en cuanto principio de operaciones. La imagen con la que alude al Universo significa también la ruptura de un orden: el Universo es un libro cuya armonía estriba en la sucesión lógica y concatenada de sus páginas. Si una se pierde, se desestabiliza el sentido del conjunto del libro. En un artículo para *La Nación*, del 10 de septiembre de 1886, sobre el famoso terremoto de Charleston de aquella época, al comentar el terror que padecieron los negros de aquella ciudad, vuelve a elevar el problema racial a coordenadas universales, mediante el juego de armonías y discordancias que producen la analogía y la ironía:

> Trae cada raza al mundo su mandato, y hay que dejar la vía libre a cada raza, si no se ha de estorbar la armonía del universo, para que emplee su fuerza y cumpla su obra, en todo el decoro y fruto de su natural independencia: ni ¿quién cree que sin atraerse un castigo lógico pueda interrumpirse la armonía espiritual del mundo, cerrando el camino, so pretexto de una superioridad que no es más que grado en tiempo, a una de sus razas? (XI, 72).

---

[26] José Martí, *Obras completas*, vol. II, La Habana, Editorial Lex, 1946-1948, pág. 341.

Con este pasaje, deja Martí claro que la analogía aplicada al problema racial consiste en la armonía que constata la igualdad de todos los hombres, cualquiera que sea su raza. La superioridad histórica de unas sobre otras no forma parte de la naturaleza de las cosas, sino de la ironía reflejada a lo largo de los siglos de uno u otro modo. Es una superioridad de «grado en tiempo», es decir, diacrónica y circunstancial, y por tanto, nociva para la armonía del universo. «El hombre es uno» (VII, 371) dirá en 1890, en una reseña sobre el libro *La Pampa,* de Ebelot. Es ésta una de las constantes más notorias en el conjunto de la obra martiana. En el relato «La historia del hombre, contada por sus casas», de *La Edad de Oro,* síntesis del programa educacional de Martí para la juventud americana, asegura que «el hombre es el mismo en todas partes, y aparece y crece de la misma manera, y hace y piensa las mismas cosas, sin más diferencia que la de la tierra en que vive» (pág. 140). El criterio de diferenciación de los hombres, en una sincronía, no es la raza o el grado de desarrollo, sino el lugar donde habita, su nacionalidad. Con esta afirmación Martí no desea únicamente la convivencia armónica entre blancos y negros en su país, o blancos e indios en otros países de nuestra América, sino que está afirmando al mismo tiempo la necesidad de todos los hombres de identificarse analógicamente con una Naturaleza, con un lugar, con un país y una idiosincrasia. En el fondo, de un modo muy sutil, Martí enseña al niño hispanoamericano a amar su tierra y sentirse ciudadano de su entorno, y luchar por la libertad y la verdadera independencia de su territorio nacional. El proyecto cubano se desarrolla no sólo en el campo de batalla o en la mesa de negociaciones políticas, también en el nivel intelectual y en la educación básica de un pueblo. La analogía tiene sus máximas, sus caminos y su lógica, y si el hombre es uno, pues refleja la unidad de la Naturaleza, la raza es un criterio contingente como el color de los ojos, el tamaño o la aptitud para tal o cual trabajo, es decir, la raza es un atributo cultural[27]. Por eso, en *Nuestra América,* res-

---

[27] Fernando Ortiz, en su conocida conferencia *Martí y las razas,* pronunciada el día 9 de julio de 1941 en el Salón de Recepciones del Palacio Municipal

puesta mestiza al planteamiento racista de Sarmiento acerca de los conceptos de civilización y barbarie, concluye: «No hay odio de razas, porque no hay razas (...). El alma emana, igual y eterna, de los cuerpos diversos en forma y en color» (VI, 22), afirmación que debe matizarse con otras que la complementan, como el párrafo genial que abre su artículo «Mi raza»:

> El hombre no tiene ningún derecho especial porque pertenezca a una raza u otra: dígase hombre, y ya se dicen todos sus derechos (...); peca por redundante el blanco que dice: «mi raza»; peca por redundante el negro que dice: «mi raza». Todo lo que divide a los hombres, todo lo que los especifica, aparta o acorrala, es un pecado contra la humanidad (...). Insistir en las divisiones de raza, en las diferencias de raza, de un pueblo naturalmente dividido, es dificultar la ventura pública, y la individual (II, 298).

Si hay algo que diferencia a los hombres es su esfuerzo por conseguir la autorrealización, es decir, su lucha por identificarse con el modelo al que cada uno puede aspirar. Nada exterior o de clase o grupo, sino absolutamente individual. En el prólogo al su primer poemario, *Ismaelillo,* declara su fe en el mejoramiento humano, y en la utilidad de la virtud, entendida ésta como atributo personal. En el artículo «Mi raza» impone el criterio adecuado para juzgar al hombre:

> Los negros, como los blancos, se dividen por sus caracteres, tímidos o valerosos, abnegados o egoístas (...). Los hombres de pompa e interés se irán de un lado, blancos o negros; y los hombres generosos y desinteresados, se irán de otro. Los hombres verdaderos, negros o blancos, se tratarán con lealtad y ternura, por el gusto del mérito (II, 299).

---

de La Habana, publicada en la *Revista Bimestre Cubana,* septiembre-octubre de 1941, págs. 203-233, y más tarde reproducida en muchas ocasiones, por ejemplo, en Ana Cairo (ed.), *Letras. Cultura en Cuba,* vol. I, La Habana, Editorial Pueblo y Educación, 1989, págs. 99-124, considera que Martí utiliza el término *raza* como sinónimo de *cultura,* es decir, historia vivida en común, con ingredientes no tanto biológicos como de idiosincrasia. Jean Lamore, en su ensayo «José Martí y las razas», *Casa de las Américas,* 198 (1995), págs. 49-56, corrobora esa tesis con multitud de ejemplos (págs. 52-53).

Por eso, no tiene sentido la discusión secular sobre la clasificación de razas y la supuesta superioridad de unas sobre otras. La virtud es personal, no de raza. Ahora bien, el indígena americano posee una serie de virtudes que desde hace siglos lo distinguen de otras culturas: «El indio es discreto, imaginativo, inteligente, dispuesto por naturaleza a la elegancia y a la cultura. De todos los hombres primitivos es el más bello y el menos repugnante. Ningún pueblo salvaje se da tanta prisa en embellecerse, ni lo hace con tanta gracia, corrección y lujo de colores» (VIII, 329 y ss.). Nótese la sutileza de Martí para no incurrir en los mismos errores que critica. Aquí se compara el desarrollo de un pueblo, de una cultura, pero nunca se sugiere que la raza indígena sea esencialmente superior a otras. Lo diferencial en los pueblos afecta al grado y no a la naturaleza. Las costumbres, la tierra en que se habita y la historia, condicionan su desarrollo pero no lo determinan. La tendencia al modelo es personal, pero el nivel alcanzado en la autorrealización del individuo afecta al desarrollo de la nación, del pueblo, de la cultura en la que el hombre concreto se desenvuelve. Por eso es muy importante que en América, donde el aborigen es una pieza clave, el indio alcance el máximo nivel de autorrealización. Aclara Martí:

> La inteligencia americana es un penacho indígena. ¿No se ve cómo del mismo golpe que paralizó al indio, se paralizó América? Y hasta que no se haga andar al indio, no comenzará a andar bien la América.
>
> El indio que en la América del Norte desaparece, amenazado bajo la formidable presión blanca o diluido de la raza invasora, en la América del Centro y del Sur es un factor constante, en cuyo beneficio se hace poco, con el cual no se ha querido calcular aún, y sin el cual no podrá, en algunos países al menos, hacerse nada. O se hace andar al indio, o su peso impedirá la marcha (VIII, 329 y ss.).

Es el mismo fenómeno observado por Sarmiento y otros sociólogos contemporáneos, pero interpretado de un modo más profundo, o quizá más comprometido. La solución fácil fue la del Norte: eliminar al indígena, porque sus hábitos no coincidían con el proyecto desarrollista del invasor. Martí acoge el mestizaje, el proceso real de fusión que se está dando en América, como algo obvio y positivo: «Se viene de padres de Valencia y de madres de Canarias, y se siente correr por la venas la sangre enardecida de Tamanaco y Paracomoni, y se ve como propia la que vertieron por las breñas del cerro del Calvario, pecho a pecho con los gonzalos de férrea armadura, los desnudos y heroicos caracas» (VIII, 335 y ss.). El mestizaje, sintetizado en el texto programático de *Nuestra América*, no es sólo una fusión de razas o culturas, es también una actitud. El americano será realmente hispanoamericano y permitirá el verdadero progreso cuando acepte la pluralidad y la unidad, cuando tenga conciencia de lo que es, de lo que puede llegar a ser y de los medios que debe utilizar, cuando respete y valore al otro, cualquiera que sea su raza y modo de pensar. En una carta dirigida al general Maceo, aplica este pensamiento al problema cubano. Lo importante no es conseguir estrictamente la independencia, sino terminar con las divisiones provocadas por litigios entre razas. Hay que entender la pluralidad de otro modo, como respeto a la diferencia y salvaguarda de lo que aglutina a un pueblo:

> A mis ojos no está el problema cubano en la solución política, sino en la social, y cómo ésta no puede lograrse sino con aquel amor y perdón mutuo de una raza a otra (...). Para mí es un criminal el que promueva en Cuba odios, o se aproveche de los que existen. Y otro criminal el que pretenda sofocar las aspiraciones legítimas a la vida de una raza buena y prudente que ha sido ya bastante desgraciada. No puede usted imaginar la especialísima ternura con que pienso en estos males y en la manera, no vociferadora ni ostensible, sino callada, activa, amorosa, evangélica de remediarlos (I, 172).

A partir de aquí, todo el problema se limita a construir una sociedad educada en los valores más básicos. El problema que se ha generado en América con el indígena podrá resolverse únicamente con colaboración mutua y medidas eficaces. Martí es consciente de que, tanto en el Norte como en el Sur, el indio no ha prosperado lo suficiente en parte por culpa del blanco. En un artículo de 1885 sobre la situación del indígena en los Estados Unidos hace un recuento de todos los vicios que se atribuyen a los indios: derrochadores, perezosos, dados a la bebida, sin interés por la educación, etc. El extenso párrafo termina con un alegato claro a su favor: «el indio no es así de su natural, sino que así lo ha traído a ser el sistema de holganza y envilecimiento en que se le tiene desde hace cien años» (X, 322). Y a continuación, ensalza las virtudes que podría desarrollar si se le permitiera vivir en libertad: «Allí donde el indio ha logrado defenderse con mejor fortuna, y seguir como era, se le ve como él es de raza, fuerte de mente y de voluntad, valeroso, hospitalario, digno» (X, 322-323). Cierto es que la situación del indio del Sur es diferente, pero la desventaja con respecto al blanco es equiparable; por eso, cuando Martí pasa de la denuncia a la presentación de unas posibles soluciones, éstas coinciden para los indígenas de todo el territorio americano. En un artículo de 1886 se centra Martí en dos cuestiones: la necesidad de que tenga propiedad privada, que pueda trabajar a su modo y para su provecho, y la necesidad de una educación adecuada. De ese modo, concluye el cubano, «podrá, con paz segura, con los placeres de la propiedad, con la conciliación de la vida de su raza y la vida civilizada, con la elevación de la mente instruida, permanecer el indio como elemento útil, original y pintoresco del pueblo que interrumpió el curso de su civilización y le arrebató su territorio» (X, 375). Cuando se refiere al indio de Nuestra América, las conclusiones son parecidas: «¿Qué ha de redimir a esos hombres? —se pregunta en relación con los problemas sociales en el México de los 70—. La enseñanza obligatoria. ¿Solamente la enseñanza obligatoria, cuyos beneficios no entienden y cuya obra es lenta? No la enseñanza solamente: la misión, el cuidado, el trabajo bien retribuido. En la constitución humana, es verdad que la redención empieza por la satisfacción del propio interés. Dense necesidades a estos seres: de la necesidad viene la aspiración, animadora de la vida» (VI, 328).

Trabajo, propiedad, educación, justicia social, respeto a la propia cultura, generosidad y colaboración son, en resumen, las únicas armas que se han de utilizar para que los problemas raciales dejen de serlo, o al menos para que no surja un desprecio mutuo entre razas que, poseyendo valores de grado en diferente magnitud, sospechen que esas divergencias son producto de la propia naturaleza humana. Es el error que intenta Martí combatir, porque ese error genera dos terribles consecuencias: en primer lugar, que las razas o culturas dominadas sean difícilmente redimibles y, en segundo lugar, algo que es todavía más grave, que el odio entre razas genere la desunión entre los pueblos de Nuestra América y, con ella, la perpetuación del subdesarrollo. Sólo la unión hace la fuerza, y hará posible el progreso de Nuestra América:

> ¿Qué haremos, indiferentes, hostiles, desunidos? ¿Qué haremos para dar todos más color a las dormidas alas del insecto? ¡Por primera vez me parece buena una cadena para atar, dentro de un cerco mismo, a todos los pueblos de América!
>
> Pizarro conquistó el Perú cuando Atahualpa guerreaba con Huáscar, Cortés venció a Cuauhtémoc porque Xicotencatl lo ayudó en la empresa; entró Alvarado en Guatemala porque los quichés rodeaban a los zutujiles. Puesto que la desunión fue nuestra muerte, ¿qué vulgar entendimiento, ni corazón mezquino, ha menester que se le diga que de la unión depende nuestra vida? (VII, 118).

Martí y el concepto de nación

No es Martí el primer teórico sobre la *cubanía,* entendida esta no sólo como una idiosincrasia sino como un proyecto político. En el siglo XVIII, los primeros intelectuales isleños conciben ciertos modelos, vagos pero fundadores, muy ceñidos al marco concreto del perímetro insular. Zequeira y Rubalcava ofrecen una representación poética del paisaje insular y, más adelante, Plácido, Heredia y Mendive evolucionan hacia una representación poética del alma cubana[28]. La diferencia es clara e importante: mientras los primeros poetizan nada más el aspecto físico, y definen la patria en términos geográficos, los segundos improvisan una radiografía poética espiritual, y se acercan más al concepto de *pueblo,* sugerido por los

[28] Cfr. Cintio Vitier, *Lo cubano en la poesía,* La Habana, Instituto del Libro, 1978, págs. 49 y ss.

románticos europeos a partir de la segunda mitad del XVIII. Si atendemos meramente al discurso político o filosófico, se da un paralelismo con respecto al poético en épocas similares, como bien ha demostrado Rafael Rojas en su magnífico estudio *José Martí: la invención de Cuba.* Advierte el historiador cubano que esa misma diferencia se advierte en las obras de José Martín Félix de Arrate, hacia la mitad del XVIII, y del Conde de Pozos Dulces, casi un siglo más tarde. En ese período, «la cultura cubana pasa de la *topofilia* a la *logofilia*, del mito de la tierra insular al mito del alma nacional, de la imagen poética a la imagen moral de la patria. La generación de Varela, Saco, Del Monte y Luz convertirá este patriotismo ético ya no en un discurso, sino en una práctica civil, en un vínculo elitista o norma de sociabilidad exclusiva para los patricios blancos. La patria del criollo es un espacio público, sumamente estrecho, en cuyo interior el patriarcado exhibe sus virtudes y su filantropía, su erudición y su inconformidad, su moderación y su reformismo. Ni el sacarócrata ni el esclavo, ni el peninsular ni el africano, pertenecen a esta República Criolla»[29].

Martí constituye una tercera aproximación al problema, que supera el aristocratismo criollo de sus antecesores. El orden político criollo instaurado con la *Guerra de los Diez Años*, con la perpetuación de instancias oligárquicas, supone un estado reaccionario que perpetúa la división clasista de la sociedad y reordena el sistema racial. Y aunque Martí también habla de una «verdadera alma criolla», depurada en la guerra, en la emigración y en la pobreza que siguen a la contienda, alma que basa su fundamento «en la roca y en la arena», lo cierto es que su discurso ha perdido el carácter xenófobo o exclusivista de los teóricos precedentes. El cubano quiere echar su suerte «con los pobres de la tierra», y afirma que «el arroyo de la sierra / me complace más que el mar» (XVI, 67); asimismo, cuando publica su magno proyecto pedagógico, para la juventud cubana y latinoamericana, habla en uno de sus cuentos de una muñeca negra, fea y casi sin pelo, a la que todos

[29] Rafael Rojas, *José Martí: la invención de Cuba,* Madrid, Colibrí, 2000, págs. 128-129.

desprecian frente a la muñeca nueva, rubia, que acaba de ser regalada a la protagonista, por sus padres, el día de su cumpleaños. Por supuesto, la niña prefiere a la muñeca negra, a la que quiere porque nadie más se fija en ella. La obra conscientemente literaria de Martí está plagada de ejemplos de este tipo, tanto en la poesía como en la prosa o el teatro. Y lo mismo podría decirse de su obra política. El criollismo anterior es falso, y retrasa el proceso democratizador e independentista de Cuba, porque defiende un modelo social y político maniqueo, disgregante, desfasado, incompatible con un concepto moderno de República.

Martí construye un proyecto ecléctico, integrador, *mestizo*, gracias a su experiencia nómada. Aunque los versos «Yo vengo de todas partes / y hacia todas partes voy» (XVI, 63) tengan una explicación existencial y filosófica más grave, bien se puede decir que se trata de una declaración auténticamente biográfica. Martí encarna como nadie la idea de un *sedentarismo nomadista* que consiste en la aplicación constante de la idiosincrasia del país en el que vive a su estatuto actual. Hijo de españoles, nacido en Cuba, independentista desde la adolescencia gracias al magisterio de Mendive, es desterrado a España antes de llegar a la mayoría de edad. Allí vive cuatro años y escribe con la conciencia del español que comprende el caso cubano. En 1875 se instala en México con la familia y comienza una época de residencia en distintos países (Guatemala, Venezuela, Cuba, España de nuevo) hasta que se instala en los Estados Unidos a partir de 1881. En cada uno de ellos trata de compaginar su cubanía independentista con la comprensión de la identidad nacional del país en el que reside. Esto es particularmente importante en los últimos quince años de su vida, porque la hibridez se convierte ahora en paradoja dialéctica. Instalado «en las entrañas del monstruo», como le gustaba decir, Nueva York será para el cubano el símbolo de la opresión imperialista, que incide directamente en su isla, y también el único foco desde el cual se pueda entender, definir, describir y realizar el proyecto político de su patria: Cuba. Allí escribe sus más afamados artículos, muchas de sus cartas, la mayoría de sus poemas, los cuentos, allí redacta los estatutos del Partido Revolucionario Cubano y consigue el dinero y el apoyo necesarios para comenzar esa guerra *necesaria*, que debería llevar al triunfo de la República inventada por él sobre las diferentes formas de dominación foránea.

Curiosamente, este teórico de la nación y la patria cubanas no llegó a ver la República. Su temprana muerte al comienzo de la guerra, en 1895, dejó sus ideas y sus escritos en el suspense más desanimante, que no culminó en 1898, con el final de la guerra, sino con la proclamación de la República en 1902, después de los cuatro años de dominio norteamericano. Quién sabe qué habría pasado si Martí hubiese sobrevivido a la guerra y fundado la República real. Es de suponer que eso nunca habría podido pasar, porque su idea de patria no se basaba tanto en paradigmas experienciales como en patrones morales de naturaleza utópica. De ahí su muerte. Hay quien apunta al suicidio. Otros hablan de inmolación, de entrega absoluta a la causa cubana independentista, una especie de misticismo mesiánico después del cual, desgraciadamente, no hay resurrección posible. Un Gólgota sin sepulcro vacío. Martí era, probablemente, consciente de la enorme distancia entre su ideal republicano moral y las posibilidades reales de llevar a cabo el proyecto. Supo hacer una revolución y concitar en torno a ella la voluntad de miles de comprometidos, y en la destrucción de la ropa apolillada sí aplicó todo su sentido pragmático. Sin embargo, cuando se trataba de construir un bloque de acción germinativa y duradera para un conjunto de isleños, sus observaciones no se vieron respaldadas por un sólido cuerpo doctrinal. De hecho, para conocer a fondo el ideal patriótico, político y social de Martí, hay que acudir a un montón de textos dispersos, algunos tangenciales, otros medulares, y todos fragmentarios, cuya disposición formal varía de la prosa al verso, del ensayo a la carta personal, del documento legal al diario íntimo.

Para comenzar, la escritura fundacional no descansa sobre la base de un texto legal o constitucional, sino sobre el síndrome romántico de la necesidad de la epopeya y de los personajes asimilados a ella: profetas, místicos, fundadores y mártires del pueblo cubano. Es decir, alrededor de una mitología que refrende el modo *natural* de un pueblo que debe constituirse en nación, y que debe, también de forma natural, tender a un modelo republicano. Y esa mitología ya deseaba ser escrita por el prócer en una fecha muy temprana. De hecho, en el verano de 1878 escribe a su amigo Manuel Mercado:

> ¡Ahora que tenía casi terminada, con el amor y el ardor que Vd. me sabe, la historia de los primeros años de nuestra Revolución! —Había revelado a nuestros héroes, escrito con fuego sus campañas, intentando eternizar nuestros martirios! Con minucioso afán, había procurado enaltecer a los muertos y enseñar algo a los vivos. Ningún detalle me había parecido nimio. Todo lo hacía yo resplandecer con rayos de grandeza: —de su eterna grandeza—. ¡Y esta obra noble y filial de mi espíritu libre, irá ahora clavada como un crimen en el fondo de un baúl! —Mucho he de padecer en una tierra donde no puede entrar con semejante libro (XX, 54).

Un libro que, probablemente, nunca se comenzó a escribir, ya que no se ha encontrado jamás entre sus textos inéditos. Pero en ella estaría todo lo que se necesita para echar a andar como nación, un relato genesíaco, épico. Martí soñaba frecuentemente con los héroes, aquellos que se pasean por los claustros de mármol, como bien describe en uno de los poemas más conocidos de *Versos sencillos*. Sagazmente observaba Rafael Rojas que «el primer paso de la invención republicana de Cuba es la narrativa de un pasado épico, el despliegue de una densidad histórica o (...) la invención de una tradición (...). Varela, Saco, Del Monte, Luz son los padres fundadores del espíritu, los primeros evangelistas. Céspedes y Agramonte son los mártires y Maceo y Gómez los héroes»[30]. La idea de «padres de la patria», que había sido aplicada con versatilidad a los protagonistas de las independencias de las repúblicas americanas ya libres, tenía también un correlato en la Cuba de la segunda mitad del XIX, y en ese olimpo fundacional isleño, a Martí le correspondía asimismo un lugar privilegiado. Eso no sólo lo ha corroborado la historia, sino que es el mismo cubano quien lo siente así y lo comunica sutilmente. Y lo hace, en primer lugar, por medio de la imagen que crea de sí

[30] Rafael Rojas, *op. cit.*, pág. 133.

mismo en los retratos y fotografías que conocemos, donde aparece siempre con unos rasgos similares, que evocan liderazgo, espíritu pensativo, valentía, seguridad en sí mismo, gravedad (a pesar de su juventud), etc. Pero también, y sobre todo, crea esa automitología con sus escritos y declaraciones, como aquella en la que le dice a Máximo Gómez que un pueblo no se *funda* como se manda un campamento.

Y, paralelamente a los planteamientos políticos, su obsesión fundacional se extiende al mundo de la literatura. En 1882 prologa el *Poema del Niágara* del venezolano Juan Antonio Pérez Bonalde y, más que unas palabras de homenaje o análisis, lo que encontramos en ese prólogo es todo un tratado sobre el carácter profético del poeta, en los tiempos de transición entre una sociedad tradicional y una contemporaneidad que se acerca velozmente y amenaza con alterar el sistema social de la Edad Moderna. Los poetas, los artistas de estos «ruines tiempos», son llamados «jóvenes eternos», «sentidores exaltables reveladores y veedores, hijos de la paz y padres de ella», los únicos que pueden oír y describir «las melodiosas profecías de la buena ventura de tiempos venideros», constantemente apagadas por «los ruidos de la guerra» (VII, 224). Porque los tiempos cambian, sobre todo en velocidad, y la vorágine del progreso acarrea un estado de confusión que sólo el alma sensible y profética (veedora, fundacional) es capaz de poner en su sitio, interpretar y darle una salida colectiva digna. Es necesario, por tanto, un estilo de hombre del futuro que distinga los signos de los tiempos, ya que «se anhela incesantemente saber algo que confirme, o se teme saber algo que cambie las creencias actuales. La elaboración del *nuevo estado social* hace insegura la batalla por la existencia personal y más recios de cumplir los deberes diarios que, no hallando vías anchas, cambian a cada instante de forma y vía, agitados del susto que produce la probabilidad o vecindad de la miseria» (VII, 225).

Tan segura figuraba la conciencia fundacional de Martí con respecto a Cuba, que su tarea se planteó desde un principio como un deber. Y así discurrió hasta el último día de su vida. El 18 de mayo de 1895, horas antes de morir, redacta la siguiente carta a Manuel Mercado:

> ya estoy todos los días en peligro de dar la vida por mi país y por mi deber —puesto que lo entiendo y tengo ánimos con que realizarlo— de impedir a tiempo con la independencia de Cuba que se extiendan por las Antillas los Estados Unidos y caigan, con esa fuerza más, sobre nuestras tierras de América. Cuanto hice hasta hoy, y haré, es para eso. En silencio ha tenido que ser y como indirectamente, porque hay cosas que para lograrlas han de andar ocultas, y de proclamarse en lo que son, levantarían dificultades demasiado recias para alcanzar sobre ellas el fin (XX, 161).

La lucha por definir la patria y adaptarla a su forma *natural* es un deber, que marca toda una vida. Y los términos y conceptos con que se explicita la obligación vuelven una y otra vez al vocabulario religioso, místico, mítico. «Cuando al peso de la cruz / El hombre morir resuelve, / Sale a hacer bien, lo hace, y vuelve / Como en un baño de luz» (XVI, 101), dice en los *Versos sencillos*. En el fondo, la labor del fundador está más relacionada con la *mayéutica* socrática que con la pura elección de posibilidades políticas y sociales. Ese es quizá el escollo más importante que debe sortear el veedor, y el que le produce un dolor más acendrado y agudo. Inventar de la nada acarrea dificultades, pero conferir a la nación la silueta pública y colectiva que le corresponde por naturaleza es mucho más complicado, porque se trata de meter el pie en la horma exacta, el único calzado posible. Cada pueblo tiene un alma propia, y esa es la que hay que modelar. En *La Edad de Oro* adapta esta idea al alma del hombre individual, pero lo mismo se podría decir del pueblo: «Cada ser humano lleva en sí un hombre ideal, lo mismo que cada trozo de mármol contiene en bruto una estatua tan bella como la que el griego Praxiteles hizo del dios Apolo» (pág. 170). De hecho, en las últimas líneas de la carta a Manuel Mercado con la que prácticamente se despide de esta vida, relaciona la dignidad individual con el esfuerzo revolucionario que debe tender al fundador a guiar a su pueblo para que se identifique con el *alma* que lo mueve:

> quiere la revolución a la vez sucinta y respetable representación republicana, la misma alma de humanidad y decoro,

> llena del anhelo de la dignidad individual, en la representación de la república, que la que empuja y mantiene en la guerra a los revolucionarios. Por mí, entiendo que no se puede guiar a un pueblo contra el alma que lo mueve, o sin ella, y sé cómo se encienden los corazones, y cómo se aprovecha para el revuelo incesante y la acometida el estado fogoso y satisfecho de los corazones (...). En mí, sólo defenderé lo que tengo yo por garantía o servicio de la revolución. Sé desaparecer. Pero no desaparecería mi pensamiento, ni me agriaría mi oscuridad. Y en cuanto tengamos forma, obraremos, cúmplame esto a mí, o a otros (XX, 162).

Por eso, en *Nuestra América* señala que la incapacidad para gobernar no está «en el país naciente, que pide formas que se le acomoden y grandeza útil, sino en los que quieren regir pueblos originales, de composición singular y violenta, con leyes heredadas de cuatro siglos», procedentes de Europa o América del Norte. El gobierno —continúa— «ha de nacer del país. El espíritu del gobierno ha de ser del país. La forma de gobierno ha de avenirse a la constitución propia del país. El gobierno no es más que el equilibrio de los elementos naturales del país». Y concluye con uno de los párrafos más singulares y conocidos de toda la teoría política en la historia de América Latina, que ha dado nombre a la idea del mestizaje:

> Por eso el libro importado ha sido vencido en América por el hombre natural. Los hombres naturales han vencido a los letrados artificiales. El mestizo autóctono ha vencido al criollo exótico. No hay batalla entre la civilización y la barbarie, sino entre la falsa erudición y la Naturaleza. El hombre natural es bueno y acata y premia la inteligencia superior, mientras esta no se vale de su sumisión para dañarle, o le ofende prescindiendo de él, que es cosa que no perdona el hombre natural, dispuesto a recobrar por la fuerza el respeto de quien le hiere la susceptibilidad o le perjudica el interés. Por esta conformidad con los elementos naturales desdeñados han subido los tiranos de América al poder, y han caído en cuanto les hicieron traición. Las repúblicas han purgado en las tiranías su incapacidad para conocer los elementos verdaderos del país, derivar de ellos la forma de gobierno y gobernar con ellos. Gobernante, en un pueblo nuevo, quiere decir creador (VI, 17).

Los otros relatos del cubano

Como ya dijimos al principio, la mayor parte de los relatos de Martí son los que aparecieron, durante 1889, en *La Edad de Oro*. Sin embargo, hay más cuentos, fábulas, narraciones cortas y fragmentos en elaboración, que fueron recogidos en el volumen 21 de la obras completas que hemos utilizado en las citas de toda la obra martiana. Y uno más, no incluido en las obras completas, al ser publicado sin firma el 17 de octubre de 1875 en la *Revista Universal* de México. Se trata de «Hora de lluvia», uno de los primeros relatos que Martí escribió, y el primero que publicó. Fue descubierto por Fina García Marruz y reproducido, demostrándose la autoría, en el *Anuario del Centro de Estudios Martianos,* 4 (1981), págs. 6-10. En la introducción se afirma que la atribución «es segura, por numerosos rasgos de pensamiento y de estilo y por el autorretrato caricaturesco (coincide con un dibujo que aparece en un cuaderno de apuntes de Martí en España), así como por la fecha del envío y la destinataria del cuento: Blanca de Montalvo, novia juvenil de Martí en Zaragoza, a la que también alude él en el poema "Cartas de España" y en la estrofa final del poema VII de *Versos sencillos*». Este cuento no ha sido reproducido en ninguna edición de la narrativa corta martiana hasta el momento.

En cuanto a los relatos y fragmentos de los cuadernos de apuntes hemos encontrado diecisiete, casi todos de pocas líneas. En el cuaderno núm. 2, de la época española (1871-1874), hay ocho fábulas de necios, muy cortas, con cierto contenido moral o didáctico y herederas de la tradición literaria occidental grecolatina y medieval popular, una recreación de la parábola evangélica del hijo pródigo y varios fragmentos cortos de los que, a nuestro juicio, sólo tres tienen cierto carácter de narración, al poseer un mínimo argumento: «Al amor», «A la paloma» y «A la cigarra» de claro sabor clásico grecolatino. En el cuaderno núm. 9, de 1882, hemos encontrado dos fábulas: la del oso y su dueño, y la de los tres que se repartieron un tesoro. Por último, en el cuaderno núm. 18, de 1884, se encuentra el relato más original —fuera de los de *La Edad de Oro*—, mejor elaborado y de mayor fuerza expresiva de Martí, que hemos titulado «Cuchillo de plata fina», y otro más, titulado «El drama». Al estar escritos en cuadernos de apuntes, y no preparados para ser publicados, algunos contienen arcaísmos, anacolutos, finales inconclusos, y expresiones personales que hemos respetado en su mayoría, corrigiendo únicamente erratas claras o problemas gramaticales que pudieran dar dudas de interpretación.

Esta edición

Para los cuentos de *La Edad de Oro* hemos utilizado como textos base la edición facsimilar realizada por el Centro de Estudios Martianos, en Letras Cubanas, 1989, 2.ª ed., coincidiendo con el centenario de la publicación de la revista, y el volumen XVIII de la edición ya citada de las obras completas, págs. 293-503, respetando en su mayor parte el particular sistema de puntuación de Martí, modernizando únicamente problemas básicos como vacilaciones entre *b/v, j/g, c/z* o presencia/ausencia de «*h*» inicial, y la acentuación de los monosílabos, que en aquella época era preceptiva, o la ausencia de la marca acentual en los grupos vocálicos «*-ía*», «*-úo*», etc.

Por otra parte, se han uniformado los diversos tamaños de mayúsculas que tanto la edición facsímil como la de las obras completas poseen. La edición de las obras completas corrige algunas erratas claras que aparecen en la de 1889, criterio que también hemos seguido en la nuestra, aprovechando para eliminar las que todavía se conservaban en las últimas ediciones. Asimismo, los nombres propios se han adaptado a la ortografía actual, ya que muchos de ellos no se escribían de la misma forma en el siglo XIX.

El cuento «Hora de lluvia» ha sido tomado de la versión que aparece en el *Anuario del Centro de Estudios Martianos,* la cual reproduce con exactitud el original de la *Revista Universal* de 1875. Por último, los relatos de los cuadernos de apuntes coinciden con los del volumen XXI de las obras completas utilizadas. Al final de cada uno de ellos se ha colocado, entre paréntesis, la página donde aparece en la edición consultada.

Debemos agradecer al profesor Schulman, de la Universidad de Illinois, sus continuos consejos, utilísimos, y su ayuda para conseguir alguno de los textos. De igual modo, nuestro agradecimiento a Carlos Morales por facilitarnos la edición facsímil de *La Edad de Oro*.

Cronología martiana

1853 28 de enero: nace en La Habana.
1857 Junio: viaja con la familia a España.
1859 Junio: vuelve a La Habana. El mes siguiente comienza sus estudios.
1860 Estudia en el colegio San Anacleto. Allí conoce a Fermín Valdés.
1863 Viaja con su padre hasta las Honduras Británicas.
1865 Marzo: entra en la Escuela de Instrucción Primaria Superior Municipal de Varones, dirigida por Mendive.
1867 30 de septiembre: comienza el segundo año de bachiller en el colegio de San Pablo.
1868 26 de abril: publica sus primeros versos en *El Álbum*.
1869 19 de enero: publica su primer artículo en *El Diablo Cojuelo*.
23 de enero: ve la luz su drama *Abdala*.
28 de enero: es detenido Mendive por independentista.
Febrero: publica el soneto «10 de octubre».
4 de octubre: acusan a varios jóvenes amigos, entre ellos Martí, de insurrección. Días más tarde ingresa en la cárcel.
1870 4 de marzo: condenado a seis años de presidio.
4 de abril: destinado a las Canteras de San Lázaro.
Agosto: destinado a la cigarrería y luego a La Cabaña.
18 de diciembre: se ordena su deportación a España.
1871 15 de enero: sale deportado rumbo a Europa.
31 de mayo: solicita matrícula en la Facultad de Derecho de la Universidad de Madrid.
Julio: publica su obra *El presidio político en Cuba*.
7 de septiembre: polémica con el periódico *La Prensa* desde las páginas de *El jurado Federal*.
1872 Junio: llega, deportado, a Madrid, Fermín Valdés.
31 de agosto: se matricula en varias asignaturas de Derecho.

1873 15 de febrero: publica *La República española ante la revolución cubana.*
Mayo: pide traslado a la Universidad de Zaragoza y se le concede a los pocos días. A fin de mes solicita la admisión.

1874 Febrero: termina en Zaragoza su obra *Adúltera.*
30 de junio: tras examinarse de Bachiller y obtener el título, se gradúa de Licenciado en Derecho Civil y Canónico.
31 de agosto: se matricula en varias asignaturas de Filosofía y Letras. Al mes siguiente se examina de la mayoría de ellas.
24 de octubre: se licencia con calificación de sobresaliente.
Noviembre: abandona España, va a París, Liverpool, etc.

1875 2 de enero: sale para Nueva York y México, llega el 10 de febrero.
12 de marzo: comienza a publicar la traducción de *Mes fils* de Victor Hugo en la *Revista Universal.*
19 de diciembre: estrena en el Teatro Principal de México su obra *Amor con amor se paga,* con gran éxito.

1876 28 de enero: funda la sociedad Alarcón.
31 de enero: pronuncia un discurso en la Academia de Bellas Artes de San Carlos.
20 de febrero: comienza a colaborar en *El Socialista.*
29 de diciembre: sale hacia Cuba.

1877 6 de enero: llega a La Habana y pasa allí un mes y medio.
Abril: llega a Guatemala. Enseña en la Escuela Normal.
29 de mayo: es nombrado catedrático de literatura y de historia de la filosofía en la Universidad.
25 de julio: nombrado vicepresidente de la sociedad «El Porvenir».
20 de diciembre: se casa en México con Carmen Zayas Bazán.

1878 Enero: publica en México su obra *Guatemala.*
Marzo: es cesado de su empleo en la universidad.
27 de julio: parte con su esposa para Cuba.
22 de noviembre: nace en La Habana su hijo José Francisco.

1879 Durante los primeros meses pronuncia discursos, participa en actividades del Liceo de Guanabacoa, etc.
17 de septiembre: detenido por defender la libertad de Cuba.
25 de septiembre: deportado a España. Llega a Santander el 11 de octubre, y el 22 a Madrid.
Diciembre: sale a París y a fin de mes va a Nueva York.

1880 3 de enero: llega a América. Esos meses pronuncia discursos en pro de Cuba y colabora en varios periódicos.
3 de marzo: su mujer y su hijo van con él a Nueva York, permaneciendo hasta octubre.

1881 8 de enero: sale para Venezuela. Allí comienza más tarde a colaborar en diarios e impartir enseñanza.

1 de julio: publica el primer número de la *Revista Venezolana*.
Días más tarde sale el segundo y último número. A fin de mes sale para Nueva York, y allí colabora con varios periódicos.

1882 Marzo: aparece su primer libro de poemas, *Ismaelillo*. Empieza a escribir sus *Versos libres*, publicados póstumamente.
15 de julio: comienza a colaborar con *La Nación* de Buenos Aires.
20 de julio: en sus cartas previene del peligro de anexión a los Estados Unidos.

1883 12 de mayo: publica en *La América* de Nueva York. Más tarde continúa las traducciones y pronuncia discursos.

1884 15 de enero: dirige *La América* y es corresponsal de la Sociedad Amigos del Saber de Caracas.
Mayo: hasta octubre es cónsul de Uruguay.
20 de octubre: se separa de los planes de Maceo y Gómez por disparidad de criterios de actuación.

1885 Durante ese año publica por entregas en *El Latino Americano* su novela *Amistad funesta*.

1886 Colabora en varios periódicos latinoamericanos y vuelve al consulado uruguayo.

1887 2 de febrero: muere su padre en La Habana.
16 de abril: Vuelve a ser cónsul de Uruguay.
Septiembre: acaba de traducir la novela *Ramona*, de Jackson.
Octubre: pronuncia discursos, colabora en diarios y anima a no precipitar el intento de insurrección.

1888 16 de junio: participa en la fundación del club «Los Independientes».
23 de septiembre: nombrado corresponsal de la Academia de Ciencias y Bellas Artes de San Salvador.
12 de octubre: es corresponsal en Estados Unidos y Canadá de la Asociación de la Prensa Argentina

1889 25 de marzo: publica su «Vindicación de Cuba».
Julio: sale el primer número de *La Edad de Oro*.
30 de noviembre: discurso en honor de José María Heredia.

1890 22 de enero: funda y dirige «La Liga», sociedad para el auxilio de negros cubanos y portorriqueños.
24 de julio: nombrado cónsul de Argentina en Nueva York. Más tarde lo será también de Paraguay.
23 de diciembre: delegado del gobierno uruguayo en la Comisión Monetaria Internacional.

1891 1 de enero: publica *Nuestra América* en la *Revista Ilustrada* de Nueva York.
6 de junio: participa en el homenaje a Centroamérica de la Sociedad Literaria Hispano-Americana.

Octubre: publica los *Versos sencillos*. Más tarde acude a diversas reuniones de carácter independentista.
24 de diciembre: numerosos cubanos lo reciben en Cayo Hueso.

1892 Enero: tras varias entrevistas con militares y políticos, se redactan los estatutos del Partido Revolucionario Cubano.
14 de marzo: dirige el recién fundado periódico *Patria*.
8 de abril: es elegido dirigente de la organización revolucionaria. En mayo pide a Gonzalo de Quesada que se ocupe de la secretaría de la Delegación del Partido.
29 de junio: se elige responsable militar del partido a Máximo Gómez, a instancias de Martí. A finales de agosto, éste se reúne con Gómez en la República Dominicana y le ofrece el cargo.

1893 Los primeros meses continúa sus viajes proselitistas.
24 de mayo: conoce a Rubén Darío en Nueva. York.
3 de junio: se reúne en Montecristi con Máximo Gómez.
30 de junio: con Maceo, visita al presidente de Costa Rica.

1894 27 de enero: publica su artículo «A Cuba», denunciando la cooperación hispano-estadounidense, nada favorable para Cuba.
10 de abril: reelegido Delegado del Partido por segunda vez.
5 de junio: se reúne nuevamente con Maceo en Costa Rica. Inicia una nueva serie de viajes por Latinoamérica.
8 de diciembre: redacta el plan de alzamiento, con Rodríguez y Collazo, y lo envía a la Isla.

1895 12 de enero: delatado el plan, el gobierno de los Estados Unidos detiene el vapor *Lagonda*, y fracasa el golpe.
29 de enero: redactado un nuevo plan por los mismos autores, es enviado a Juan G. Gómez, que se encuentra en la Isla.
7 de febrero: Máximo Gómez le recibe en Montecristi. A fin de mes recibe la noticia del comienzo de la guerra.
25 de marzo: firma con M. Gómez el *Manifiesto de Montecristi*.
1 de abril: manda a G. de Quesada su testamento literario.
11 de abril: desembarca en la Isla junto con otros compañeros.
15 de abril: nombrado Mayor General del Ejército Libertador.
25 de abril: se reúne con Maceo y sus tropas.
3 de mayo: envía un manifiesto, con Gómez, al *New York Herald*.
13 de mayo: llegan a Dos Ríos.
17 de mayo: sale Gómez con decenas de hombres a hostilizar a Ximénez de Sandoval. Martí permanece en el campamento. Redacta la inconclusa carta a Mercado.
19 de mayo: cae Martí en combate, habiéndose adelantado peligrosamente. Su cadáver queda en poder de los españoles, y es trasladado posteriormente a Santiago de Cuba.

Bibliografía

PRINCIPALES OBRAS DE MARTÍ (PRIMERAS EDICIONES)

El presidio político en Cuba, Madrid, 1871.
La República española ante la revolución cubana, Madrid, 1873.
Amor con amor se paga, México, 1876.
Guatemala, México, 1878.
Ismaelillo, Nueva York, Thompson y Moreau, 1882.
Amistad funesta, Nueva York, 1885.
La Edad de Oro, Nueva York, 1889.
Versos sencillos, Nueva York, Louis Weiss and Co, 1891.

EDICIONES DE OBRAS COMPLETAS MÁS RELEVANTES

Obras del maestro, La Habana, Ed. Gonzalo de Quesada, 1900-1919, 15 vols.
Obras completas, La Habana, Trópico, 1936-1953, 74 vols.
— La Habana, Ed. de Ciencias Sociales, 1975, 2.ª ed., 28 vols.
— edición crítica, La Habana, Centro de Estudios Martianos, Casa de las Américas, 1983, varios vols. hasta la fecha.

ALGUNAS EDICIONES DE «LA EDAD DE ORO»

La Edad de Oro, edición de Emilio Roig de Leuchsenring, La Habana, Cultural, 1932.
— prólogo de Mauricio Magdaleno, México, Editorial de la Secretaría de Educación, 1942.
— edición de Fryda Schultz de Mantovani, Buenos Aires, Raigal, 1953.
— Barcelona, Bruguera, 1960.
— Lima, Imprenta Torres Aguirre, 1960.
— Miami, V. Alonso, 1963.
— La Habana, Editora Nacional/Ed. Juvenil, 1964.

— Buenos Aires, Editorial Nueva Senda, 1972.
— edición de Víctor Julio Peralta, San José, Editorial Costa Rica, 1977.
— edición facsimilar, La Habana, Centro de Estudios Martianos, Editorial Letras Cubanas, 1980.
— prólogo de Guillermo Saravia, Lima, Editorial El Quijote, 1987.
— edición de Gastón Baquero, Barcelona, Mondadori, 1990.
Cuentos completos (La Edad de Oro y otros relatos), edición de Ángel Esteban, Barcelona, Anthropos, 1995.
Cuentos para la edad de oro, selección y edición de Ángel Esteban y Sergio Munuera, Granada, Método Ediciones, 2000.
La Edad de Oro, edición crítica de Eduardo Lolo, Miami, Ediciones Universal, 2001.
— edición de Emma Claggett, Matanzas, Ediciones Vigía, 2002.

ALGUNOS ESTUDIOS GENERALES SOBRE LA OBRA MARTIANA

AÍNSA, Fernando, «Creencias del aldeano vanidoso: la utopía de *Nuestra América* de José Martí», *Cuadernos Americanos,* 17, 2 (2003), págs. 56-71.
ALEMANY, Carmen *et al., José Martí: historia y literatura ante el fin del siglo XIX,* Alicante, Universidad de Alicante/Casa de las Américas, 1997.
AUGIER, Ángel, *Acción y poesía en José Martí,* La Habana, Letras Cubanas, 1982.
BALLÓN, José, *Anatomía cultural americana: Emerson y Martí,* Madrid, Pliegos, 1986.
CAIRO, Ana (ed.), *Letras. Cultura en Cuba,* La Habana, Pueblo y Educación, 1989, 2 vols.
En torno a José Martí, Coloquio Internacional, Burdeos, Éditions Biere, 1974.
ESTEBAN, Ángel, *La modernidad literaria de Bécquer a Martí,* Granada, Impredisur, 1992. Finalista del Premio Casa de las Américas 1991.
— *José Martí. El alma alerta,* Granada, Comares, 1995.
— «La imagen de Martí en la época revolucionaria», *RILCE,* 15, 1 (1999), págs. 215-225.
— *Bécquer en Martí y en otros poetas hispanoamericanos finiseculares,* Madrid, Verbum, 2003.
ETTE, Tomar, *José Martí: Apóstol, poeta, revolucionario: una historia de su recepción,* México, UNAM, 1995.
— y HEIDENREICH, Titus, *José Marti (1853-1895): literatura, política, filosofía, estética: 10º Coloquio interdisciplinario de la Sección Latinoamérica del Instituto Central de la Universidad de Erlangen-Nürnberg,* Frankfurt am Main, Vervuert, 1994.

GONZÁLEZ, M. P., *Antología Crítica de José Martí,* México, Ed. Cultura, 1960.
— *Indagaciones martianas,* La Habana, Imprenta Nacional, 1961.
— y SCHULMAN, Iván, *Martí, Darío y el Modernismo,* Madrid, Gredos, 1969.
GONZÁLEZ DEL VALLE, Luis (ed. e introd.), *José Martí: Estudios en conmemoración del sesquicentenario de su natalicio (1853-2003),* Boulder (Colorado), Society of Spanish-American Studies, 2003.
JIMÉNEZ, J. O., *La raíz y el ala: aproximaciones críticas a la obra literaria de José Martí,* Valencia, Pre-Textos, 1993.
MAÑACH, Jorge, *Martí, el Apóstol,* Madrid, Espasa Calpe, 1975, 6.ª ed.
MARINELLO, Juan, *Dieciocho ensayos martianos,* La Habana, Centro de Estudios Martianos, 1980.
MORALES, Carlos Javier, *La poética de José Martí y su contexto,* Madrid, Editorial Verbum, 1994.
RAMOS, Julio, *Desencuentros de la modernidad en América Latina,* México, FCE, 1989.
REXACH, Rosario, *Estudios sobre Martí,* Madrid, Playor, 1985.
RODRÍGUEZ-LUIS, Julio, *Re-Reading José Martí (1853-1895): One Hundred Years Later,* Albany (Nueva York), State University of New York Press, 1999.
ROIG DE LEUCHSENRING, Emilio, *El pensamiento político de Martí,* La Habana, 1960.
ROJAS, Rafael, *José Martí: la invención de Cuba,* Madrid, Colibrí, 2000.
ROJAS PÉREZ, Walter, *José Martí: el indio, el negro y el entorno revolucionario,* San José de Costa Rica, Nuevo Paradigma, 2005.
ROTKER, Susana, *Fundación de una escritura: las crónicas de José Martí,* La Habana, Casa de las Américas, 1992, Premio Casa de las Américas 1991.
SCHULMAN, Iván, *Génesis del Modernismo: Martí, Nájera, Silva, Casal,* México, Colegio de México, 1968, 2.ª ed.
— *Símbolo y color en la obra de José Martí,* Madrid, Gredos, 1970, 2.ª ed.
VAL JULIÁN, Carmen (ed.), *José Martí: Créateur,* París, Ellipses, 1995.
VITIER, Cintio y GARCÍA MARRUZ, Fina, *Temas martianos,* La Habana, Biblioteca Nacional José Martí, 1969.

SOBRE EL CUENTO HISPANOAMERICANO

BENAVIDES, Rosamel, *Desarrollo y transformaciones del cuento hispanoamericano en el siglo* XIX*: demandas y expectativas,* Nueva York, Peter Lang, 1995.
HAHN, Óscar, *Fundadores del cuento fantástico hispanoamericano: antología comentada,* Barcelona, Editorial Andrés Bello, 1998.

HERNÁNDEZ MIYARES, Julio y RELA, Walter, *Antología del cuento modernista hispanoamericano*, Buenos Aires, Plus Ultra, 1987.
LASTRA, Pedro, *El cuento hispanoamericano del siglo XIX*, Santiago de Chile, Universitaria, 1972.
LEAL, Luis, *Historia del cuento hispanoamericano*, México, De Andrea, 1971.
MARTÍNEZ, Juana, «El cuento hispanoamericano del siglo XIX», en Luis Íñigo (ed.), *Historia de la literatura hispanoamericana*, vol. II, Madrid, Cátedra, 1987, págs. 229-243.
MENTON, Seymour, *El cuento hispanoamericano: antología crítico-histórica*, México, FCE, 1980.
MINARDI, Giovanna, *Historia del cuento hispanoamericano*, Lima, Universidad Nacional Mayor de San Marcos, 2003.
MUNGUÍA, Martha Elena, *Elementos de poética histórica: el cuento hispanoamericano*, México, El Colegio de México, 2002.
MUÑOZ, Antonio, *El cuento hispanoamericano ante la crítica*, Madrid, Castalia, 1973.
OVIEDO, José Miguel, *Antología crítica del cuento hispanoamericano: del romanticismo al criollismo (1830-1920)*, Madrid, Alianza Editorial, 1989.
PALAZUELOS, Juan Carlos, *El cuento hispanoamericano como género literario*, Santiago de Chile, RIL Editores, 2003.
PUPO-WALKER, Enrique, «El cuento modernista: su evolución y características», en Luis Íñigo (ed.), *Historia de la literatura hispanoamericana*, ed. cit., págs. 515-522.

ESTUDIOS PRINCIPALES SOBRE «LA EDAD DE ORO»

AGUIRRE, Mirta, «*La Edad de Oro* y las ideas martianas sobre la educación», *Lyceum*, 9, 33-34 (1953), págs. 33-58.
ALBORNOZ, Aurora de, «José Martí: el mundo de los niños contado en el lenguaje infantil», *Ínsula*, 37, 248-249 (1982), págs. 4-6.
ALMENDROS, Herminio, *A propósito de «La Edad de Oro». Notas sobre literatura infantil*, La Habana, Ed. Gente Nueva, 1972, 2.ª ed.
ARIAS, Salvador, «Martí como escritor para niños», en *Búsqueda y análisis*, La Habana, UNEAC, 1974, págs. 58-88.
— (ed. y pról.), *Acerca de «La Edad de Oro»*, La Habana, Centro de Estudios Martianos, Letras Cubanas, 1989.
— *Glosando «La Edad de Oro»*, La Habana, Editorial Pueblo y Educación, 2001.
BARROS SILVIA, A., «La literatura para niños, de José Martí en su época», en J. O. Jiménez (ed.), *Estudios críticos sobre la prosa modernista hispanoamericana*, Nueva York, Eliseo Torres & Sons, 1975, págs. 107-119.

CAIRO, Ana, *El padre Las Casas/José Martí,* La Habana, Centro de Estudios Martianos, 2001.

CALLEJAS, Bernardo, «El ideario latinoamericano en *La Edad de Oro»*, *Anuario del Centro de Estudios Martianos,* 4 (1981), págs. 131-138.

CAMPOAMOR, Fernando G., «*La Edad de Oro* de José Martí, texto de los niños cubanos», *Hispania,* 24, 2 (1941), págs. 178-179.

CÁNOVAS PÉREZ, Alejandro, «El narrador y el espacio en "Los zapaticos de rosa"», *Universidad de La Habana,* 231 (1989), págs. 57-73.

CEREZAL, Fernando, «Enseñar con ternura y sabiduría: las concepciones pedagógicas de José Martí», *Central Institute of English and Foreign Languages Bulletin,* 7, 1-2 (1995), págs. 59-76.

CHACÓN Y CALVO, J. M., «Los dos príncipes», *Boletín de la Academia Cubana de la Lengua,* 8, 1-2 (1954), págs. 56-63.

ESTEBAN, Ángel, «La obra pedagógica de Martín Gaite y José Martí», en Miguel Ángel Garrido Gallardo (ed.), *Estudios de Literatura Española de los siglos* XIX *y* XX*: Homenaje a Juan María Díez Taboada,* Madrid, CSIC, 1998, págs. 853-859.

FLORES VARONA, Félix, *Traspasos de «La Edad de Oro»,* La Habana, Centro de Investigación y Desarrollo de la Cultura Cubana Juan Marinello, 2003.

FOUNTAIN, Anne, «Ralph Waldo Emerson and Helen Hunt Jackson in *La Edad de Oro», SECOLAS Annals,* 22 (1991), págs. 44-50.

FRASER, Howard M., «La edad de oro and José Martí's Modernist Ideology for Children», *Revista Interamericana de Bibliografía,* 42, 2 (1992), págs 223-232.

GALLEGO, Emilia, «Apuntes sobre la presencia de la magia en *La Edad de Oro», Universidad de La Habana,* 229 (1987), págs. 165-171.

— *No hay patria sin virtud. Un acercamiento a la esencia medular del sistema de valores patrios en «Cartas a Elpidio« y «La Edad de Oro»,* La Habana, Ediciones Unión, 1997.

— *Por qué y para quién se escribe «La Edad de Oro»,* La Habana, Editorial Academia, 1999.

GARCÍA MARRUZ, Fina, «La Edad de Oro», en *Temas martianos,* La Habana, Biblioteca Nacional José Martí, 1969, págs. 293-304.

GUTIÉRREZ, José Antonio, *Ese niño de «La Edad de Oro»,* La Habana, Editorial Gente Nueva, 1998.

HERNÁNDEZ MIYARES, Julio E., «José Martí y los cuentos de *La Edad de Oro», Nuez,* 3, 8-9 (1991), págs. 17-19.

IZQUIERDO MILLER, Inés, «José Martí y su vocación pedagógica», *Espéculo: Revista de Estudios Literarios,* 23 (2003), sin paginación (revista electrónica).

JORGE VIERA, Elena, «Notas sobre la función de *La Edad de Oro», Universidad de La Habana,* 198-199 (1973), págs. 39-56.

KLEIN, L. B., «Ficción y magisterio en la narrativa de José Martí: La muñeca negra», *Quaderni Ibero-Americani*, 47-48 (1975-1976), págs. 372-377.
LLÓPIZ CUDEL, Jorge Luis, «En torno a Nené traviesa», *Universidad de La Habana*, 231 (1989), págs. 47-55.
LOLO, Eduardo, *Mar de espuma: Martí y la literatura infantil*, Miami, Ediciones Universal, 1995.
— «F. R. Kreutzwald, E. De Laboulaye y José Martí: venturas y aventuras de una traducción», *Círculo: Revista de Cultura*, 25 (1996), págs. 235-240.
— «José Martí y los niños de todas las edades», *Caribe*, 4, 1 (2001), págs. 24-39.
LONGHINI, Nora, «Observaciones comparatísticas en relatos de Andersen, Martí y Denevi», en Martha Vanbiesem (ed. y pról.), *II Coloquio Internacional de Literatura Comparada: El Cuento, I y II*, Buenos Aires, Fundación María Teresa Maiorana, 1995, págs. 70-77.
LÓPEZ TERRERO, Liana, «Notas sobre el estilo martiano en *La Edad de Oro*», *Universidad de La Habana*, 235 (1989), págs. 131-142.
LUKIN, Boris, «Versión martiana de un cuento popular de Estonia», en S. Arias, *Acerca de la «Edad de Oro»*, ed. cit., págs. 306-329.
MATHEWS, Daniel, «Martí y los niños», *Espéculo: Revista de Estudios Literarios*, 9 (1998), sin paginación (revista electrónica).
MIRANDA CANCELA, Elina, «Leyendo en *La Edad de Oro*: "La *Ilíada*, de Homero"», *Universidad de La Habana*, 240 (1991), págs. 39-53.
POZO CAMPOS, Ester, «La composición en tres cuentos de *La Edad de Oro*», *Universidad de La Habana*, 235 (1989), págs. 119-130.
RÍOS VICENTE, Enrique, «Martí, máximo comunicador del siglo XIX: infancia y juventud», en Antonio Ruiz Castellanos *et al.*, *Retórica y texto*, Cádiz, Universidad, 1998, págs. 462-465.
SABOURÍN, Jesús, «Filosofía social en "Los zapaticos de rosa"», en *Amor y combate (algunas antinomias en José Martí)*, La Habana, Casa de las Américas, 1974, págs. 53-55.
SCHULTZ DE MANTOVANI, Fryda, «*La Edad de Oro* de José Martí», *Cuadernos Americanos*, 12, 1 (1953), págs. 217-235.
SERNA ARNÁIZ, Mercedes, «Estética e ideología en *La Edad de Oro* de José Martí: "La muñeca negra"», *Notas y estudios filológicos*, 9 (1994), págs. 193-213.
TOLEDO SANDE, Luis, «Los cuentos de José Martí y Rubén Darío. Apuntes para un viaje a la semilla», en Ana Cairo, *Letras. Cultura en Cuba*, ed. cit., págs. 453-471.

La Edad de Oro y otros relatos

A los niños que lean *La Edad de Oro*

Para los niños es este periódico, y para las niñas, por supuesto. Sin las niñas no se puede vivir, como no puede vivir la tierra sin luz. El niño ha de trabajar, de andar, de estudiar, de ser fuerte, de ser hermoso: el niño puede hacerse hermoso aunque sea feo; un niño bueno, inteligente y aseado es siempre hermoso. Pero nunca es un niño más bello que cuando trae en sus manecitas de hombre fuerte una flor para su amiga, o cuando lleva del brazo a su hermana, para que nadie se la ofenda: el niño crece entonces, y parece un gigante: el niño nace para caballero, y la niña nace para madre. Este periódico se publica para conversar una vez al mes, como buenos amigos, con los caballeros de mañana, y con las madres de mañana; para contarles a las niñas cuentos lindos con que entretener a sus visitas y jugar con sus muñecas; y para decirles a los niños lo que deben saber para ser de veras hombres. Todo lo que quieran saber les vamos a decir, y de modo que lo entiendan bien, con palabras claras y con láminas finas. Les vamos a decir cómo está hecho el mundo: les vamos a contar todo lo que han hecho los hombres hasta ahora.

Para eso se publica *La Edad de Oro:* para que los niños americanos sepan cómo se vivía antes, y se vive hoy, en América, y en las demás tierras; y cómo se hacen tantas cosas de cristal y de hierro, y las máquinas de vapor, y los puentes colgantes, y la luz eléctrica; para que cuando el niño vea una piedra de color sepa por qué tiene colores la piedra, y qué quiere decir cada color; para que el niño conozca los libros famosos donde se cuentan las batallas y las religiones de los pueblos antiguos. Les hablaremos de todo lo que se hace en los talleres, donde suceden cosas más raras e interesantes que en los cuentos de magia, y son magia de verdad, más linda que la otra: y les diremos lo que se sabe del cielo, y de lo hondo del mar y de la tierra: y les contaremos cuentos de risa y novelas de niños, para cuando hayan estudiado mucho, o jugado mucho, y quieran descansar. Para los niños trabajamos, porque los niños son los que saben querer, porque los niños son la esperanza del mundo. Y queremos que nos quieran, y nos vean como cosa de su corazón.

Cuando un niño quiera saber algo que no esté en *La Edad de Oro,* escríbanos como si nos hubiera conocido siempre, que nosotros le contestaremos. No importa que la carta venga con faltas de ortografía. Lo que importa es que el niño quiera saber. Y si la carta está bien escrita, la publicaremos en nuestro correo con la firma al pie, para que se sepa que es niño que vale. Los niños saben más de lo que parece, y si les dijeran que escribiesen lo que saben, muy buenas cosas que escribirían. Por eso *La Edad de Oro* va a tener cada seis meses una competencia, y el niño que le mande el trabajo mejor, que se conozca de veras que es suyo, recibirá un buen premio de libros, y diez ejemplares del número de *La Edad de Oro* en que se publique su composición, que será sobre cosas de su edad, para que puedan escribirla bien, porque para escribir bien de una cosa hay que saber de ella mucho. Así queremos que los niños de América sean: hombres que digan lo que piensan, y lo digan bien: hombres elocuentes y sinceros.

Las niñas deben saber lo mismo que los niños, para poder hablar con ellos como amigos cuando vayan creciendo; como que es una pena que el hombre tenga que salir de su casa a buscar con quien hablar, porque las mujeres de la casa no sepan contarle más que de diversiones y de modas. Pero hay cosas muy delicadas y tiernas que las niñas entienden mejor, y para ellas las escribiremos de modo que les gusten; porque *La Edad de Oro* tiene su mago en la casa, que le cuenta que en las almas de las niñas sucede algo parecido a lo que ven los colibríes, cuando andan corriendo por entre las flores. Les diremos cosas así, como para que las leyesen los colibríes si supiesen leer. Y les diremos cómo se hace una hebra de hilo, cómo nace una violeta, cómo se fabrica una aguja, cómo tejen las viejecitas de Italia los encajes. Las niñas también pueden escribirnos sus cartas, y preguntarnos cuanto quieran saber, y mandarnos sus composiciones para la competencia de cada seis meses. ¡De seguro que van a ganar las niñas!

Lo que queremos es que los niños sean felices, como los hermanitos de nuestro grabado; y que si alguna vez nos encuentra un niño de América por el mundo nos apriete mucho la mano, como a un amigo viejo, y diga donde todo el mundo lo oiga: «¡Este hombre de *La Edad de Oro* fue mi amigo!».

Tres héroes

Cuentan que un viajero llegó un día a Caracas al anochecer, y sin sacudirse el polvo del camino, no preguntó dónde se comía ni se dormía, sino cómo se iba adonde estaba la estatua de Bolívar. Y cuentan que el viajero, solo con los árboles altos y olorosos de la plaza, lloraba frente a la estatua, que parecía que se movía, como un padre cuando se le acerca un hijo. El viajero hizo bien, porque todos los americanos deben querer a Bolívar como a un padre. A Bolívar, y a todos los que pelearon como él porque la América fuese del hombre americano. A todos: al héroe famoso, y al último soldado, que es un héroe desconocido. Hasta hermosos de cuerpo se vuelven los hombres que pelean por ver libre a su patria.

Libertad es el derecho que todo hombre tiene a ser honrado, y a pensar y a hablar sin hipocresía. En América no se podía ser honrado, ni pensar ni hablar. Un hombre que oculta lo que piensa, o no se atreve a decir lo que piensa, no es un hombre honrado. Un hombre que obedece a un mal gobierno, sin trabajar para que el gobierno sea bueno, no es un hombre honrado. Un hombre que se conforma con obedecer a leyes injustas, y permite que pisen el país en que nació, los hombres que se lo maltratan, no es un hombre honrado. El niño, desde que puede pensar, debe pensar en todo lo que ve, debe padecer por todos los que no pueden vivir con honradez, debe trabajar porque puedan ser honrados todos los hombres, y debe ser un hombre honrado. El niño que no piensa en lo que sucede a su alrededor, y se contenta con vivir, sin saber si vive honradamente, es como un hombre que vive del trabajo de un bribón, y está en camino de ser bribón. Hay hombres que son peores que las bestias, porque las bestias necesitan ser libres para vivir dichosas: el elefante no quiere tener hijos cuando vive preso: la llama del Perú se echa en la tierra y se muere, cuando el indio le habla con rudeza, o le pone más carga de la que puede soportar. El hombre debe ser, por lo menos, tan decoroso como el elefante y como la llama. En América se vivía antes de la libertad como la llama que tiene mucha carga encima. Era necesario quitarse la carga, o morir.

Hay hombres que viven contentos aunque vivan sin decoro. Hay otros que padecen como en agonía cuando ven que los hombres viven sin decoro a su alrededor. En el mundo ha de haber cierta cantidad de decoro, como ha de haber cierta cantidad de luz. Cuando hay muchos hombres sin decoro, hay siempre otros que tienen en sí el decoro de muchos hombres. Ésos son los que se rebelan con fuerza terrible contra los que les roban a los pueblos su libertad, que es robarles a los hombres su decoro. En esos hombres van miles de hombres, va un pueblo entero, va la dignidad humana. Esos hombres son sagrados. Estos tres hombres son sagrados: Bolívar, de Venezuela; San Martín, del Río de la Plata; Hidalgo, de México. Se les deben perdonar sus errores, porque el bien que hicieron fue más que sus faltas. Los hombres no pueden ser más perfectos que el sol. El sol quema con la misma luz con que calienta. El sol tiene manchas. Los desagradecidos no hablan más que de las manchas. Los agradecidos hablan de la luz.

Bolívar era pequeño de cuerpo. Los ojos le relampagueaban, y las palabras se le salían de los labios. Parecía como si estuviera esperando siempre la hora de montar a caballo. Era su país, su país oprimido, que le pesaba en el corazón, y no le dejaba vivir en paz. La América entera estaba como despertando. Un hombre solo no vale nunca más que un pueblo entero; pero hay hombres que no se cansan, cuando su pueblo se cansa, y que se deciden a la guerra antes que los pueblos, porque no tienen que consultar a nadie más que a sí mismos, y los pueblos tienen muchos hombres, y no pueden consultarse tan pronto. Ese fue el mérito de Bolívar, que no se cansó de pelear por la libertad de Venezuela, cuando parecía que Venezuela se cansaba. Lo habían derrotado los españoles: lo habían echado del país. Él se fue a una isla, a ver su tierra de cerca, a pensar en su tierra.

Un negro generoso lo ayudó cuando ya no lo quería ayudar nadie. Volvió un día a pelear, con trescientos héroes, con los trescientos libertadores. Libertó a Venezuela. Libertó a la Nueva Granada[1]. Libertó al Ecuador. Libertó al Perú. Fundó una nación nueva, la nación de Bolivia. Ganó batallas sublimes con soldados descalzos y medio desnudos. Todo se estremecía y se llenaba de luz a su alrededor. Los generales peleaban a su lado con valor sobrenatural. Era un ejército de jóvenes. Jamás se peleó tanto, ni se peleó mejor, en el mundo por la libertad. Bolívar no defendió con tanto fuego el derecho de los hombres a gobernarse por sí mismos, como el derecho de América a ser libre. Los envidiosos exageraron sus defectos. Bolívar murió de pesar del corazón, más que de mal del cuerpo, en la casa de un español[2] en Santa Marta[3]. Murió pobre, y dejó una familia de pueblos.

---

[1] El 29 de mayo de 1717 se instituyó el virreinato de Nueva Granada, suprimido en 1723 y restablecido definitivamente el año 1739. Su capital fue Santa Fe de Bogotá con jurisdicción sobre los territorios actuales correspondientes a Venezuela, Colombia, Ecuador y Panamá. Las consideraciones que manejó la Corona para su creación giraron en torno a dos hechos esenciales. En primer lugar, la zona era la más importante del continente en cuanto a la producción aurífera. En segundo lugar, su situación estratégica entre los dos océanos y puerta de entrada a la América del Sur, le permitiría enfrentar mejor el contrabando y los ataques de piratas y filibusteros del Caribe. En cuanto a la población del virreinato, a lo largo de la centuria, fue en constante aumento, estimándose una tasa de crecimiento para el último cuarto del siglo del orden del 1,5 por 100 anual. Según el censo de 1778, la población del virreinato, con exclusión de los territorios integrados en la Audiencia de Quito, ascendía a 742.759 habitantes.

[2] Se trata de la Quinta de San Pedro Alejandrino, en el sector de Mamatoco. Esa casona, donde murió Simón Bolívar el 17 de diciembre de 1830, recibe actualmente más de 300.000 visitantes durante todo el año.

[3] Mientras estuvo fuera de Venezuela, una vez conseguida la independencia, Bolívar es víctima de las rivalidades entre los caudillos que empezaban a gobernar a Venezuela y se va a Colombia, donde fallece el 17 de diciembre de 1830, en la ciudad de Santa Marta. Sus últimas declaraciones reflejan la amargura que sentía por no haber logrado su objetivo de la unión de la nueva patria: «¡Colombianos: mis últimos votos son por la felicidad de la patria! Si mi muerte contribuye para que cesen los partidos y se consolide la unión, yo bajaré tranquilo al sepulcro.»

México tenía mujeres y hombres valerosos, que no eran muchos, pero valían por muchos: media docena de hombres y una mujer preparaban el modo de hacer libre a su país. Eran unos cuantos jóvenes valientes, el esposo de una mujer liberal, y un cura de pueblo que quería mucho a los indios, un cura de sesenta años. Desde niño fue el cura Hidalgo[4] de la raza buena, de los que quieren saber. Los que no quieren saber son de la raza mala. Hidalgo sabía francés, que entonces era cosa de mérito, porque lo sabían pocos. Leyó los libros de los filósofos del siglo diez y ocho, que explicaron el derecho del hombre a ser honrado, y a pensar y a hablar sin hipocresía. Vio a los negros esclavos, y se llenó de horror. Vio maltratar a los indios, que son tan mansos y generosos[5], y se sentó entre ellos como un hermano viejo, a enseñarles las artes finas que el indio aprende bien: la música, que consuela: la cría del gusano, que da la seda: la cría de la abeja, que da miel. Tenía fuego en sí, y le gustaba fabricar: creó hornos para cocer los ladrillos. Le veían lucir mucho de cuando en cuando los ojos verdes. Todos decían que hablaba muy bien, que sabía mucho nuevo, que daba muchas limosnas el señor cura del pueblo de Dolores. Decían que iba a la ciudad de Querétaro una

---

[4] El 16 de septiembre de 1810, llevando un estandarte con la imagen de Nuestra Señora de Guadalupe, patrona de México, Hidalgo lanzó el llamado Grito de Dolores, que inició la revuelta y, acompañado de Allende, consiguió reunir un ejército formado por más de 40.000 mexicanos. Tomó las ciudades de Guanajuato y Guadalajara en el mes de octubre, pero a pesar de sus éxitos, Hidalgo no consiguió llegar a la ciudad de México. El 17 de enero de 1811 fue derrotado cerca de Guadalajara por un contingente de soldados realistas, en la batalla de Puente de Calderón. Hidalgo huyó hacia Aguascalientes y Zacatecas, pero fue capturado, juzgado y condenado a muerte. Su cabeza, junto con la de Allende y otros insurgentes, se exhibió, como castigo, en la alhóndiga de Granaditas de Guanajuato. Tras el establecimiento de la República Mexicana, en 1824, se le reconoció como primer insurgente y padre de la patria. El estado de Hidalgo lleva su nombre y la ciudad de Dolores pasó a llamarse Dolores Hidalgo en su honor. El 16 de septiembre, día en que proclamó su rebelión, se celebra en México el Día de la Independencia.

[5] Martí tiene muy bien aprendida la lección del Padre Las Casas, y defiende al indio aun a costa de ser exagerado y caer en generalizaciones que no se ajustan a la realidad. Su proyecto pedagógico elimina diferencias o tomas de postura con respecto a las razas, para enseñar al niño la igualdad esencial de todos los seres humanos.

que otra vez, a hablar con unos cuantos valientes y con el marido de una buena señora. Un traidor le dijo a un comandante español que los amigos de Querétaro trataban de hacer a México libre. El cura montó a caballo, con todo su pueblo, que lo quería como a su corazón; se le fueron juntando los caporales[6] y los sirvientes de las haciendas, que eran la caballería; los indios iban a pie, con palos y flechas, o con hondas y lanzas. Se le unió un regimiento y tomó un convoy de pólvora que iba para los españoles. Entró triunfante en Celaya, con música y vivas. Al otro día juntó el Ayuntamiento. Lo hicieron general, y empezó un pueblo a nacer. Él fabricó lanzas y granadas de mano. Él dijo discursos que dan calor y echan chispas, como decía un caporal de las haciendas. Él declaró libres a los negros. Él les devolvió sus tierras a los indios. Él publicó un periódico que llamó *El Despertador Americano*. Ganó y perdió batallas. Un día se le juntaban siete mil indios con flechas, y al otro día lo dejaban solo. La mala gente quería ir con él para robar en los pueblos y para vengarse de los españoles. Él les avisaba a los jefes españoles que si los vencía en la batalla que iba a darles los recibiría en su casa como amigos. ¡Eso es ser grande! Se atrevió a ser magnánimo, sin miedo a que lo abandonase la soldadesca, que quería que fuese cruel. Su compañero Allende tuvo celos de él, y él le cedió el mando a Allende. Iban juntos buscando amparo en su derrota cuando los españoles les cayeron encima. A Hidalgo le quitaron uno a uno, como para ofenderlo, los vestidos de sacerdote. Lo sacaron detrás de una tapia, y le dispararon los tiros de muerte a la cabeza. Cayó vivo, revuelto en la sangre, y en el suelo lo acabaron de matar. Le cortaron la cabeza y la colgaron en una jaula, en la Alhóndiga misma de Granaditas, donde tuvo su gobierno. Enterraron los cadáveres descabezados. Pero México es libre.

San Martín fue el libertador del Sur, el padre de la República Argentina, el padre de Chile. Sus padres eran españoles, y a él lo mandaron a España para que fuese militar del rey. Cuando Napoleón entró en España con su ejército, para qui-

---

[6] *Caporal:* capataz, encargado, responsable, jefe.

tarles a los españoles la libertad, los españoles todos pelearon contra Napoleón: pelearon los viejos, las mujeres, los niños; un niño valiente, un catalancito, hizo huir una noche a una compañía, disparándole tiros y más tiros desde un rincón del monte: al niño lo encontraron muerto de hambre y de frío, pero tenía en la cara como una luz, y sonreía, como si estuviese contento. San Martín peleó muy bien en la batalla de Bailén, y lo hicieron teniente coronel. Hablaba poco: parecía de acero: miraba como un águila: nadie le desobedecía: su caballo iba y venía por el campo de pelea, como el rayo por el aire. En cuanto supo que América peleaba para hacerse libre, vino a América: ¿qué le importaba perder su carrera, si iba a cumplir con su deber?: llegó a Buenos Aires: no dijo discursos: levantó un escuadrón de caballería: en San Lorenzo fue su primera batalla: sable en mano se fue San Martín detrás de los españoles, que venían muy seguros, tocando el tambor, y se quedaron sin tambor, sin cañones y sin bandera. En los otros pueblos de América los españoles iban venciendo: a Bolívar lo había echado Morillo el cruel de Venezuela: Hidalgo estaba muerto: O'Higgins[7] salió huyendo de Chile: pero donde estaba San Martín siguió siendo libre la América. Hay hombres así, que no pueden ver esclavitud. San Martín no podía; y se fue a libertar a Chile y al Perú. En diez y ocho días cruzó con su ejército los Andes altísimos y fríos: iban los hombres como por el cielo, hambrientos, sedientos: abajo, muy abajo, los árboles parecían yerba, los torrentes rugían como leones. San Martín se encuentra al ejército español y lo deshace en la batalla de Maipú, lo derrota para siempre en la batalla de Chacabuco. Liberta a Chile. Se embarca con su tropa, y va a libertar el Perú. Pero en el Perú estaba Bolívar, y San Martín le cede la gloria. Se fue a Europa triste, y murió en brazos de su hija Mercedes. Escribió su testamento en una cuartilla de papel, como si fuera el parte de una batalla. Le habían regalado el estandarte que el conquistador Pizarro trajo hace cuatro si-

[7] Bernardo O'Higgins (1776-1842): militar, político y estadista chileno que se unió al golpe militar de 1810, y en 1817 inició junto con San Martín el definitivo proceso independentista de su país. Llevó a cabo un gobierno autoritario y fue obligado a dimitir, exiliándose en Lima.

glos, y él le regaló el estandarte en el testamento al Perú. Un escultor es admirable, porque saca una figura de la piedra bruta: pero esos hombres que hacen pueblos son como más que hombres. Quisieron algunas veces lo que no debían querer; pero ¿qué no le perdonará un hijo a su padre? El corazón se llena de ternura al pensar en esos gigantescos fundadores. Ésos son héroes; los que pelean para hacer a los pueblos libres, o los que padecen en pobreza y desgracia por defender una gran verdad. Los que pelean por la ambición, por hacer esclavos a otros pueblos, por tener más mando, por quitarle a otro pueblo sus tierras, no son héroes, sino criminales.

Dos milagros

Iba un niño travieso
Cazando mariposas;
Las cazaba el bribón, les daba un beso,
Y después las soltaba entre las rosas.

Por tierra, en un estero,[8]
Estaba un sicomoro[9];
Le da un rayo de sol, y del madero
Muerto, sale volando un ave de oro.

---

[8] *Estero:* terreno pantanoso que suele llenarse de agua por la lluvia o por la filtración de un río o laguna cercana y en el que abundan las plantas acuáticas.

[9] *Sicomoro o sicómoro:* árbol moráceo originario de Egipto, de tronco amarillento y fruto en sicono que crece en la región mediterránea y cuya madera es muy apreciada en ebanistería por su dureza y resistencia.

Meñique

(Del francés, de Laboulaye)[10]

Cuento de magia, donde se relata la historia de sabichoso[11] *Meñique, y se ve que el saber vale más que la fuerza.*

I

En un país muy extraño vivió hace mucho tiempo un campesino que tenía tres hijos: Pedro, Pablo y Juancito. Pedro era gordo y grande, de cara colorada, y de pocas entendederas; Pablo era canijo y paliducho, lleno de envidias y de celos; Juancito era lindo como una mujer[12], y más ligero que un resorte, pero tan chiquitín que se podía esconder en una bota de su padre. Nadie le decía Juan, sino Meñique.

---

[10] Édouard René Lefevre de Laboulaye: destacado periodista, pedagogo y hombre público francés del siglo XIX, de tendencia liberal, a favor de la libertad de prensa, de culto y de instrucción. Su ideal político eran los Estados Unidos. Fue autor de innumerables obras, entre ellas una sátira contra Napoleón, y otras de carácter literario como *Les Chansons populaires de peuples slaves* (1864), *Contes bleus* (1864) y *Noveaux contes bleus* (1868), en las que recoge cuentos populares de diversas tradiciones europeas y los adapta.

[11] *Sabichoso:* en Cuba, perspicaz, listo, agudo.

[12] Del mismo modo que en la primera página de este primer número, Martí propone un modelo tradicional de mujer, que se diferencia radicalmente del modelo de hombre, aquí también distingue con claridad elementos físicos propios del hombre o de la mujer. Si Juancito es lindo, parece más bien una mujer, porque a los hombres no les corresponde ese atributo.

El campesino era tan pobre que había fiesta en la casa cuando traía alguno un centavo. El pan costaba mucho, aunque era pan negro; y no tenían cómo ganarse la vida. En cuanto los tres hijos fueron bastante crecidos, el padre les rogó por su bien que salieran de su choza infeliz, a buscar fortuna por el mundo. Les dolió el corazón de dejar solo a su padre viejo, y decir adiós para siempre a los árboles que habían sembrado, a la casita en que habían nacido, al arroyo donde bebían el agua en la palma de la mano. Como a una legua de allí tenía el rey del país un palacio magnífico, todo de madera, con veinte balcones de roble tallado, y seis ventanitas. Y sucedió que de repente, en una noche de mucho calor, salió de la tierra, delante de las seis ventanas, un roble enorme con ramas tan gruesas y tanto follaje que dejó a oscuras el palacio del rey. Era un árbol encantado, y no había hacha que pudiera echarlo a tierra, porque se le mellaba el filo en lo duro del tronco, y por cada rama que le cortaban salían dos. El rey ofreció dar tres sacos llenos de pesos a quien le quitara de encima al palacio aquel arbolón; pero allí se estaba el roble, echando ramas y raíces, y el rey tuvo que conformarse con encender luces de día.

Y eso no era todo. Por aquel país, hasta de las piedras del camino salían los manantiales; pero en el palacio no había agua. La gente del palacio se lavaba las manos con cerveza y se afeitaba con miel. El rey había prometido hacer marqués y dar muchas tierras y dinero al que abriese en el patio del castillo un pozo donde se pudiera guardar agua para todo el año. Pero nadie se llevó el premio, porque el palacio estaba en una roca, y en cuanto se escarbaba la tierra de arriba, salía debajo la capa de granito. Como una pulgada nada más había de tierra floja.

Los reyes son caprichosos, y este reyecito quería salirse con su gusto. Mandó pregoneros que fueran clavando por todos los pueblos y caminos de su reino el cartel sellado con las armas reales, donde ofrecía casar a su hija con el que cortara el árbol y abriese el pozo, y darle además la mitad de sus tierras. Las tierras eran de lo mejor para sembrar, y la princesa tenía fama de inteligente y hermosa; así es que empezó a venir de todas partes un ejército de hombres forzudos, con el hacha al hombro y el pico al brazo. Pero todas las hachas se mellaban contra el roble, y todos los picos se rompían contra la roca.

II

Los tres hijos del campesino oyeron el pregón, y tomaron el camino del palacio, sin creer que iban a casarse con la princesa, sino que encontrarían entre tanta gente algún trabajo. Los tres iban anda que anda, Pedro siempre contento, Pablo hablándose solo, y Meñique saltando de acá para allá, metiéndose por todas las veredas y escondrijos, viéndolo todo con sus ojos brillantes de ardilla. A cada paso tenía algo nuevo que preguntar a sus hermanos: que por qué las abejas metían la cabecita en las flores, que por qué las golondrinas volaban tan cerca del agua, que por qué no volaban derecho las mariposas. Pedro se echaba a reír, y Pablo se encogía de hombros y lo mandaba a callar.

Caminando, caminando, llegaron a un pinar muy espeso que cubría a todo un monte, y oyeron un ruido grande, como de un hacha, y de árboles que caían allá en lo más alto.

—Yo quisiera saber por qué andan allá arriba cortando leña —dijo Meñique.

—Todo lo quiere saber el que no sabe nada —dijo Pablo, medio gruñendo.

—Parece que este muñeco no ha oído nunca cortar leña —dijo Pedro, torciéndole el cachete a Meñique de un buen pellizco.

—Yo voy a ver lo que hacen allá arriba —dijo Meñique.

—Anda, ridículo, que ya bajarás bien cansado, por no creer lo que te dicen tus hermanos mayores.

Y de ramas en piedras, gateando y saltando, subió Meñique por donde venía el sonido. Y ¿qué encontró Meñique en lo alto del monte? Pues un hacha encantada, que cortaba sola, y estaba echando abajo un pino muy recio.

—Buenos días, señora hacha —dijo Meñique—: ¿no está cansada de cortar tan solita ese árbol tan viejo?

—Hace muchos años, hijo mío, que estoy esperando por ti —respondió el hacha.

—Pues aquí me tiene —dijo Meñique.

Y sin ponerse a temblar, ni preguntar más, metió el hacha en su gran saco de cuero, y bajó el monte, brincando y cantando.

—¿Qué vio allá arriba el que todo lo quiere saber? —preguntó Pablo, sacando el labio de abajo, y mirando a Meñique como una torre a un alfiler.

—Pues el hacha que oíamos —le contesto Meñique.

—Ya ve el chiquitín la tontería de meterse por nada en esos sudores —le dijo Pedro el gordo.

A poco andar ya era de piedra todo el camino, y se oyó un ruido que venía de lejos, como de un hierro que golpease en una roca.

—Yo quisiera saber quién anda allí lejos picando piedras —dijo Meñique.

—Aquí está un pichón que acaba de salir del huevo, y no ha oído nunca al pájaro carpintero picoteando en un tronco —dijo Pablo.

—Quédate con nosotros, hijo, que eso no es más que el pájaro carpintero que picotea en un tronco —dijo Pedro.

—Yo voy a ver lo que pasa allá lejos.

Y aquí de rodillas, y allá medio a rastras, subió la roca Meñique, oyendo cómo se reían a carcajadas Pedro y Pablo. ¿Y qué encontró Meñique allá en la roca? Pues un pico encantado, que picaba solo, y estaba abriendo la roca como si fuese mantequilla.

—Buenos días, señor pico —dijo Meñique—: ¿no está cansado de picar tan solito en esa roca vieja?

—Hace muchos años, hijo mío, que estoy esperando por ti —respondió el pico.

—Pues aquí me tiene —dijo Meñique.

Y sin pizca de miedo le echó mano al pico, lo sacó del mango, los metió aparte en su gran saco de cuero, y bajó por aquellas piedras, retozando y cantando.

—¿Y qué milagro vio por allá su señoría? —preguntó Pablo, con los bigotes de punta.

—Era un pico lo que oímos —respondió Meñique, y siguió andando, sin decir más palabra.

Más adelante encontraron un arroyo, y se detuvieron a beber, porque era mucho el calor.

—Yo quisiera saber —dijo Meñique—, de dónde sale tanta agua en un valle tan llano como éste.

—¡Grandísimo pretencioso —dijo Pablo—, que en todo quiere meter la nariz! ¿No sabes que los manantiales salen de la tierra?

—Yo voy a ver de dónde sale esta agua.

Y los hermanos se quedaron diciendo picardías; pero Meñique echó a andar por la orilla del arroyo, que se iba estrechando, estrechando, hasta que no era más que un hilo. Y ¿qué encontró Meñique cuando llegó al fin? Pues una cáscara de nuez encantada, de donde salía a borbotones el agua clara chispeando al sol.

—Buenos días, señor arroyo —dijo Meñique—: ¿no está cansado de vivir tan solito en su rincón, manando agua?

—Hace muchos años, hijo mío, que estoy esperando por ti —respondió el arroyo.

—Pues aquí me tiene —dijo Meñique.

Y sin el menor susto tomó la cáscara de la nuez, la envolvió bien en musgo fresco para que no se saliera el agua, la puso en su gran saco de cuero, y se volvió por donde vino, saltando y cantando.

—¿Ya sabes de dónde viene el agua? —le gritó Pedro.

—Sí, hermano; viene de un agujerito.

—¡Oh, a este amigo se le come el talento! ¡Por eso no crece! —dijo Pablo, el paliducho.

—Yo he visto lo que quería ver, y sé lo que quería saber —se dijo Meñique a sí mismo. Y siguió su camino, frotándose las manos.

III

Por fin llegaron al palacio del rey. El roble crecía más que nunca, el pozo no lo habían podido abrir, y en la puerta estaba el cartel sellado con las armas reales, donde prometía el rey casar a su hija y dar la mitad de su reino a quienquiera que cortase el roble y abriese el pozo, fuera señor de la corte, o vasallo acomodado, o pobre campesino. Pero el rey, cansado de tanta prueba inútil, había hecho clavar debajo del cartelón otro cartel más pequeño, que decía con letras coloradas:

«Sepan los hombres por este cartel, que el rey y señor, como buen rey que es, se ha dignado mandar que le corten las orejas debajo del mismo roble al que venga a cortar el árbol o abrir el pozo, y no corte, ni abra; para enseñarle a conocerse a sí mismo y a ser modesto, que es la primera lección de la sabiduría.»

Y alrededor de este cartel había clavadas treinta orejas sanguinolentas, cortadas por la raíz de la piel a quince hombres que se creyeron más fuertes de lo que eran.

Al leer este aviso, Pedro se echó a reír, se retorció los bigotes, se miró los brazos, con aquellos músculos que parecían cuerdas, le dio al hacha dos vuelos por encima de su cabeza y de un golpe echó abajo una de las ramas más gruesas del árbol maldito. Pero enseguida salieron dos ramas poderosas en el punto mismo del hachazo, y los soldados del rey le cortaron las orejas sin más ceremonia.

—¡Inutilón! —dijo Pablo; y se fue al tronco, hacha en mano, y le cortó de un golpe una gran raíz. Pero salieron dos raíces enormes en vez de una.

Y el rey furioso mandó que le cortaran las orejas a aquel que no quiso aprender en la cabeza de su hermano.

Pero a Meñique no se le achicó el corazón, y se le echó al roble encima.

—¡Quítenme a ese enano de ahí! —dijo el rey— ¡y si no se quiere quitar, córtenle las orejas!

—Señor rey, tu palabra es sagrada. La palabra de un hombre es ley, señor rey. Yo tengo derecho por tu cartel a probar mi fortuna. Ya tendrás tiempo de cortarme las orejas, si no corto el árbol.

—Y la nariz te la rebanarán también, si no lo cortas.

Meñique sacó con mucha faena el hacha encantada de su gran saco de cuero. El hacha era más grande que Meñique. Y Meñique le dijo: «¡Corta, hacha, corta!».

Y el hacha cortó, tajó, astilló, derribó las ramas, cercenó el tronco, arrancó las raíces, limpió la tierra en redondo, a derecha y a izquierda, y tanta leña apiló del árbol en trizas, que el palacio se calentó con el roble todo aquel invierno.

Cuando ya no quedaba del árbol una sola hoja, Meñique fue donde estaba el rey sentado junto a la princesa, y los saludó con mucha cortesía.

—¿Dígame el rey ahora dónde quiere que le abra el pozo su criado?

Y toda la corte fue al patio del palacio con el rey, a ver abrir el pozo. El rey subió a un estrado más alto que los asientos de los demás; la princesa tenía su silla en un escalón más bajo, y miraba con susto a aquel hominicaco que le iban a dar para marido.

Meñique, sereno como una rosa, abrió su gran saco de cuero, metió el mango en el pico, lo puso en el lugar que marcó el rey, y le dijo: «¡Cava, pico, cava!».

Y el pico empezó a cavar, y el granito a saltar en pedazos, y en menos de un cuarto de hora quedó abierto un pozo de cien pies.

—¿Le parece a mi rey que este pozo es bastante hondo?

—Es hondo; pero no tiene agua.

—Agua tendrá —dijo Meñique—. Metió el brazo en el gran saco de cuero, le quitó el musgo a la cáscara de nuez, y puso la cáscara en una fuente que habían llenado de flores. Y cuando ya estaba bien dentro de la tierra, dijo: «¡Brota, agua, brota!».

Y el agua empezó a brotar por entre las flores con un suave murmullo, refrescó el aire del patio, y cayó en cascadas tan abundantes que al cuarto de hora ya el pozo estaba lleno, y fue preciso abrir un canal que llevase afuera el agua sobrante.

—Y ahora —dijo Meñique, poniendo en tierra una rodilla —¿cree mi rey que he hecho todo lo que me pedía?

—Sí, marqués Meñique —respondió el rey—: y te daré la mitad de mi reino; o mejor te compraré en lo que vale tu mitad, con la contribución que les voy a imponer a mis vasallos, que se alegrarán mucho de pagar porque su rey y señor tenga agua buena; pero con mi hija no te puedo casar, porque ésa es cosa en que yo solo no soy dueño.

—¿Y qué más quieres que haga, rey? —dijo Meñique, parándose en las puntas de los pies, con la manecita en la cadera, y mirando a la princesa cara a cara.

—Mañana se te dirá, marqués Meñique —le dijo el rey—; vete ahora a dormir a la mejor cama de mi palacio.

Pero Meñique, en cuanto se fue el rey, salió a buscar a sus hermanos, que parecían dos perros ratoneros, con las orejas cortadas.

—Díganme, hermanos, si no hice bien en querer saberlo todo, y ver de dónde venía el agua.

—Fortuna no más, fortuna —dijo Pablo—. La fortuna es ciega, y favorece a los necios.

—Hermanito —dijo Pedro—, con orejas o desorejado creo que está muy bien lo que has hecho, y quisiera que llegara aquí papá para que te viese.

Y Meñique se llevó a dormir a camas buenas a sus dos hermanos, a Pedro y a Pablo[13].

IV

El rey no pudo dormir aquella noche. No era el agradecimiento lo que le tenía despierto, sino el disgusto de casar a su hija con aquel picolín que cabía en una bota de su padre. Como buen rey que era, ya no quería cumplir lo que prometió; y le estaban zumbando en los oídos las palabras del marqués Meñique: «Señor rey, tu palabra es sagrada. La palabra de un hombre es ley, rey.»

Mandó el rey a buscar a Pedro y a Pablo, porque ellos no más le podían decir quiénes eran los padres de Meñique, y si era Meñique persona de buen carácter y de modales finos, como quieren los suegros que sean sus yernos, porque la vida sin cortesía es más amarga que la cuasia[14] y que la retama[15].

---

[13] Martí es consciente del elevado índice de analfabetismo que hay en los países de Nuestra América y la despreocupación por la educación y la cultura en gran parte del pueblo llano. Por eso trata de estimular la curiosidad del niño premiándola con rotundidad. Además, trata de incluir, junto con las destrezas intelectuales, ciertos valores morales que nunca pueden ir separados del hambre de saber. En este caso, se trata de la generosidad. Meñique consigue un estatus gracias a su afán de conocer, y se olvida del relativo desprecio al que había sido sometido por sus hermanos cuando preguntaba lo que ignoraba. Así, los hace partícipes de su nueva condición invitándoles a dormir en un lugar suntuoso.

[14] *Cuasia:* planta amarga, de la familia de las rutáceas, cuya raíz y corteza se emplean en medicina.

[15] *Retama:* planta arbustiva de la familia de las papilionáceas que mide entre 30 cm y 2 m de altura, con ramas delgadas, largas y flexibles, y flores amarillas en racimos laterales.

Pedro dijo de Meñique muchas cosas buenas, que pusieron al rey de mal humor; pero Pablo dejó al rey muy contento, porque le dijo que el marqués era un pedante aventurero, un trasto con bigotes, una uña venenosa, un garbanzo lleno de ambición, indigno de casarse con señora tan principal como la hija del gran rey que le había hecho la honra de cortarle las orejas: «Es tan vano ese macacuelo —dijo Pablo— que se cree capaz de pelear con un gigante. Por aquí cerca hay uno que tiene muerta de miedo a la gente del campo, porque se les lleva para sus festines todas sus ovejas y sus vacas. Y Meñique no se cansa de decir que él puede echarse al gigante de criado.»

—Eso es lo que vamos a ver —dijo el rey satisfecho. Y durmió muy tranquilo lo que le faltaba de la noche. Y dicen que sonreía en sueños, como si estuviera pensando en algo agradable.

En cuanto salió el sol, el rey hizo llamar a Meñique delante de toda su corte. Y vino Meñique fresco como la mañana, risueño como el cielo, galán como una flor.

—Yerno querido —dijo el rey—: un hombre de tu honradez no puede casarse con mujer tan rica como la princesa, sin ponerle casa grande, con criados que la sirvan como se debe servir en el palacio real. En este bosque hay un gigante de veinte pies de alto, que se almuerza un buey entero, y cuando tiene sed al mediodía se bebe un melonar. Figúrate qué hermoso criado no hará ese gigante con un sombrero de tres picos, una casaca galoneada con charreteras[16] de oro, y una alabarda[17] de quince pies. Ése es el regalo que te pide mi hija antes de decidirse a casarse contigo.

—No es cosa fácil —respondió Meñique—, pero trataré de regalarle el gigante, para que le sirva de criado, con su alabarda de quince pies, y su sombrero de tres picos, y su casaca galoneada, con charreteras de oro.

---

[16] *Charretera:* divisa militar en forma de pala, que se sujeta al hombro con una presilla, y de la que pende un fleco.

[17] *Alabarda:* arma ofensiva formada por un asta de madera cuya punta está cruzada por una cuchilla transversal, aguda por un lado y en figura de media luna por el otro.

Se fue a la cocina; metió en el gran saco de cuero el hacha encantada, un pan fresco, un pedazo de queso y un cuchillo; se echó el saco a la espalda, y salió andando por el bosque, mientras Pedro lloraba, y Pablo reía, pensando en que no volvería nunca su hermano del bosque del gigante.

En el bosque era tan alta la yerba que Meñique no alcanzaba a ver, y se puso a gritar a voz en cuello: «¡Eh, gigante, gigante! ¿dónde anda el gigante? Aquí está Meñique, que viene a llevarse al gigante muerto o vivo.»

—Y aquí estoy yo —dijo el gigante, con un vocerrón que hizo encogerse a los árboles de miedo—, aquí estoy yo, que vengo a tragarte de un bocado.

—No estés tan de prisa, amigo —dijo Meñique, con una vocecita de flautín—, no estés tan de prisa, que yo tengo una hora para hablar contigo.

Y el gigante volvía a todos lados la cabeza, sin saber quién le hablaba, hasta que se le ocurrió bajar los ojos, y allá abajo, pequeñito como un pitirre[18], vio a Meñique sentado en un tronco, con el gran saco de cuero entre las rodillas.

—¿Eres tú, grandísimo pícaro, el que me has quitado el sueño? —dijo el gigante, comiéndoselo con los ojos que parecían llamas.

—Yo soy, amigo, yo soy, que vengo a que seas criado mío.

—Con la punta del dedo te voy a echar allá arriba en el nido del cuervo, para que te saque los ojos en castigo de haber entrado sin licencia en mi bosque.

—No estés tan de prisa, amigo, que este bosque es tan mío como tuyo; y si dices una palabra más, te lo echo abajo en un cuarto de hora.

—Eso quisiera ver —dijo el gigantón.

Meñique sacó su hacha, y le dijo: «¡Corta, hacha, corta!» Y el hacha cortó, tajó, astilló, derribó ramas, cercenó troncos, arrancó raíces, limpió la tierra en redondo, a derecha y a izquierda, y los árboles caían sobre el gigante como cae el granizo sobre los vidrios en el temporal.

---

[18] *Pitirre:* nombre que se da en Cuba a un pájaro blanco y negro, que se alimenta de insectos y anida en los árboles.

—Para, para —dijo asustado el gigante—, ¿quién eres tú, que puedes echarme abajo mi bosque?

—Soy el gran hechicero Meñique, y con una palabra que le diga a mi hacha te corta la cabeza. Tú no sabes con quién estás hablando. ¡Quieto donde estás!

Y el gigante se quedó quieto, con las manos a los lados, mientras Meñique abría su gran saco de cuero, y se puso a comer su queso y su pan.

—¿Qué es eso blanco que comes? —preguntó el gigante, que nunca había visto queso.

—Piedras como no más, y por eso soy más fuerte que tú, que comes la carne que engorda. Soy más fuerte que tú. Enséñame tu casa.

Y el gigante, manso como un perro, echó a andar por delante, hasta que llegó a una casa enorme, con un puerto donde cabía un barco de tres palos, y un balcón como un teatro vacío.

—Oye —le dijo Meñique al gigante—: uno de los dos tiene que ser amo del otro. Vamos a hacer un trato. Si yo no puedo hacer lo que tú hagas, yo seré criado tuyo; si tú no puedes hacer lo que hago yo, tú serás mi criado.

—Trato hecho —dijo el gigante—; me gustaría tener de criado un hombre como tú, porque me cansa pensar, y tú tienes cabeza para dos. Vaya pues; ahí están mis cubos: ve a traerme el agua para la comida.

Meñique levantó la cabeza y vio los dos cubos, que eran como dos tanques, de diez pies de alto, y seis pies de un borde a otro. Más fácil le era a Meñique ahogarse en aquellos cubos que cargarlos.

—¡Hola! —dijo el gigante, abriendo la boca terrible—; a la primera ya estás vencido. Haz lo que yo hago, amigo, y cárgame el agua.

—¿Y para qué la he de cargar? —dijo Meñique—. Carga tú, que eres bestia de carga. Yo iré donde está el arroyo, y lo traeré en brazos, y te llenaré los cubos, y tendrás tu agua.

—No, no —dijo el gigante—, que ya me dejaste el bosque sin árboles, y ahora me vas a dejar sin agua que beber. Enciende el fuego, que yo traeré el agua.

Meñique encendió el fuego, y en el caldero que colgaba del techo fue echando el gigante un buey entero, cortado en pedazos, y una carga de nabos, y cuatro cestos de zanahorias, y cincuenta coles. Y de tiempo en tiempo espumaba el guiso con una sartén, y lo probaba, y le echaba sal y tomillo, hasta que lo encontró bueno.

—A la mesa, que ya está la comida —dijo el gigante—; y a ver si haces lo que hago yo, que me voy a comer todo este buey, y te voy a comer a ti de postres.

—Está bien, amigo —dijo Meñique. Pero antes de sentarse se metió debajo de la chaqueta la boca de su gran saco de cuero, que le llegaba del pescuezo a los pies.

Y el gigante comía y comía, y Meñique no se quedaba atrás, sólo que no echaba en la boca las coles, y las zanahorias, y los nabos, y los pedazos del buey, sino en el gran saco de cuero.

—¡Uf! ¡ya no puedo comer más! —dijo el gigante—; tengo que sacarme un botón del chaleco.

—Pues mírame a mí, gigante infeliz —dijo Meñique, y se echó una col entera en el saco.

—¡Uha! —dijo el gigante—: tengo que sacarme otro botón. ¡Qué estómago de avestruz tiene este hombrecito! Bien se ve que estás hecho a comer piedras.

—Anda, perezoso —dijo Meñique—; come como yo —y se echó en el saco un gran trozo de buey.

—¡Paff! —dijo el gigante—: se me saltó el tercer botón: ya no me cabe un chícharo: ¿cómo te va a ti, hechicero?

—¿A mí? —dijo Meñique—: no hay cosa más fácil que hacer un poco de lugar.

Y se abrió con un cuchillo de arriba abajo la chaqueta y el gran saco de cuero.

—Ahora te toca a ti —dijo al gigante—; haz lo que yo hago.

—Muchas gracias —dijo el gigante—. Prefiero ser tu criado. Yo no puedo digerir las piedras.

Besó el gigante la mano de Meñique en señal de respeto, se lo sentó en el hombro derecho, se echó al izquierdo un saco lleno de monedas de oro, y salió andando por el camino del palacio.

V

En el palacio estaban de gran fiesta, sin acordarse de Meñique, ni de que le debían el agua y la luz; cuando de repente oyeron un gran ruido, que hizo bailar las paredes, como si una mano portentosa sacudiese el mundo. Era el gigante, que no cabía por el portón, y lo había echado abajo de un puntapié. Todos salieron a las ventanas a averiguar la causa de aquel ruido, y vieron a Meñique sentado con mucha tranquilidad en el hombro del gigante, que tocaba con la cabeza el balcón donde estaba el mismo rey. Saltó al balcón Meñique, hincó una rodilla delante de la princesa y le habló así: «Princesa y dueña mía, tú deseabas un criado y aquí están dos a tus pies.»

Este galante discurso, que fue publicado al otro día en el diario de la corte, dejó pasmado al rey, que no halló excusa que dar para que no se casara Meñique con su hija.

—Hija —le dijo en voz baja—, sacrifícate por la palabra de tu padre el rey.

—Hija de rey o hija de campesino —respondió ella—, la mujer debe casarse con quien sea de su gusto. Déjame, padre, defenderme en esto que me interesa. Meñique —siguió diciendo en alta voz la princesa—: eres valiente y afortunado, pero eso no basta para agradar a las mujeres.

—Ya lo sé, princesa y dueña mía; es necesario hacerles su voluntad, y obedecer sus caprichos.

—Veo que eres un hombre de talento —dijo la princesa—. Puesto que sabes adivinar tan bien, voy a ponerte una última prueba, antes de casarme contigo. Vamos a ver quién es más inteligente, si tú o yo. Si pierdes, quedo libre para ser de otro marido.

Meñique la saludó con gran reverencia. La corte entera fue a ver la prueba a la sala del trono, donde encontraron al gigante sentado en el suelo con la alabarda por delante y el sombrero en las rodillas, porque no cabía en la sala de lo alto que era. Meñique le hizo una seña, y él echó a andar acurrucado, tocando el techo con la espalda y con la alabarda a rastras, hasta que llegó adonde estaba Meñique, y se echó a sus pies, orgulloso de que vieran que tenía a hombre de tanto ingenio por amo.

—Empezaremos con una bufonada —dijo la princesa—. Cuentan que las mujeres dicen muchas mentiras. Vamos a ver quién de los dos dice una mentira más grande. El primero que diga: «¡Eso es demasiado!» pierde.

—Por servirte, princesa y dueña mía, mentiré de juego y diré la verdad con toda el alma.

—Estoy segura —dijo la princesa—, de que tu padre no tiene tantas tierras como el mío. Cuando dos pastores tocan el cuerno en las tierras de mi padre al anochecer, ninguno de los dos oye el cuerno del otro pastor.

—Eso es una bicoca[19] —dijo Meñique—. Mi padre tiene tantas tierras que una ternerita de dos meses que entra por una punta es ya vaca lechera cuando sale por la otra.

—Eso no me asombra —dijo la princesa—. En tu corral no hay un toro tan grande como el de mi corral. Dos hombres sentados en los cuernos no pueden tocarse con un aguijón de veinte pies cada uno.

—Eso es una bicoca —dijo Meñique—. La cabeza del toro de mi casa es tan grande que un hombre montado en un cuerno no puede ver al que está montado en el otro.

—Eso no me asombra —dijo la princesa—. En tu casa no dan las vacas tanta leche como en mi casa, porque nosotros llenamos cada mañana veinte toneles, y sacamos de cada ordeño una pila de queso tan alta como la pirámide de Egipto.

—Eso es una bicoca —dijo Meñique—. En la lechería de mi casa hacen unos quesos tan grandes que un día la yegua se cayó en la artesa[20], y no la encontramos sino después de una semana. El pobre animal tenía el espinazo roto, y yo le puse un pino de la nuca a la cola, que le sirvió de espinazo nuevo. Pero una mañanita le salió un ramo al espinazo por encima de la piel, y el ramo creció tanto que yo me subí en él y toqué el cielo. Y en el cielo vi a una señora vestida de blanco, trenzando un cordón con la espuma del mar. Y yo me así del

[19] *Bicoca:* ganga, cosa de poco valor.

[20] *Artesa:* cajón que se va estrechando hacia el fondo, que se usa sobre todo para amasar el pan.

hilo, y se me reventó, y caí dentro de una cueva de ratones. Y en la cueva de ratones estaban tu padre y mi madre, hilando cada uno en su rueca, como dos viejecitos. Y tu padre hilaba tan mal que mi madre le tiró de las orejas hasta que se le caían a tu padre los bigotes.

—¡Eso es demasiado! —dijo la princesa—. ¡A mi padre el rey nadie le ha tirado nunca de las orejas!

—¡Amo, amo! —dijo el gigante—. Ha dicho «¡Eso es demasiado!». La princesa es nuestra.

VI

—Todavía no —dijo la princesa, poniéndose colorada—. Tengo que ponerte tres enigmas, a que me los adivines, y si adivinas bien, enseguida nos casamos. Dime primero: ¿qué es lo que siempre está cayendo y nunca se rompe?

—¡Oh! —dijo Meñique—; mi madre me arrullaba con ese cuento: ¡es la cascada!

—Dime ahora —preguntó la princesa, ya con mucho miedo—: ¿quién es el que anda todos los días el mismo camino y nunca se vuelve atrás?

—¡Oh! —dijo Meñique—; mi madre me arrullaba con ese cuento: ¡es el sol!

—El sol es —dijo la princesa, blanca de rabia—. Ya no queda más que un enigma. ¿En qué piensas tú y no pienso yo? ¿qué es lo que yo pienso, y tú no piensas? ¿qué es lo que no pensamos ni tú ni yo?

Meñique bajó la cabeza como el que duda, y se le veía en la cara el miedo de perder.

—Amo —dijo el gigante—; si no adivinas el enigma, no te calientes las entendederas. Hazme una seña, y cargo con la princesa.

—Cállate, criado —dijo Meñique—; bien sabes tú que la fuerza no sirve para todo. Déjame pensar.

—Princesa y dueña mía —dijo Meñique, después de unos instantes en que se oía correr la luz—. Apenas me atrevo a descifrar tu enigma, aunque veo en él mi felicidad. Yo pienso en que entiendo lo que me quieres decir, y tu piensas en que yo no lo entiendo. Tú piensas, como noble princesa que eres, en que este criado tuyo no es indigno de ser tu marido, y yo no pienso que haya logrado merecerte. Y en lo que ni yo ni tú pensamos es en que el rey tu padre y este gigante infeliz tienen tan pobres...

—Cállate —dijo la princesa—; aquí está mi mano de esposa, marqués Meñique.

—¿Qué es eso que piensas de mí, que lo quiero saber? —preguntó el rey.

—Padre y señor —dijo la princesa, echándose en sus brazos—; que eres el más sabio de los reyes, y el mejor de los hombres.

—Ya lo sé, ya lo sé —dijo el rey—; y ahora, déjenme hacer algo por el bien de mi pueblo. ¡Meñique, te hago duque!

—¡Viva mi amo y señor, el duque Meñique! —gritó el gigante, con una voz que puso azules de miedo a los cortesanos, quebró el estuco del techo, e hizo saltar los vidrios de las seis ventanas.

VII

En el casamiento de la princesa con Meñique no hubo mucho de particular, porque de los casamientos no se puede decir al principio, sino luego, cuando empiezan las penas de la vida y se ve si los casados se ayudan y quieren bien, o si son egoístas y cobardes. Pero el que cuenta el cuento tiene que decir que el gigante estaba tan alegre con el matrimonio de su amo que le iba poniendo su sombrero de tres picos a todos los árboles que encontraba, y cuando salió el carruaje de los novios, que era de nácar puro, con cuatro caballos mansos como palomas, se echó el carruaje a la cabeza, con caballos y todo, y salió corriendo y dando vivas, hasta que los dejó a la puerta del palacio, como deja una madre a su niño en la cuna. Esto se debe decir, porque no es cosa que se ve todos los días.

Por la noche hubo discursos, y poetas que les dijeron versos de bodas a los novios, y lucecitas de color en el jardín, y fuegos artificiales para los criados del rey, y muchas guirnaldas y ramos de flores. Todos cantaban y hablaban, comían dulces, bebían refrescos olorosos, bailaban con mucha elegancia y honestidad al compás de una música de violines, con los violinistas vestidos de seda azul, y su ramito de violeta en el ojal de la casaca. Pero en un rincón había uno que no hablaba ni cantaba, y era Pablo, el envidioso, el paliducho, el desorejado, que no podía ver a su hermano feliz, y se fue al bosque para no oír ni ver, y en el bosque murió, porque los osos se lo comieron en la noche oscura.

Meñique era tan chiquitín que los cortesanos no supieron al principio si debían tratarlo con respeto o verlo como cosa de risa; pero con su bondad y cortesía se ganó el cariño de su mujer y de la corte entera, y cuando murió el rey, entró a mandar, y estuvo de rey cincuenta y dos años. Y dicen que mandó tan bien que sus vasallos nunca quisieron más rey que Meñique, que no tenía gusto sino cuando veía a su pueblo contento, y no les quitaba a los pobres el dinero de su trabajo para dárselo, como otros reyes, a sus amigos holgazanes, o a los matachines que lo defienden de los reyes vecinos. Cuentan de veras que no hubo rey tan bueno como Meñique.

Pero no hay que decir que Meñique era bueno. Bueno tenía que ser un hombre de ingenio tan grande; porque el que es estúpido no es bueno, y el que es bueno no es estúpido. Tener talento es tener buen corazón; el que tiene buen corazón, ése es el que tiene talento. Todos los pícaros son tontos. Los buenos son los que ganan a la larga. Y el que saque de este cuento otra lección mejor, vaya a contarlo en Roma.

Cada uno a su oficio

Fábula nueva del filósofo norteamericano Emerson[21]

La montaña y la ardilla
Tuvieron su querella:
«¡Váyase usted allá, presumidilla!»,
Dijo con furia aquélla;
A lo que respondió la astuta ardilla:
«Sí que es muy grande usted, muy grande y bella;
Mas de todas las cosas y estaciones
Hay que poner en junto las porciones,
Para formar, señora vocinglera,
Un año y una esfera.
Yo no sé que me ponga nadie tilde
Por ocupar un puesto tan humilde.
Si no soy yo tamaña
Como usted, mi señora la montaña,
Usted no es tan pequeña
Como yo, ni a gimnástica me enseña.
Yo negar no imagino
Que es para las ardillas buen camino

[21] Ralph Waldo Emerson (1803-1882): filósofo y poeta norteamericano, descendiente de generaciones de ministros de Nueva Inglaterra, educado en Harvard, fue uno de los líderes del movimiento espiritual trascendentalista, que reunió a los intelectuales y literatos más prestigiosos del XIX en los Estados Unidos. Ejerció una gran influencia en el pensamiento social y ético de Martí, sobre todo en la concepción espiritualista de la Naturaleza.

Su magnífica falda:
Difieren los talentos a las veces:
Ni yo llevo los bosques a la espalda,
Ni puede usted, señora, cascar nueces.»

La *Ilíada*, de Homero

Hace dos mil quinientos años era ya famoso en Grecia el poema de la *Ilíada*. Unos dicen que lo compuso Homero, el poeta ciego de la barba de rizos, que andaba de pueblo en pueblo cantando sus versos al compás de la lira, como hacían los aedas de entonces. Otros dicen que no hubo Homero, sino que el poema lo fueron componiendo diferentes cantores. Pero no parece que pueda haber trabajo de muchos en un poema donde no cambia el modo de hablar, ni de pensar, ni el de hacer los versos, y donde desde el principio hasta el fin se ve tan claro el carácter de cada persona que puede decirse quién es por lo que dice o hace, sin necesidad de verle el nombre. Ni es fácil que un mismo pueblo tenga muchos poetas que compongan los versos con tanto sentido y música como los de la *Ilíada*, sin palabras que falten o sobren; ni que todos los diferentes cantores tuvieran el juicio y grandeza de los cantos de Homero, donde parece que es un padre el que habla.

En la *Ilíada* no se cuenta toda la guerra de treinta años de Grecia contra Ilión, que era como le decían entonces a Troya; sino lo que pasó en la guerra cuando los griegos estaban todavía en la llanura asaltando a la ciudad amurallada, y se pelearon por celos los dos griegos famosos, Agamenón y Aquiles. A Agamenón le llamaban el Rey de los Hombres, y era como un rey mayor, que tenía más mando y poder que todos los demás que vinieron de Grecia a pelear contra Troya, cuando el hijo del rey troyano, del viejo Príamo, le robó la mujer a Menelao, que estaba de rey en uno de los pueblos de Grecia, y era hermano de Agamenón. Aquiles era el más valiente de todos los reyes griegos, y hombre amable y culto, que cantaba en la lira las historias de los héroes, y se hacía querer de las mismas esclavas que le tocaban de botín cuando se repartían los prisioneros después de sus victorias. Por una prisionera fue la disputa de los reyes, porque Agamenón se resistía a devolver al sacerdote troyano Chrysés su hija Chryséis, como decía el sacerdote griego Calcas que se debía devolver, para que se calmase en el Olimpo, que era el cielo de entonces, la furia de Apolo, el dios del Sol, que estaba enojado con los griegos porque Agamenón tenía cautiva a la hija de un sacerdote: y Aquiles, que no le tenía miedo a Agamenón, se levantó entre todos los demás y dijo que se debía hacer lo que Calcas quería, para que se acabase la peste de calor que estaba matando en montones a los griegos, y era tanta que no se veía el cielo nunca claro, por el humo de las piras en que quemaban los cadáveres. Agamenón dijo que devolvería a Chryséis, si Aquiles le daba a Bryséis, la cautiva que él tenía en su tienda. Y Aquiles le dijo a Agamenón «borracho de ojos de perro y corazón de venado», y sacó la espada de puño de plata para matarlo delante de los reyes; pero la diosa Minerva, que estaba invisible a su lado, le sujetó la mano, cuando tenía la espada a medio sacar. Y Aquiles echó al suelo su cetro de oro, y se sentó, y dijo que no pelearía más a favor de los griegos con sus bravos mirmidones[22], y que se iba a su tienda.

Así empezó la cólera de Aquiles, que es lo que cuenta la *Ilíada*, desde que se enojó en esa disputa, hasta que el corazón se le enfureció cuando los troyanos le mataron a su amigo Patroclo, y salió a pelear otra vez contra Troya, que estaba quemándoles los barcos a los griegos y los tenía casi vencidos. No más que con dar Aquiles una voz desde el muro, se echaba atrás el ejército de Troya, como la ola cuando la empuja una

[22] Los mirmidones eran un pueblo situado en la Tesalia meridional. Eran descendientes del rey Mirmidas, cuya hija fue seducida por Zeus que, para la conquista de la bella princesa, se metamorfoseó en una hormiga. Según el historiador Estrabón los mirmidones se dieron ese nombre porque para poder labrar los campos tenían que retirar muchos pedruscos formando largas cadenas humanas, como hacen las hormigas, ya que sus tierras eran áridas y pedregosas. Peleo, padre de Aquiles, al igual que éste, fue rey de los mirmidones.

corriente contraria de viento, y les temblaban las rodillas a los caballos troyanos. El poema entero está escrito para contar lo que sucedió a los griegos desde que Aquiles se dio por ofendido: —la disputa de los reyes—, el consejo de los dioses del Olimpo, en que deciden los dioses que los troyanos venzan a los griegos, en castigo de la ofensa de Agamenón a Aquiles —el combate de Paris, hijo de Príamo, con Menelao, el esposo de Helena—, la tregua que hubo entre los dos ejércitos, y el modo con que el arquero troyano Pandaro la rompió con su flechazo a Menelao —la batalla del primer día, en que el valentísimo Diomedes tuvo casi muerto a Eneas de una pedrada—, la visita de Héctor, el héroe de Troya, a su esposa Andrómaca, que lo veía pelear desde el muro —la batalla del segundo día, en que Diomedes huye en su carro de pelear, perseguido por Héctor vencedor—, la embajada que le mandan los griegos a Aquiles, para que vuelva a ayudarlos en los combates, porque desde que él no pelea están ganando los troyanos —la batalla de los barcos, en que ni el mismo Ajax puede defender las naves griegas del asalto, hasta que Aquiles consiente en que Patroclo pelee con su armadura—, la muerte de Patroclo —la vuelta de Aquiles al combate, con la armadura nueva que le hizo el dios Vulcano—, el desafío de Aquiles y Héctor —la muerte de Héctor—, y las súplicas con que su padre Príamo logra que Aquiles le devuelva el cadáver, para quemarlo en Troya en la pira de honor, y guardar los huesos blancos en una caja de oro. Así se enojó Aquiles, y ésos fueron los sucesos de la guerra, hasta que se le acabó el enojo.

A Aquiles no lo pinta el poema como hijo de hombre, sino de la diosa del mar, de la diosa Thetis. Y eso no es muy extraño, porque todavía hoy dicen los reyes que el derecho de mandar en los pueblos les viene de Dios, que es lo que llaman «el derecho divino de los reyes», y no es más que una idea vieja de aquellos tiempos de pelea, en que los pueblos eran nuevos y no sabían vivir en paz, como viven en el cielo las estrellas, que todas tienen luz aunque son muchas, y cada una brilla aunque tenga al lado otra. Los griegos creían, como los hebreos, y como otros muchos pueblos, que ellos eran la nación favorecida por el creador del mundo, y los únicos hijos del cielo en la tierra. Y como los hombres son soberbios, y no quieren confesar que otro hombre sea más fuerte o más inteligente que ellos, cuando había un hombre fuerte o inteligente que se hacía rey por su poder, decían que era hijo de los dioses. Y los reyes se alegraban de que los pueblos creyesen esto; y los sacerdotes decían que era verdad, para que los reyes les estuvieran agradecidos y los ayudaran. Y así mandaban juntos los sacerdotes y los reyes[23].

Cada rey tenía en el Olimpo sus parientes, y era hijo, o sobrino, o nieto de un dios, que bajaba del cielo a protegerlo o a castigarlo, según le llevara a los sacerdotes de su templo muchos regalos o pocos; y el sacerdote decía que el dios estaba enojado cuando el regalo era pobre, o que estaba contento, cuando le habían regalado mucha miel y muchas ovejas. Así se ve en la *Ilíada*, que hay como dos historias en el poema, una en la tierra, y en el cielo otra; y que los dioses del cielo son como una familia, sólo que no hablan como personas bien criadas, sino que se pelean y se dicen injurias, lo mismo que los hombres en el mundo. Siempre estaba Júpiter, el rey de los dioses, sin saber qué hacer; porque su hijo Apolo quería proteger a los troyanos, y su mujer Juno a los griegos, lo mismo que su otra hija Minerva; y había en las comidas del cielo grandísimas peleas, y Júpiter le decía a Juno que lo iba a pasar mal, si no se callaba enseguida, y Vulcano, el cojo, el sabio del Olimpo, se reía de los chistes y maldades de Apolo, el de pelo colorado, que era el dios travieso. Y los dioses subían y bajaban, a llevar y traer a Júpiter los recados de los troyanos y los griegos; o peleaban sin que se les viera en los carros de sus héroes favorecidos; o se llevaban en brazos por las nubes a su héroe, para que no lo acabase de matar el vencedor, con la ayuda del dios contrario. Minerva toma la figura del viejo Néstor, que hablaba dulce como la miel, y aconseja a Agamenón que ataque a Troya. Venus desata el casco de Paris cuan-

[23] Aunque cuenta la historia de Troya, esta reflexión final quiere ser también una lección indirecta que atañe a la historia de América. Martí se separa del concepto tradicional de monarquía que ha imperado en la Corona española desde la Edad Media, y con ello justifica la independencia americana, la creación de las repúblicas democráticas y la necesidad, en el caso de Cuba, de seguir el mismo recorrido que los países libres del continente americano.

do el enemigo Menelao lo va arrastrando del casco por la tierra; y se lleva a Paris por el aire. Venus también se lleva a Eneas, vencido por Diomedes, en sus brazos blancos. En una escaramuza va Minerva guiando el carro de pelear del griego, y Apolo viene contra ella, guiando el carro troyano. Otra vez, cuando por engaño de Minerva dispara Pandaro su arco contra Menelao, la flecha terrible le entró poco a Menelao en la carne, porque Minerva la apartó al caer, como cuando una madre le espanta a su hijo de la cara una mosca. En la *Ilíada* están juntos siempre los dioses y los hombres, como padres e hijos. Y en el cielo suceden las cosas lo mismo que en la tierra; como que son los hombres los que inventan los dioses a su semejanza, y cada pueblo imagina un cielo diferente, con divinidades que viven y piensan lo mismo que el pueblo que las ha creado y las adora en los templos: porque el hombre se ve pequeño ante la naturaleza que lo crea y lo mata, y siente la necesidad de creer en algo poderoso, y de rogarle, para que lo trate bien en el mundo, y para que no le quite la vida. El cielo de los griegos era tan parecido a Grecia, que Júpiter mismo es como un rey de reyes, y una especie de Agamenón, que puede más que los otros, pero no hace todo lo que quiere, sino ha de oírlos y contentarlos, como tuvo que hacer Agamenón con Aquiles. En la *Ilíada,* aunque no lo parece, hay mucha filosofía, y mucha ciencia, y mucha política, y se enseña a los hombres, como sin querer, que los dioses no son en realidad más que poesías de la imaginación, y que los países no se pueden gobernar por el capricho de un tirano, sino por el acuerdo y respeto de los hombres principales que el pueblo escoge para explicar el modo con que quiere que lo gobiernen.

Pero lo hermoso de la *Ilíada* es aquella manera con que pinta el mundo, como si lo viera el hombre por primera vez, y corriese de un lado para otro llorando de amor, con los brazos levantados, preguntándole al cielo quién puede tanto, y dónde está el creador, y cómo compuso y mantuvo tantas maravillas[24].

---

[24] Nunca ha dudado el cubano de la existencia de un ser superior que ha creado el mundo y lo mantiene, y esto no es contradictorio con lo que afirma líneas más arriba: Martí desconfía del contenido de religiones particulares, pero cree firmemente en un Dios que todo lo ve, lo sabe, lo contempla y lo gobierna.

Y otra hermosura de la *Ilíada* es el modo de decir las cosas, sin esas palabras fanfarronas que los poetas usan porque les suenan bien; sino con palabras muy pocas y fuertes, como cuando Júpiter consintió en que los griegos perdieran algunas batallas, hasta que se arrepintiesen de la ofensa que le habían hecho a Aquiles, y «cuando dijo que sí, tembló el Olimpo». No busca Homero las comparaciones en las cosas que no se ven, sino en las que se ven: de modo que lo que él cuenta no se olvida, porque es como si se lo hubiera tenido delante de los ojos. Aquéllos eran tiempos de pelear, en que cada hombre iba de soldado a defender a su país, o salía por ambición o por celos a atacar a los vecinos; y como no había libros entonces, ni teatros, la diversión era oír al aeda que cantaba en la lira las peleas de los dioses y las batallas de los hombres; y el aeda tenía que hacer reír con las maldades de Apolo y Vulcano, para que no se le cansase la gente del canto serio; y les hablaba de lo que la gente oía con interés, que eran las historias de los héroes y las relaciones de las batallas, en que el aeda decía cosas de médico y de político, para que el pueblo hallase gusto y provecho en oírlo, y diera buena paga y fama al cantor que le enseñaba en sus versos el modo de gobernarse y de curarse. Otra cosa que entre los griegos gustaba mucho era la oratoria, y se tenía como hijo de un dios al que hablaba bien, o hacía llorar o entender a los hombres. Por eso hay en la Ilíada tantas descripciones de combates, y tantas curas de heridas, y tantas arengas.

Todo lo que se sabe de los primeros tiempos de los griegos, está en la *Ilíada*. Llamaban rapsodas en Grecia a los cantores que iban de pueblo en pueblo, cantando la *Ilíada* y la *Odisea*, que es otro poema donde Homero cuenta la vuelta de Ulises. Y más poemas parece que compuso Homero, pero otros dicen que ésos no son suyos, aunque el griego Herodoto[25], que

---

[25] Herodoto (480-420 a.C.): historiador griego nacido en Halicarnaso poco antes de la expedición de Jerjes contra Grecia. Con motivo de la revuelta en la que murió Paniasis, Herodoto hubo de abandonar su patria y dirigirse a Samos, donde pudo tener un contacto más estrecho con el mundo cultural jonio; se piensa que desde allí volvió a Halicarnaso y participó en el derrocamiento de Lígdamis (454 a.C.), hijo de Artemisia, representante de la tiranía

recogió todas las historias de su tiempo, trae noticias de ellos, y muchos versos sueltos, en la vida de Homero que escribió, que es la mejor de las ocho que hay escritas, sin que se sepa de cierto si Herodoto la escribió de veras, o si no la contó muy de prisa y sin pensar, como solía él escribir.

Se siente uno como gigante, o como si estuviera en la cumbre de un monte, con el mar sin fin a los pies, cuando lee aquellos versos de la *Ilíada*, que parecen de letras de piedra. En inglés hay muy buenas traducciones, y el que sepa inglés debe leer la *Ilíada* de Chapman[26], o la de Dolsey, o la de Landor[27], que tienen más de Homero que la de Pope[28], que es la más elegante. El que sepa alemán, lea la de Wolff[29], que es como leer el griego mismo. El que no sepa francés, apréndalo enseguida, para que goce de toda la hermosura de aquellos

---

caria que dominaba en aquella época la vida política de la colonia. Su estancia en la Atenas de Pericles le permitió contemplar el gran momento político y cultural que vivía la ciudad: en Atenas, Herodoto pudo conocer a Protágoras, abanderado de la revolución de la sofística, y a Sófocles, el gran poeta trágico que tanto influiría en su obra histórica. También en la época previa a la fundación de Turios, Herodoto hizo aquellos viajes de los que nos habla en su obra: se sabe que estuvo en Egipto durante cuatro meses y que, después, fue a Fenicia y Mesopotamia. Otro de sus viajes le llevó al país de los escitas. Todos estos viajes estuvieron inspirados por el deseo de aumentar sus conocimientos y de saciar sus ansias de saber, acicates constantes del pensamiento de Herodoto. Éste aparece a través de su obra como un hombre curioso, observador y siempre dispuesto a escuchar, cualidades que combinaba con una gran formación enciclopédica y erudita. Se piensa que murió en Turios en el 420 a.C.

[26] George Chapman (1560-1634): poeta, dramaturgo y traductor inglés. En 1616 publica la traducción de las obras completas de Homero, aunque la primera edición de la *Ilíada* la terminó y publicó en 1598.

[27] Walter Savage Landor (1775-1864): poeta y ensayista inglés, educado en Oxford. Tras una disputa con su padre, fue a vivir a Gales, donde escribió su poema épico *Gebir* (1798). Después vivió y escribió mucho tiempo en Italia. Sus obras más importantes son: *Imaginary Conversations* (1824-1853), *Pericles and Aspasia* (1836), *Hellenics* (1847), y *Heroic Idylls* (1863).

[28] Alexander Pope (1688-1744): poeta, crítico, traductor y pensador inglés, que ensaya en sus obras todo tipo de temas: satírico, erudito, lírico, filosófico, etc., con especial atención a las obras de Homero y Shakespeare. Publicó, a partir de 1715, la traducción de la *Ilíada* y la *Odisea* de Homero.

[29] Augusto Wolff (1759-1824): filólogo y erudito alemán, autor de *Prolegómenos,* en los que intentó demostrar que la *Ilíada* y la *Odisea* están formadas por la yuxtaposición de trozos épicos de épocas diferentes.

tiempos en la traducción de Leconte de Lisle[30], que hace los versos a la antigua, como si fueran de mármol. En castellano, mejor es no leer la traducción que hay, que es de Hermosilla[31]; porque las palabras de la *Ilíada* están allí, pero no el fuego, el movimiento, la majestad, la divinidad a veces, del poema en que parece que se ve amanecer el mundo —en que los hombres caen como los robles o como los pinos—, en que el guerrero Ajax defiende a lanzazos su barco de los troyanos más valientes —en que Héctor de una pedrada echa abajo la puerta de una fortaleza—, en que los dos caballos inmortales, Xantos y Balios, lloran de dolor cuando ven muerto a su amo Patroclo —y las diosas amigas—, Juno y Minerva, vienen del cielo en un carro que de cada vuelta de rueda atraviesa tanto espacio como el que un hombre sentado en un monte ve, desde su silla de roca, hasta donde el cielo se junta con el mar.

Cada cuadro de la *Ilíada* es una escena como ésas. Cuando los reyes miedosos dejan solo a Aquiles en su disputa con Agamenón, Aquiles va a llorar a la orilla del mar, donde están desde hace diez años los barcos de los cien mil griegos que atacan a Troya: y la diosa Thetis sale a oírlo, como una bruma que se va levantando de las olas. Thetis sube al cielo, y Júpiter

---

[30] Charles Marie René Leconte de Lisle (1818-1894): poeta francés con influencia de Gautier, parnasiano y formado en las doctrinas positivistas y científicas del XIX, conocedor de tradiciones helénicas, nórdicas, egipcias, etc.

[31] José Mamerto Gómez Hermosilla (1771-1837): helenista, periodista, crítico literario y escritor español, nacido y muerto en Madrid. Estudió latinidad y retórica con los escolapios de Getafe hasta 1782, en el colegio de Santo Tomás de Madrid, y cursó tres años de filosofía y cuatro de teología y disciplina eclesiástica y liturgia en San Isidro. Desde 1785 era académico de número de la de teología de Santo Tomás. Fue también académico de Teología Moral y Sagrada Escritura entre 1786 y 1792. En 1808 ocupó el cargo de jefe de división en el Ministerio de Policía General y secretario de Pablo Arribas, superintendente de Policía de Madrid. Fue honrado por José I como caballero de la Orden Real de España. Entre 1814 y 1820 estuvo exiliado en Francia. A su vuelta fue redactor de *El Sol* de Madrid, 1820, colaborador de *El Censor* (1820-1822) y redactor de *El Imparcial* (1821-1822). En 1823 publicó *El jacobinismo*. Sus criterios neoclásicos le llevaron a publicar en 1826 el *Arte de hablar en prosa y verso*. En 1831 publicó su traducción en verso de la *Ilíada* de Homero y en 1835 *Principios de gramática general*. Apareció póstumo en 1840 el *Juicio crítico de los principales poetas españoles de la última era*. Dejó manuscrita una *Gramática de la lengua griega*.

le promete, aunque se enoje Juno, que los troyanos vencerán a los griegos hasta que los reyes se arrepientan de la ofensa a Aquiles. Grandes guerreros hay entre los griegos: Ulises, que era tan alto que andaba entre los demás hombres como un macho entre el rebaño de carneros; Ajax, con el escudo de ocho capas, siete de cuero y una de bronce; Diómedes, que entra en la pelea resplandeciente, devastando como un león hambriento en un rebaño: pero mientras Aquiles esté ofendido, los vencedores serán los guerreros de Troya: Héctor, el hijo de Príamo; Eneas, el hijo de la diosa Venus; Sarpedón, el más valiente de los reyes que vino a ayudar a Troya, el que subió al cielo en brazos del Sueño y de la Muerte, a que lo besase en la frente su padre Júpiter, cuando lo mató Patroclo de un lanzazo. Los dos ejércitos se acercan a pelear: los griegos, callados, escudo contra escudo; los troyanos dando voces, como ovejas que vienen balando por sus cabritos. Paris desafía a Menelao, y luego se vuelve atrás; pero la misma hermosísima Helena le llama cobarde, y Paris, el príncipe bello que enamora a las mujeres, consiente en pelear, carro a carro, contra Menelao, con lanza, espada y escudo: vienen los heraldos, y echan suertes con dos piedras en un casco, para ver quién disparará primero su lanza. Paris tira el primero, pero Menelao se lo lleva arrastrando, cuando Venus le desata el casco de la barba, y desaparece con Paris en las nubes. Luego es la tregua; hasta que Minerva, vestida como el hijo del troyano Antenor, le aconseja con alevosía a Pandaro que dispare la flecha contra Menelao, la flecha del arco enorme de dos cuernos y la juntura de oro, para que los troyanos queden ante el mundo por traidores, y sea más fácil la victoria de los griegos, los protegidos de Minerva. Dispara Pandaro la flecha: Agamenón va de tienda en tienda levantando a los reyes: entonces es la gran pelea en que Diomedes hiere al mismo dios Marte, que sube al cielo con gritos terribles en una nube de trueno, como cuando sopla el viento del sur; entonces es la hermosa entrevista de Héctor y Andrómaca, cuando el niño no quiere abrazar a Héctor porque le tiene miedo al casco de plumas, y luego juega con el casco, mientras Héctor le dice a Andrómaca que cuide de las cosas de la casa, cuando él vuelva a pelear. Al otro día Héctor y Ajax pelean como jabalíes salvajes hasta que el cielo se oscurece: pelean con piedras cuando ya no tienen lanza ni espada: los heraldos los vienen a separar, y Héctor le regala su espada de puño fino a Ajax, y Ajax le regala a Héctor un cinturón de púrpura.

Esa noche hay banquete entre los griegos, con vinos de miel y bueyes asados; y Diomedes y Ulises entran solos en el campo enemigo a espiar lo que prepara Troya, y vuelven, manchados de sangre, con los caballos y el carro del rey tracio. Al amanecer, la batalla es en el murallón que han levantado los griegos en la playa frente a sus buques. Los troyanos han vencido a los griegos en el llano. Ha habido cien batallas sobre los cuerpos de los héroes muertos. Ulises defiende el cuerpo de Diomedes con su escudo, y los troyanos le caen encima, como los perros al jabalí. Desde los muros disparan sus lanzas los reyes griegos contra Héctor victorioso, que ataca por todas partes. Caen los bravos, los de Troya y los de Grecia, como los pinos a los hachazos del leñador. Héctor va de una puerta a otra, como león que tiene hambre. Levanta una piedra de punta que dos hombres no podían levantar, echa abajo la puerta mayor, y corre por sobre los muertos a asaltar los barcos. Cada troyano lleva una antorcha, para incendiar las naves griegas: Ajax, cansado de matar, ya no puede resistir el ataque en la proa de su barco, y dispara de atrás, de la borda: ya el cielo se enrojece con el resplandor de las llamas. Y Aquiles no ayuda todavía a los griegos: no atiende a lo que le dicen los embajadores de Agamenón: no embraza el escudo de oro, no se cuelga del hombro la espada, no salta con los pies ligeros en el carro, no empuña la lanza que ningún hombre podía levantar, la lanza *Pelea.* Pero le ruega su amigo Patroclo, y consiente en vestirlo con su armadura, y dejarlo ir a pelear. A la vista de las armas de Aquiles, a la vista de los mirmidones, que entran en la batalla apretados como las piedras de un muro, se echan atrás los troyanos miedosos. Patroclo se mete entre ellos, y les mata nueve héroes de cada vuelta del carro. El gran Sarpedón le sale al camino, y con la lanza le atraviesa Patroclo las sienes. Pero olvidó Patroclo el encargo de Aquiles, de que no se llegase muy cerca de los muros. Apolo invencible lo espera al pie de los muros, se le sube al carro, lo aturde de un golpe en la cabeza, echa al suelo el casco de Aquiles, que no había tocado el suelo jamás, le rompe la lanza a Patroclo, y le abre el coselete[32], para que lo hiera Héctor. Cayó Patroclo, y los caballos divinos lloraron. Cuando Aquiles vio muerto a su amigo, se echó por la tierra, se llenó de arena la cabeza y el rostro, se mesaba a grandes gritos la melena amarilla. Y cuando le trajeron a Patroclo en un ataúd, lloró Aquiles. Subió al cielo su madre, para que Vulcano le hiciera un escudo nuevo, con el dibujo de la tierra y el cielo, y el mar y el sol, y la luna y todos los astros, y una ciudad en paz y otra en guerra, y un viñedo cuando están recogiendo la uva madura, y un niño cantando en un arpa, y una boyada que va a arar, y danzas, y músicas de pastores, y alrededor, como un río, el mar: y le hizo un coselete que lucía como el fuego, y un casco con la visera de oro. Cuando salió al muro a dar las tres voces, los troyanos se echaron en tres oleadas contra la ciudad, los caballos rompían con las ancas el carro espantados, y morían hombres y brutos en la confusión, no más que de ver sobre el muro a Aquiles, con una llama sobre la cabeza que resplandecía como el sol de otoño. Ya Agamenón se ha arrepentido, ya el consejo de reyes le ha mandado regalos preciosos a Aquiles, ya le han devuelto a Briséis, que llora al ver muerto a Patroclo, porque fue amable y bueno.

Al otro día, al salir el sol, la gente de Troya, como langostas que escapan del incendio, entra aterrada en el río, huyendo de Aquiles, que mata lo mismo que siega la hoz, y de una vuelta del carro se lleva a doce cautivos. Tropieza con Héctor; pero no pueden pelear, porque los dioses les echan de lado las lanzas. En el río era Aquiles como un gran delfín, y los troyanos se despedazaban al huirle, como los peces. De los muros le ruega a Héctor su padre viejo que no pelee con Aquiles: se lo ruega su madre. Aquiles llega: Héctor huye: tres veces le dan vuelta a Troya en los carros. Todo Troya está en los muros, el padre mesándose con las dos manos la barba; la madre con los brazos tendidos, llorando y suplicando. Se para Héctor, y le habla a Aquiles antes de pelear, para que no se lleve su cuerpo muerto si lo vence. Aquiles quiere el cuerpo de

---

[32] *Coselete:* antigua coraza ligera.

Héctor, para quemarlo en los funerales de su amigo Patroclo. Pelean. Minerva está con Aquiles: le dirige los golpes: le trae la lanza, sin que nadie la vea: Héctor, sin lanza ya, arremete contra Aquiles como águila que baja del cielo, con las garras tendidas, sobre un cadáver: Aquiles le va encima, con la cabeza baja, y la lanza *Pelea* brillándole en la mano como la estrella de la tarde. Por el cuello le mete la lanza a Héctor, que cae muerto, pidiendo a Aquiles que dé su cadáver a Troya. Desde los muros han visto la pelea el padre y la madre. Los griegos vienen sobre el muerto, y lo lancean, y lo vuelven con los pies de un lado a otro, y se burlan. Aquiles manda que le agujereen los tobillos, y metan por los agujeros dos tiras de cuero: y se lo lleva en el carro, arrastrando.

Y entonces levantaron con leños una gran pira para quemar el cuerpo de Patroclo. A Patroclo lo llevaron a la pira en procesión, y cada guerrero se cortó un guedejo de sus cabellos, y lo puso sobre el cadáver; y mataron en sacrificio cuatro caballos de guerra y dos perros; y Aquiles mató con su mano los doce prisioneros y los echó a la pira: y el cadáver de Héctor lo dejaron a un lado, como un perro muerto: y quemaron a Patroclo, enfriaron con vino las cenizas, y las pusieron en una urna de oro. Sobre la urna echaron tierra, hasta que fue como un monte. Y Aquiles amarraba cada mañana por los pies a su carro a Héctor, y le daba vuelta al monte tres veces. Pero a Héctor no se le lastimaba el cuerpo, ni se le acababa la hermosura, porque desde el Olimpo cuidaban de él Venus y Apolo.

Y entonces fue la fiesta de los funerales, que duró doce días: primero una carrera con los carros de pelear, que ganó Diomedes; luego una pelea a puñetazos entre dos, hasta que quedó uno como muerto; después una lucha a cuerpo desnudo, de Ulises con Ajax; y la corrida de a pie, que ganó Ulises; y un combate con escudo y lanza; y otro de flechas, para ver quién era el mejor flechero; y otro de lanceadores, para ver quién tiraba más lejos la lanza.

Y una noche, de repente, Aquiles oyó ruido en su tienda; y vio que era Príamo, el padre de Héctor, que había venido sin que lo vieran, con el dios Mercurio —Príamo, el de la cabeza blanca y la barba blanca—, Príamo, que se le arrodilló a los pies, y le besó las manos muchas veces, y le pedía llorando el cadáver de Héctor. Y Aquiles se levantó, y con sus brazos alzó del suelo a Príamo; y mandó que bañaran de ungüentos olorosos el cadáver de Héctor, y que lo vistiesen con una de las túnicas del gran tesoro que le traía de regalo Príamo; y por la noche comió carne y bebió vino con Príamo, que se fue a acostar por primera vez, porque tenía los ojos pesados. Pero Mercurio le dijo que no debía dormir entre los enemigos, y se lo llevó otra vez a Troya sin que los vieran los griegos.

Y hubo paz doce días, para que los troyanos le hicieran el funeral a Héctor. Iba el pueblo detrás, cuando llegó Príamo con él; y Príamo los injuriaba por cobardes, que habían dejado matar a su hijo; y las mujeres lloraban, y los poetas iban cantando, hasta que entraron en la casa, y lo pusieron en su cama de dormir. Y vino Andrómaca su mujer, y le habló al cadáver. Luego vino su madre Hécuba, y lo llamó hermoso y bueno. Después Helena le habló, y lo llamó cortés y amable. Y todo el pueblo lloraba cuando Príamo se acercó a su hijo, con las manos al cielo, temblándole la barba, y mandó que trajeran leños para la pira. Y nueve días estuvieron trayendo leños, hasta que la pira era más alta que los muros de Troya. Y la quemaron, y apagaron el fuego con vino, y guardaron las cenizas de Héctor en una caja de oro, y cubrieron la caja con un manto de púrpura, y lo pusieron todo en un ataúd, y encima le echaron mucha tierra, hasta que pareció un monte. Y luego hubo gran fiesta en el palacio del rey Príamo. Así acaba la *Ilíada*, y el cuento de la cólera de Aquiles.

Un juego nuevo y otros viejos

Ahora hay en los Estados Unidos un juego muy curioso, que llaman el juego del *burro*. En verano, cuando se oyen muchas carcajadas en una casa, es que están jugando al *burro*. No lo juegan los niños sólo, sino las personas mayores. Y es lo más fácil de hacer. En una hoja de papel grande o en un pedazo de tela blanca se pinta un burro, como del tamaño de un perro. Con carbón vegetal se le puede pintar, porque el carbón de piedra no pinta, sino el otro, el que se hace quemando debajo de una pila de tierra la madera de los árboles. O con un pincel mojado en tinta se puede dibujar también el burro, porque no hay que pintar de negro la figura toda, sino las líneas de afuera, el contorno no más. Se pinta todo el burro, menos la cola. La cola se pinta aparte, en un pedazo de papel o de tela, y luego se recorta, para que parezca una cola de verdad. Y ahí está el juego, en poner la cola al burro donde debe estar. Lo que no es tan fácil como parece; porque al que juega le vendan los ojos, y le dan tres vueltas antes de dejarlo andar. Y él anda, anda; y la gente sujeta la risa. Y unos le clavan al burro la cola en la pezuña, o en las costillas, o en la frente. Y otros le clavan en la hoja de la puerta, creyendo que es el burro.

Dicen en los Estados Unidos que este juego es nuevo, y nunca lo ha habido antes; pero no es muy nuevo, sino otro modo de jugar la gallina ciega. Es muy curioso; los niños de ahora juegan lo mismo que los niños de antes; la gente de los pueblos que no se han visto nunca, juegan a las mismas cosas. Se habla mucho de los griegos y de los romanos, que vivieron hace dos mil años; pero los niños romanos jugaban a las bolas, lo mismo que nosotros, y las niñas griegas tenían muñecas con pelo de verdad, como las niñas de ahora. En la lámina están unas niñas griegas, poniendo sus muñecas delante de la estatua de Diana, que era como una santa de entonces; porque los griegos creían también que en el cielo había santos, y a esta Diana le rezaban las niñas, para que las dejase vivir y las tuviese siempre lindas. No eran las muñecas sólo lo que le llevaban los niños; porque ese caballero de la lámina que mira a la diosa con cara de emperador, le trae su cochecito de madera, para que Diana se monte en el coche cuando salga a cazar, como dicen que salía todas las mañanas. Nunca hubo Diana ninguna, por supuesto. Ni hubo ninguno de los otros dioses a que les rezaban los griegos, en versos muy hermosos, y con procesiones y cantos. Los griegos fueron como todos los pueblos nuevos, que creen que ellos son los amos del mundo, lo mismo que creen los niños; y como ven que del cielo viene el sol y la lluvia, y que la tierra da el trigo y el maíz, y que en los montes hay pájaros y animales buenos para comer, le rezan a la tierra y a la lluvia, y al monte y al sol, y les ponen nombres de hombres y mujeres, y los pintan con figura humana, porque creen que piensan y quieren lo mismo que ellos, y que deben tener su misma figura. Diana era la diosa del monte. En el museo del Louvre de París hay una estatua de Diana muy hermosa, donde va Diana cazando con su perro, y está tan bien que parece que anda. Las piernas no más son como de hombre, para que se vea que es diosa que camina mucho. Y las niñas griegas querían a su muñeca tanto, que cuando se morían las enterraban con las muñecas.

Todos los juegos no son tan viejos como las bolas, ni como las muñecas, ni como el criquet, ni como la pelota, ni como el columpio, ni como los saltos. La gallina ciega no es tan vieja, aunque hace como mil años que se juega en Francia. Y los niños no saben, cuando les vendan los ojos, que este juego se juega por un caballero muy valiente que hubo en Francia, que se quedó ciego un día de pelea y no soltó la espada ni quiso que lo curasen, sino siguió peleando hasta morir: ése fue el caballero Collin-Maillard. Luego el rey mandó que en las peleas de juego, que se llamaban torneos, saliera siempre a pelear un caballero con los ojos vendados, para que la gente de Francia no se olvidara de aquel gran valor. Y de ahí vino el juego.

Lo que no parece por cierto cosa de hombres es esa diversión en que están entretenidos los amigos de Enrique III[33], que también fue rey de Francia, pero no un rey bravo y generoso como Enrique IV[34] de Navarra, que vino después, sino un hombrecito ridículo, como ésos que no piensan más que en peinarse y empolvarse como las mujeres, y en recortarse en pico la barba. En eso pasaban la vida los amigos del rey: en jugar y en pelearse por celos con los bufones de palacio, que les tenían odio por holgazanes, y se lo decían cara a cara. La pobre Francia estaba en la miseria, y el pueblo trabajador pagaba una gran contribución, para que el rey y sus amigos tuvieran espadas de puño de oro y vestidos de seda. Entonces no había periódicos que dijeran la verdad. Los bufones eran entonces algo como los periódicos, y los reyes no los tenían sólo en sus palacios para que los hicieran reír, sino para que averiguasen lo que sucedía, y les dijesen a los caballeros las verdades, que los bufones decían como en chiste, a los caballeros y a los mismos reyes. Los bufones eran casi siempre hombres muy feos, o flacos, o gordos, o jorobados. Uno de los cuadros más tristes del mundo es el cuadro de los bufones que pintó el español Zamacois[35]. Todos aquellos hombres infelices están esperando a que el rey los llame para hacerle reír, con sus vestidos de picos y campanillas, de color de mono o de cotorra.

Desnudos como están son más felices que ellos esos negros que bailan en la otra lámina la danza del palo. Los pueblos, lo mismo que los niños, necesitan de tiempo en tiempo algo

---

[33] Enrique III: rey de Francia en la segunda mitad del siglo XVI. Ocupó también el trono de Polonia de 1573 a 1574. Asistió al consejo en el que se decidió la matanza de los jefes protestantes conocida como la San Bartolomé.

[34] Enrique IV: rey de Francia y de Navarra. Pacificó la nación, dictó leyes muy beneficiosas para el pueblo y llegó a ser el árbitro de Europa. Reinó de 1593 a 1610, año en que murió asesinado.

[35] Eduardo Zamacois y Zabala (1842-1874): pintor español, natural de Bilbao. La brillantez del color, la sobriedad de la composición y la elegancia son notas características de sus obras.

así como correr mucho, reírse mucho y dar gritos y saltos. Es que en la vida no se puede hacer todo lo que se quiere, y lo que se va quedando sin hacer sale así de tiempo en tiempo, como una locura. Los moros tienen una fiesta de caballos que llaman la «fantasía». Otro pintor español ha pintado muy bien la fiesta: el pobre Fortuny[36]. Se ve en el cuadro los moros que entran a escape en la ciudad, con los caballos tan locos como ellos, y ellos disparando al aire sus espingardas[37], tendidos sobre el cuello de sus animales, besándolos, mordiéndolos, echándose al suelo sin parar la carrera, y volviéndose a montar. Gritan como si se les abriese el pecho. El aire se ve oscuro de la pólvora. Los hombres de todos los países, blancos o negros, japoneses o indios, necesitan hacer algo hermoso y atrevido, algo de peligro y movimiento, como esa danza del palo de los negros de Nueva Zelandia. En Nueva Zelandia hay mucho calor, y los negros de allí son hombres de cuerpo arrogante[38], como los que andan mucho a pie, y gente brava, que pelea por su tierra tan bien como danza en el palo. Ellos suben y bajan por las cuerdas, y se van enroscando hasta que la cuerda está a la mitad, y luego se dejan caer. Echan la cuerda a volar, lo mismo que un columpio, y se sujetan de una mano, de los dientes, de un pie, de la rodilla. Rebotan contra el palo, como si fueran pelotas. Se gritan unos a otros y se abrazan.

Los indios de México tenían, cuando vinieron los españoles, esa misma danza del palo. Tenían juegos muy lindos los indios de México. Eran hombres muy finos y trabajadores, y no conocían la pólvora y las balas como los soldados del español Cortés, pero su ciudad era como de plata, y la plata misma la labraban como un encaje, con tanta delicadeza como en la mejor joyería. En sus juegos eran tan ligeros y ori-

---

[36] Mariano Fortuny (1838-1874): pintor español formado en la Escuela de Bellas Artes de Barcelona. Sus estancias en Roma y en África marcan gran parte de su personalidad artística. Sobresale en el cuadro de género o gabinete, y destaca por la luz y el colorido.

[37] *Espingarda:* escopeta de chispa, muy larga.

[38] En este caso, *arrogante* no significa altanero, soberbio, sino valiente y decidido. Es decir, tiene connotaciones altamente positivas.

ginales como en sus trabajos. Esa danza del palo fue entre los indios una diversión de mucha agilidad y atrevimiento; porque se echaban desde lo alto del palo, que tenía unas veinte varas, y venían por el aire dando volteos y haciendo pruebas de gimnasio sin sujetarse más que con la soga, que ellos tejían muy fina y fuerte, y llamaban metate. Dicen que estremecía ver aquel atrevimiento; y un libro viejo cuenta que era «horrible y espantoso, que llena de congojas y asusta el mirarlo».

Los ingleses creen que el juego del palo es cosa suya, y que ellos no más saben lucir su habilidad en las ferias con el garrote que empuñan por una punta y por el medio; o con la porra, que juegan muy bien. Los isleños de las Canarias[39], que son gente de mucha fuerza, creen que el palo no es invención del inglés, sino de las islas; y sí que es cosa de verse un isleño jugando el palo, y haciendo el molinete. Lo mismo que el luchar, que en las Canarias les enseñan a los niños en las escuelas. Y la danza del palo encintado; que es un baile muy difícil en que cada hombre tiene una cinta de un color, y la va trenzando y destrenzando alrededor del palo, haciendo lazos y figuras graciosas, sin equivocarse nunca. Pero los indios de México jugaban al palo tan bien como el inglés más rubio, o el canario de más espaldas; y no era sólo el defenderse con él lo que sabían, sino jugar con el palo a equilibrios, como los que hacen ahora los japoneses y los moros kabilas. Y ya van cinco pueblos que han hecho lo mismo que los indios: los de Nueva Zelandia, los ingleses, los canarios, los japoneses y los moros. Sin contar la pelota, que todos los pueblos la juegan, y entre los indios era una pasión, como que creyeron que el buen jugador era hombre venido del cielo, y que los dioses mexicanos, que eran diferentes de los dioses griegos, bajaban a decirle cómo debían tirar la pelota y recogerla. Lo de la pelota, que es muy curioso, será para otro día.

Ahora contamos lo del palo, y lo de los equilibrios que los indios hacían con él, que eran de grandísima dificultad. Los indios se acostaban en la tierra, como los japoneses de los cir-

[39] El conocimiento de ciertos aspectos de la cultura canaria procede en Martí de su madre, que era oriunda de aquellas islas.

cos cuando van a jugar las bolas o el barril; y en el palo, atravesado sobre las plantas de los pies, sostenían hasta cuatro hombres, que es más que lo de los moros, porque a los moros los sostiene el más fuerte de ellos sobre los hombros, pero no sobre las plantas de los pies. *Tzaá* le decían a este juego: dos indios se subían primero en las puntas del palo, dos más se encaramaban sobre estos dos, y los cuatro hacían sin caerse muchas suertes y vueltas. Y los indios tenían su ajedrez, y sus jugadores de manos, que se comían la lana encendida y la echaban por la nariz: pero eso, como la pelota, será para otro día. Porque con los cuentos se ha de hacer lo que decía Chichá, la niña bonita de Guatemala:

—¿Chichá, por qué te comes esa aceituna tan despacio?

—Porque me gusta mucho.

Bebé y el señor don Pomposo

Bebé es un niño magnífico, de cinco años. Tiene el pelo muy rubio, que le cae en rizos por la espalda, como en la lámina de los *Hijos del Rey Eduardo*[40], que el pícaro Glocester[41] hizo matar en la Torre de Londres, para hacerse él rey. A Bebé lo visten como al duquesito Fauntleroy[42], el que no tenía vergüenza de que lo vieran conversando en la calle con los niños pobres. Le ponen pantaloncitos cortos ceñidos a la rodilla, y blusa con cuello de marinero, de dril[43] blanco como los pantalones, y medias de seda colorada, y zapatos bajos. Como lo quieren a él mucho, él quiere mucho a los demás. No es un santo, ¡oh, no!: le tuerce los ojos a su criada francesa cuando no le quiere dar más dulces, y se sentó una vez en visita con las piernas cruzadas, y rompió un día un jarrón muy hermoso, corriendo detrás de un gato. Pero en cuanto ve un niño descalzo le quiere dar todo lo que tiene: a su caballo le lleva azúcar todas las mañanas, y lo llama «caballito de mi alma»; con los criados viejos se está horas y horas, oyéndoles los

---

[40] *Hijos del Rey Eduardo:* famoso cuadro del pintor francés Delaroche (1797-1856), que se guarda en el Louvre de París.

[41] Glocester: título que han llevado varios personajes históricos ingleses, entre ellos el rey Ricardo III, el cual mandó asesinar a Eduardo V, por aspiraciones al trono de Inglaterra, en la segunda mitad del siglo XV.

[42] Se trata del personaje principal de la obra *El pequeño Lord* (1886), de la escritora inglesa Frances Hogdson Burnett (1849-1924), cuya obra debió de ser conocida internacionalmente al poco tiempo de su publicación, ya que Martí escribe este texto sólo tres años más tarde.

[43] *Dril:* tela de hilo o algodón crudos.

cuentos de su tierra de África, de cuando ellos eran príncipes y reyes, y tenían muchas vacas y muchos elefantes: y cada vez que ve Bebé a su mamá, le echa el bracito por la cintura, o se le sienta al lado en la banqueta, a que le cuente cómo crecen las flores, y de dónde le viene la luz al sol, y de qué está hecha la aguja con que cose, y si es verdad que la seda de su vestido la hacen unos gusanos, y si los gusanos van fabricando la tierra, como dijo ayer en la sala aquel señor de espejuelos[44]. Y la madre le dice que sí, que hay unos gusanos que se fabrican unas casitas de seda, largas y redondas, que se llaman capullos; y que es hora de irse a dormir, como los gusanitos, que se meten en el capullo, hasta que salen hechos mariposas.

Y entonces sí que está lindo Bebé, a la hora de acostarse, con sus mediecitas caídas, y su color de rosa, como los niños que se bañan mucho, y su camisola de dormir: lo mismo que los angelitos de las pinturas, un angelito sin alas. Abraza mucho a su madre, la abraza muy fuerte, con la cabecita baja, como si quisiera quedarse en su corazón. Y da brincos y vueltas de carnero, y salta en el colchón con los brazos levantados, para ver si alcanza a la mariposa azul que está pintada en el techo. Y se pone a nadar como en el baño; o a hacer como que cepilla la baranda de la cama, porque va a ser carpintero; o rueda por la cama hecho un carretel[45], con los rizos rubios revueltos con las medias coloradas. Pero esta noche Bebé está muy serio, y no da volteretas como todas las noches, ni se le cuelga del cuello a su mamá, para que no se vaya, ni le dice a Luisa, a la francesita, que le cuente el cuento del gran comelón, que se murió solo y se comió un melón. Bebé cierra los ojos; pero no está dormido, Bebé está pensando.

* * *

La verdad es que Bebé tiene mucho en que pensar, porque va de viaje a París, como todos los años, para que los médicos buenos le digan a su mamá las medicinas que le van a quitar la tos, esa tos mala que a Bebé no le gusta oír; se le aguan los

---

44 *Espejuelos:* gafas.
45 *Carretel:* en América, carrete de hilo de coser.

ojos a Bebé en cuanto oye toser a su mamá; y la abraza muy fuerte, muy fuerte, como si quisiera sujetarla. Esta vez Bebé no va solo a París, porque él no quiere hacer nada solo, como el hombre del melón, sino con un primito suyo que no tiene madre. Su primito Raúl va con él a París, a ver con él el hombre que llama a los pájaros, y la tienda del Louvre, donde les regalan globos a los niños, y el teatro Guiñol, donde hablan los muñecos, y el policía se lleva preso al ladrón, y el hombre bueno le da un coscorrón al hombre malo. Raúl va con Bebé a París. Los dos juntos se van el sábado en el vapor grande, con tres chimeneas. Allí en el cuarto está Raúl con Bebé, el pobre Raúl, que no tiene el pelo rubio, ni va vestido de duquesito, ni lleva medias de seda colorada.

Bebé y Raúl han hecho hoy muchas visitas: han ido con su mamá a ver a los ciegos, que leen con los dedos, en unos libros con las letras muy altas; han ido a la calle de los periódicos, a ver cómo los niños pobres que no tienen casa donde dormir, compran diarios para venderlos después, y pagar su casa: han ido a un hotel elegante, con criados de casaca azul y pantalón amarillo, a ver a un señor muy flaco y muy estirado, el tío de mamá, el señor don Pomposo. Bebé está pensando en la visita del señor don Pomposo. Bebé está pensando.

Con los ojos cerrados, él piensa: él se acuerda de todo. ¡Qué largo, qué largo el tío de mamá, como los palos del telégrafo! ¡Qué leontina[46] tan grande y tan suelta, como la cuerda de saltar! ¡Qué pedrote tan feo como un pedazo de vidrio, el pedrote de la corbata! ¡Y a mamá no la dejaba mover, y le ponía un cojín detrás de la espalda, y le puso una banqueta en los pies, y le hablaba como dicen que les hablan a las reinas! Bebé se acuerda de lo que dice el criado viejito, que la gente le habla así a mamá, porque mamá es muy rica, y que a mamá no le gusta eso, porque mamá es buena.

Y Bebé vuelve a pensar en lo que sucedió en la visita. En cuanto entró en el cuarto el señor don Pomposo le dio la mano, como se la dan los hombres a los papás; le puso el sombrerito en la cama, como si fuera una cosa santa, y le dio

[46] *Leontina:* cinta o cadena colgante del reloj de bolsillo.

muchos besos, unos besos feos, que se le pegaban a la cara, como si fueran manchas. Y a Raúl, al pobre Raúl, ni lo saludó, ni le quitó el sombrero, ni le dio un beso. Raúl estaba metido en un sillón, con el sombrero en la mano, y con los ojos muy grandes. Y entonces se levantó don Pomposo del sofá colorado: «Mira, mira, Bebé, lo que te tengo guardado: esto cuesta mucho dinero, Bebé: esto es para que quieras mucho a tu tío.» Y se sacó del bolsillo un llavero como con treinta llaves, y abrió una gaveta que olía a lo que huele el tocador de Luisa, y le trajo a Bebé un sable dorado —¡oh, qué sable! ¡oh, qué gran sable!— y le abrochó por la cintura el cinturón de charol —¡oh, qué cinturón tan lujoso!— y le dijo: «Anda, Bebé: mírate al espejo; ése es un sable muy rico: eso no es más que para Bebé, para el niño!» Y Bebé, muy contento, volvió la cabeza adonde estaba Raúl, que lo miraba, miraba al sable, con los ojos más grandes que nunca, y con la cara muy triste, como si fuera a morir: ¡oh, qué sable tan feo, tan feo! ¡oh, qué tío tan malo! En todo eso estaba pensando Bebé, Bebé estaba pensando.

El sable está allí, encima del tocador. Bebé levanta la cabeza poquito a poco, para que Luisa no lo oiga, y ve el puño brillante como si fuera de sol, porque la luz de la lámpara da toda en el puño. Así eran los sables de los generales el día de la procesión, lo mismo que el de él. Él también, cuando sea grande, va a ser general, con un vestido de dril blanco, y un sombrero con plumas, y muchos soldados detrás, y él en un caballo morado, como el vestido que tenía el obispo. Él no ha visto nunca caballos morados, pero se lo mandarán a hacer. Y a Raúl ¿quién le manda hacer caballos? Nadie, nadie: Raúl no tiene mamá que le compre vestidos de duquesito: Raúl no tiene tíos largos que le compren sables. Bebé levanta la cabecita poco a poco: Raúl está dormido: Luisa se ha ido a su cuarto a ponerse olores. Bebé se escurre de la cama, va al tocador en la punta de los pies, levanta el sable despacio, para que no haga ruido... y ¿qué hace, qué hace Bebé? ¡va riéndose, va riéndose el pícaro! hasta que llega a la almohada de Raúl, y le pone el sable dorado en la almohada.

La última página

La Edad de Oro se despide hoy con pena de sus amigos. Se puso a escribir largo el hombre de *La Edad de Oro*, como quien escribe una carta de cariño para persona a quien quiere mucho, y sucedió que escribió más de lo que cabía en las treinta y dos páginas. Treinta y dos páginas es de veras poco para conversar con los niños queridos, con los que han de ser mañana hábiles como Meñique, y valientes como Bolívar: poetas como Homero ya no podrán ser, porque estos tiempos no son como los de antes, y los aedas de ahora no han de cantar guerras bárbaras de pueblo con pueblo para ver cuál puede más, ni peleas de hombre con hombre para ver quién es más fuerte: lo que ha de hacer el poeta de ahora es aconsejar a los hombres que se quieran bien, y pintar todo lo hermoso del mundo de manera que se vea en los versos como si estuviera pintado con colores, y castigar con la poesía, como con un látigo, a los que quieran quitar a los hombres su libertad, o roben con leyes pícaras el dinero de los pueblos, o quieran que los hombres de su país les obedezcan como ovejas y les laman la mano como perros. Los versos no se han de hacer para decir que se está contento o se está triste, sino para ser útil al mundo, enseñándole que la naturaleza es hermosa, que la vida es un deber, que la muerte no es fea, que nadie debe estar triste ni acobardarse mientras haya libros en las librerías, y luz en el cielo, y amigos, y madres. El que tenga penas, lea las *Vidas Paralelas* de Plutarco[47], que dan

[47] Plutarco (50-120): historiador, biógrafo y ensayista griego. Nació en la región griega de Beocia, probablemente durante el gobierno del emperador ro-

deseos de ser como aquellos hombres de antes, y mejor, porque ahora la tierra ha vivido más, y se puede ser hombre de más amor y delicadeza. Antes todo se hacía con los puños: ahora, la fuerza está en el saber, más que en los puñetazos; aunque es bueno aprender a defenderse, porque siempre hay gente bestial en el mundo, y porque la fuerza da salud, y porque se ha de estar pronto a pelear, para cuando un pueblo ladrón quiera venir a robarnos nuestro pueblo. Para eso es bueno ser fuerte de cuerpo; pero para lo demás de la vida, la fuerza está en saber mucho, como dice Meñique. En los mismos tiempos de Homero, el que ganó por fin el sitio, y entró en Troya, no fue Ajax el del escudo, ni Aquiles el de la lanza, ni Diomedes el del carro, sino Ulises, que era el hombre de ingenio, y ponía en paz a los envidiosos, y pensaba pronto lo que no les ocurría a los demás.

Con esta última página está sucediendo lo que con el primer número de *La Edad de Oro;* que no va a caber lo que el amigo de los niños les quería decir, y es que en el número de agosto se publicará una «Historia del hombre, contada por sus casas», que no cupo esta vez, historia muy curiosa, donde se cuenta cómo ha vivido el hombre, desde su primera habitación en la tierra, que fue una cueva en la montaña, hasta los palacios en que vive ahora. Ni cupo tampoco una explicación muy entretenida del modo de fabricar «Un cubierto de mesa». Porque es necesario que los niños no vean, no toquen, no piensen en nada que no sepan explicar. Para eso se publica *La Edad de Oro.* Y para todo lo que quieran preguntar, aquí está el amigo.

Estas últimas páginas serán como el cuarto de confianza de *La Edad de Oro,* donde conversaremos como si estuviésemos en familia. Aquí publicaremos las cartas de nuestras amigui-

---

mano Claudio. Realizó muchos viajes por el mundo mediterráneo, incluyendo dos viajes a Roma. Gracias a la capacidad económica de sus padres, estudió filosofía, retórica y matemáticas en la Academia de Atenas sobre el año 67. La mayor parte de su vida la pasó en Queronea, donde fue iniciado en los misterios del dios griego Apolo. Más moralista que filósofo e historiador, fue uno de los últimos grandes representantes del helenismo durante la segunda sofística, cuando ya tocaba a su fin, y uno de los grandes de la literatura helénica de todos los tiempos.

tas: aquí responderemos a las preguntas de los niños: aquí tendremos la «Bolsa de Sellos», donde el que tenga sellos que mandar, o los quiera comprar, o quiera hacer colección, o preguntar sobre sellos algo que le interese, no tiene más que escribir para lograr lo que desea. Y de cuando en cuando nos hará aquí una visita El «Abuelo Andrés», que tiene una caja maravillosa con muchas cosas raras, y nos va a enseñar todo lo que tiene en «La Caja de las Maravillas».

La historia del hombre, contada por sus casas

Ahora la gente vive en casas grandes, con puertas y ventanas, y patios enlosados, y portales de columnas: pero hace muchos miles de años los hombres no vivían así, ni había países de sesenta millones de habitantes, como hay hoy. En aquellos tiempos no había libros que contasen las cosas: las piedras, los huesos, las conchas, los instrumentos de trabajar son los que enseñan cómo vivían los hombres de antes. Eso es lo que se llama «edad de piedra», cuando los hombres vivían casi desnudos, o vestidos de pieles, peleando con las fieras del bosque, escondidos en las cuevas de la montaña, sin saber que en el mundo había cobre ni hierro, allá en los tiempos que llaman «paleolíticos»: ¡palabra larga ésta de «paleolíticos»! Ni la piedra sabían entonces los hombres cortar: luego empezaron a darle figura, con unas hachas de pedernal afilado, y ésa fue la edad nueva de piedra, que llaman «neolítica»: *neo,* nueva, *lítica,* de piedra: *paleo,* por supuesto, quiere decir viejo, antiguo. Entonces los hombres vivían en las cuevas de la montaña, donde las fieras no podían subir, o se abrían un agujero en la tierra, y le tapaban la entrada con una puerta de ramas de árbol; o hacían con ramas un techo donde la roca estaba como abierta en dos; o clavaban en el suelo tres palos en pico, y los forraban con las pieles de los animales que cazaban: grandes eran entonces los animales, grandes como montes. En América no parece que vivían así los hombres de aquel tiempo, sino que andaban juntos en pueblos, y no en familias sueltas: todavía se ven las ruinas de los que llaman los «terrapleneros», porque fabricaban con tierra unos paredones en figura de círculo, o de triángulo, o de cuadrado, o de cuatro círculos unos dentro de otros: otros indios vivían en casas de piedra que eran como pueblos, y les llamaban las casas-pueblos, porque allí hubo hasta mil familias a la vez, que no entraban a la casa por puertas, como nosotros, sino por el techo, como hacen ahora los indios zunís[48]: en otros lugares hay casas de cantos en los agujeros de las rocas, adonde subían agarrándose de unas cortaduras abiertas a pico en la piedra, como una escalera. En todas partes se fueron juntando las familias para defenderse, y haciendo ciudades en las rocas, o en medio de los lagos, que es lo que llaman ciudades lacustres, porque están sobre el agua las casas de troncos de árbol, puestas sobre pilares clavados en lo hondo, o sujetos con piedras al pie, para que el peso tuviese a flote las casas: y a veces juntaban con vigas unas casas con otras, y les ponían alrededor una palizada para defenderse de los vecinos que venían a pelear, o de los animales del monte: la cama era de yerba seca, las tazas eran de madera, las mesas y los asientos eran troncos de árboles. Otros ponían de punta en medio de un bosque tres piedras grandes, y una chata encima, como techo, con una cerca de piedras, pero estos dólmenes no eran para vivir, sino para enterrar sus muertos, o para ir a oír a los viejos y los sabios cuando cambiaba la estación, o había guerra, o tenían que elegir rey: y para recordar cada cosa de éstas clavaban en el suelo una piedra grande, como una columna, que llamaban «menhir» en Europa, y que los indios mayas llamaban «katún»; porque los mayas de Yucatán no sabían que del otro lado del mar viviera el pueblo galo, en donde está Francia ahora, pero hacían lo mismo que los galos, y que los germanos, que vivían donde está ahora Alemania. Estudiando se aprende eso: que el hombre es el mismo en todas partes, y aparece y crece de la misma manera, y hace y piensa las mismas cosas, sin más diferencia que la de la tierra en que vive, porque el hombre que nace en tierra de árboles y de flores

---

[48] *Zunís:* tribu localizada en la zona occidental de Nuevo México, cuya lengua se adscribe al tronco uto-azteca. Fueron conocidos por los españoles en 1539.

piensa más en la hermosura y el adorno, y tiene más cosas que decir, que el que nace en una tierra fría, donde ve el cielo oscuro y su cueva en la roca. Y otra cosa se aprende, y es que donde nace el hombre salvaje, sin saber que hay ya pueblos en el mundo, empieza a vivir lo mismo que vivieron los hombres de hace miles de años. Junto a la ciudad de Zaragoza[49], en España, hay familias que viven en agujeros abiertos en la tierra del monte: en Dakota, en los Estados Unidos, los que van a abrir el país viven en covachas, con techos de ramas, como en la edad neolítica: en las orillas del Orinoco, en la América del Sur, los indios viven en ciudades lacustres, lo mismo que las que había hace cientos de siglos en los lagos de Suiza: el indio norteamericano le pone a rastras a su caballo los tres palos de su tepí, que es una tienda de pieles, como la que los hombres neolíticos levantaban en los desiertos: el negro de África hace hoy su casa con las paredes de tierra y techo de ramas, lo mismo que el germano de antes, y deja alto el quicio como el germano lo dejaba, para que no entrasen las serpientes. No es que hubo una edad de piedra, en que todos los pueblos vivían a la vez del mismo modo; y luego otra de bronce, cuando los hombres empezaron a trabajar el metal, y luego otra edad de hierro. Hay pueblos que viven, como Francia ahora, en lo más hermoso de la edad de hierro, con su torre de Eiffel[50] que se entra por las nubes: y otros pueblos que viven en la edad de piedra, como el indio que fabrica su casa en las ramas de los árboles, y con su lanza de pedernal sale a matar los pájaros del bosque y a ensartar en el aire los peces voladores del río. Pero los pueblos de ahora crecen más de prisa, porque se juntan con los pueblos más viejos, y aprenden con ellos lo que no saben; no como antes, que tenían que ir poco a poco descubriéndolo todo ellos mismos.

---

[49] Eso lo sabe bien el cubano porque vivió dos años en la capital aragonesa, entre 1873 y 1874.

[50] Martí escribe este relato en verano de 1889. La Torre Eiffel se había inaugurado el 31 de marzo de ese año y se había abierto al público el 6 de mayo. El dato, por tanto, era en ese momento de clara actualidad. En un relato posterior, el de la Exposición de París del mismo año, vuelve a hablar de ese magnífico monumento.

La edad de piedra fue al empezar a vivir, que los hombres andaban errantes huyendo de los animales, y vivían hoy acá y mañana allá, y no sabían que eran buenos de comer los frutos de la tierra. Luego los hombres encontraron el cobre, que era más blando que el pedernal, y el estaño, que era más blando que el cobre, y vieron que con el fuego se le sacaba el metal a la roca, y que con el estaño y cobre juntos se hacía un metal nuevo, muy bueno para hachas y lanzas y cuchillos, y para cortar la piedra. Cuando los pueblos empiezan a saber cómo se trabaja el metal, y a juntar el cobre con el estaño, entonces están en su edad de bronce. Hay pueblos que han llegado a la edad de hierro sin pasar por la de bronce, porque el hierro es el metal de su tierra, y con él empezaron a trabajar, sin saber que en el mundo había cobre ni estaño. Cuando los hombres de Europa vivían en la edad de bronce, ya hicieron casas mejores, aunque no tan labradas y perfectas como las de los peruanos y mexicanos de América, en quienes estuvieron siempre juntas las dos edades, porque siguieron trabajando con pedernal cuando ya tenían sus minas de oro, y sus templos con soles de oro como el cielo, y sus huacas, que eran los cementerios del Perú, donde ponían a los muertos con las prendas y jarros que usaban en vida. La casa del indio peruano era de mampostería[51], y de dos pisos, con las ventanas muy en alto, y las puertas más anchas por debajo que por la cornisa, que solía ser de piedra tallada, de trabajo fino. El mexicano no hacía su casa tan fuerte, sino más ornada, como en país donde hay muchos árboles y pájaros. En el techo había como escalones, donde ponían las figuras de sus santos, como ahora ponen muchos en los altares figuras de niños, y piernas y brazos de plata: adornaban las paredes con piedras labradas, y con fajas como de cuentas o de hilos trenzados, imitando las grecas[52] y fimbrias[53] que les bordaban sus mujeres en las túnicas: en las salas de adentro labraban las cabezas

---

[51] *Mampostería:* obra hecha con piedras desiguales ajustadas y unidas con argamasa sin un orden establecido.

[52] *Greca:* adorno que consiste en una tira en que se repite la misma combinación de elementos decorativos, en especial los geométricos.

[53] *Fimbria:* distintivo, insignia.

de las vigas, figurando sus dioses, sus animales o sus héroes, y por fuera ponían en las esquinas unas canales de curva graciosa, como imitando plumas. De lejos brillaban las casas con el sol, como si fueran de plata.

En los pueblos de Europa es donde se ven más claras las tres edades, y mejor mientras más al Norte, porque allí los hombres vivieron solos, cada uno en su pueblo, por siglos de siglos, y como empezaron a vivir por el mismo tiempo, se nota que aunque no se conocían unos a otros, iban adelantando del mismo modo. La tierra va echando capas conforme van pasando siglos: la tierra es como un pastel de hojaldres, que tiene muchas capas una sobre otra, capas de piedra dura, y a veces viene de adentro, de lo hondo del mundo, una masa de roca que rompe las capas acostadas, y sale al aire libre, y se queda por encima de la tierra, como un gigante regañón, o como una fiera enojada, echando por el cráter humo y fuego: así se hacen los montes y los volcanes. Por esas capas de la tierra es por donde se sabe cómo ha vivido el hombre, porque en cada una hay enterrados huesos de él, y restos de los animales y árboles de aquella edad, y vasos y hachas; y comparando las capas de un lugar con las de otro se ve que los hombres viven en todas partes casi del mismo modo en cada edad de la tierra: sólo que la tierra tarda mucho en pasar de una edad a otra, y en echarse una capa nueva, y así sucede lo de los romanos y los bretones de Inglaterra en tiempo de Julio César, que cuando los romanos tenían palacios de mármol con estatuas de oro, y usaban trajes de lana muy fina, la gente de Bretaña vivía en cuevas, y se vestía con las pieles salvajes, y peleaba con mazas hechas de los troncos duros.

En esos pueblos viejos sí se puede ver cómo fue adelantando el hombre, porque después de las capas de la edad de piedra, donde todo lo que se encuentra es de pedernal, vienen las otras capas de la edad de bronce, con muchas cosas hechas de la mezcla del cobre y estaño, y luego vienen las capas de arriba, las de los últimos tiempos, que llaman la edad de hierro, cuando el hombre aprendió que el hierro se ablandaba al fuego fuerte, y que con el hierro blando podía hacer martillos para romper la roca, y lanzas para pelear, y picos y cuchillas para trabajar la tierra: entonces es cuando ya se ven casas de piedra y de madera, con patios y cuartos, imitando siempre los casucos de rocas puestas unas sobre otras sin mezcla ninguna, o las tiendas de pieles de sus desiertos y llanos: lo que sí se ve es que desde que vino al mundo le gustó al hombre copiar en dibujo las cosas que veía, porque hasta las cavernas más oscuras donde habitaron las familias salvajes están llenas de figuras talladas o pintadas en la roca, y por los montes y las orillas de los ríos se ven manos, y signos raros, y pinturas de animales, que ya estaban allí desde hacía muchos siglos cuando vinieron a vivir en el país los pueblos de ahora. Y se ve también que todos los pueblos han cuidado mucho de enterrar a los muertos con gran respeto, y han fabricado monumentos altos, como para estar más cerca del cielo, como nosotros hacemos ahora con las torres. Los terrapleneros hacían montañas de tierra, donde sepultaban los cadáveres: los mexicanos ponían sus templos en la cumbre de unas pirámides muy altas: los peruanos tenían su «chulpa» de piedra, que era una torre ancha por arriba, como un puño de bastón: en la isla de Cerdeña hay unos torreones que llaman «nuragh», que nadie sabe de qué pueblo eran; y los egipcios levantaron con piedras enormes sus pirámides, y con el pórfido[54] más duro hicieron sus obeliscos famosos, donde escribían su historia con los signos que llaman «jeroglíficos».

Ya los tiempos de los egipcios empiezan a llamarse «tiempos históricos», porque se puede escribir su historia con lo que se sabe de ellos: esos otros pueblos de las primeras edades se llaman pueblos «prehistóricos», de antes de la historia, o pueblos primitivos. Pero la verdad es que en esos mismos pueblos históricos hay todavía mucho prehistórico, porque se tiene que ir adivinando para ver dónde y cómo vivieron. ¿Quién sabe cuándo fabricaron los quechuas sus acueductos y sus caminos y sus calzadas en el Perú; ni cuándo los chibchas[55] de Colom-

---

[54] *Pórfido:* roca dura y compacta, especie de jaspe, rojo por lo general, de mucha estima para decoración de edificios.

[55] La Chibcha es una familia lingüística que comprende las lenguas habladas por varios pueblos amerindios que habitan junto al río Magdalena, la Sierra Nevada de Santa Marta y la Sabana de Bogotá (Colombia). En el pasado ocupaban parte de la actual Panamá, además de los altiplanos de la Cordille-

bia empezaron a hacer sus dijes[56] y sus jarros de oro; ni qué pueblo vivió en Yucatán antes que los mayas que encontraron allí los españoles; ni de dónde vino la raza desconocida que levantó los terraplenes y las casas-pueblos en la América del Norte? Casi lo mismo sucede con los pueblos de Europa; aunque allí se ve que los hombres aparecieron a la vez, como nacidos de la tierra, en muchos lugares diferentes; pero que donde había menos frío y era más alto el país fue donde vivió primero el hombre; y como que allí empezó a vivir, allí fue donde llegó más pronto a saber, y a descubrir los metales, y a fabricar, y de allí, con las guerras, y las inundaciones, y el deseo de ver el mundo, fueron bajando los hombres por la tierra y el mar. En lo más elevado y fértil del continente es donde se civilizó el hombre trasatlántico primero. En nuestra América sucede lo mismo: en las altiplanicies de México y del Perú, en los valles altos y de buena tierra, fue donde tuvo sus mejores pueblos el indio americano. En el continente trasatlántico parece que Egipto fue el pueblo más viejo, y de allí fueron entrando los hombres por lo que se llama ahora Persia y Asia Menor, y vinieron a Grecia, buscando la libertad y la novedad, y en Grecia levantaron los edificios más perfectos del mundo, y escribieron los libros más bien compuestos y hermosos. Había pueblos nacidos en todos los países, pero los que venían de los pueblos viejos sabían más, y los derrotaban en la guerra, o les enseñaban lo que sabían, y se juntaban con ellos. Del Norte de Europa venían otros hombres más fuertes, hechos a pelear con las fieras y a vivir en el frío: y de lo que se llama ahora Indostán salió huyendo, después de una gran guerra, la gente de la montaña, y se juntó con los europeos de las tierras frías, que bajaron luego del norte a pe-

---

ra Oriental de Colombia, y representaron la zona más poblada entre los imperios azteca e inca. Este nombre tiene su origen en el que los cronistas dieron a una lengua extinta, hablada por los muiscas y realmente designada por ellos como «cubun», idioma. «Chib» quería decir báculo; y «cha» sigificaba en esta lengua, hombre, varón. Chibcha sería hombre del báculo, un jefe o la deidad Chibchacúm. Los muiscas vivían en la región donde hoy se encuentra la ciudad de Bogotá y llamaban a su lengua, «muisca cubun», en la época en que los europeos llegaron a América.

[56] *Dije:* joya, relicario, adorno pequeño y por lo común colgante.

lear con los romanos, porque los romanos habían ido a quitarles su libertad, y porque era gente pobre y feroz, que le tenía envidia a Roma, porque era sabia y rica, y como hija de Grecia. Así han ido viajando los pueblos en el mundo, como las corrientes van por la mar, y por el aire los vientos.

Egipto es como el pueblo padre del continente trasatlántico: el pueblo más antiguo de todos aquellos países «clásicos». Y la casa del egipcio es como su pueblo fue, graciosa y elegante. Era riquísimo el Egipto, como que el gran río Nilo crecía todos los años, y con el barro que dejaba al secarse nacían muy bien las siembras: así que las casas estaban como en alto, por miedo a las inundaciones. Como allá hay muchas palmeras, las columnas de las casas eran finas y altas, como las palmas; y encima del segundo piso tenían otro sin paredes, con un techo chato, donde pasaban la tarde al aire fresco, viendo el Nilo lleno de barcos que iban y venían con sus viajeros y sus cargas, y el cielo de la tarde, que es de color de oro y azafrán. Las paredes y los techos están llenos de pinturas de su historia y religión; y les gustaba el color tanto, que hasta la estera con que cubrían el piso era de hebras de colores diferentes.

Los hebreos vivieron como esclavos en el Egipto mucho tiempo, y eran los que mejor sabían hacer ladrillos. Luego, cuando su libertad, hicieron sus casas con ladrillos crudos, como nuestros adobes, y el techo era de vigas de sicomoro, que es su árbol querido. El techo tenía un borde, como las azoteas, porque con el calor subía la gente allí a dormir, y la ley mandaba que fabricasen los techos con muro, para que no cayese la gente a tierra. Solían hacer sus casas como el templo que fabricó su gran rey Salomón, que era cuadrado, con las puertas anchas de abajo y estrechas por la cornisa, y dos columnas al lado de la puerta.

Por aquellas tierras vivían los asirios, que fueron pueblo guerreador, que les ponía a sus casas torres, como para ver más de lejos al enemigo, y las torres eran de almenas, como para disparar el arco desde seguro. No tenían ventanas, sino que les venía la luz del techo. Sobre las puertas ponían a veces piedras talladas con alguna figura misteriosa, como un toro con cabeza de hombre, o una cabeza con alas.

Los fenicios fabricaron sus casas y monumentos con piedras sin labrar, que ponían unas sobre otras como los etruscos; pero como eran gente navegante, que vivía del comercio, empezaron pronto a imitar las casas de los pueblos que veían más, que eran los hebreos y los egipcios, y luego las de los persas, que conquistaron en guerra el país de Fenicia. Y así fueron sus casas, con la entrada hebrea, y la parte alta como las casas de Egipto, o como las de Persia.

Los persas fueron pueblo de mucho poder, como que hubo tiempo en que todos esos pueblos de los alrededores vivían como esclavos suyos. Persia es tierra de joyas: los vestidos de los hombres, las mantas de los caballos, los puños de los sables, todo está allí lleno de joyas. Usan mucho del verde, del rojo y del amarillo. Todo les gusta de mucho color, y muy brillante y esmaltado. Les gustan las fuentes, los jardines, los velos de hilo de plata, la pedrería fina. Todavía hoy son así los persas; y ya en aquellos tiempos eran sus casas de ladrillos de colores, pero no de techo chato como las de los egipcios y hebreos, sino con una cúpula redonda, como imitando la bóveda del cielo. En un patio estaba el baño, en que echaban olores muy finos; y en las casas ricas había patios cuadrados, con muchas columnas alrededor, y en medio una fuente, entre jarrones de flores. Las columnas eran de muchos trozos y dibujos, pintadas de colores, con fajas y canales, y el capitel hecho con cuerpos de animales, de pecho verde y collar de oro.

Junto a Persia está el Indostán, que es de los pueblos más viejos del mundo, y tiene templos de oro, trabajados como trabajan en las platerías la filigrana, y otros templos cavados en la roca, y figuras de su dios Buda cortadas a pico en la montaña. Sus templos, sus sepulcros, sus palacios, sus casas, son como su poesía, que parece escrita con colores sobre marfil, y dice las cosas como entre hojas y flores. Hay templo en el Indostán que tiene catorce pisos, como la pagoda de Tanjore[57],

[57] La ciudad de Tanjore es una fértil planicie llamada «El arrozal de Tamil Nadu». Localizada en la costa este de Tamil Nadu central (India), tiene la distinción de haber sido la capital de la dinastía Chola, una de las grandes dinastías del Sur. Los Cholas eran grandes constructores de templos, y Tanjore es un ejemplo de ello, donde están ubicados cerca de 74 templos, siendo el más famoso el Templo de Brahdeeswarar, dedicado al dios Shiva, declarado patrimonio universal.

y está todo labrado, desde los cimientos hasta la cúpula. Y la casa de los hindús de antes era como las pagodas de Lahore o las de Cachemira, con los techos y balcones muy adornados y con muchas vueltas, y a la entrada la escalinata sin baranda. Otras casas tenían torreones en la esquina, y el terrado como los egipcios, corrido y sin las torres. Pero lo hermoso de las casas hindús era la fantasía de los adornos, que son como un trenzado que nunca se acaba, de flores y de plumas.

En Grecia no era así, sino todo blanco y sencillo, sin lujos de colorines. En la casa de los griegos no había ventanas, porque para el griego fue siempre la casa un lugar sagrado, donde no debía mirar el extranjero. Eran las casas pequeñas, como sus monumentos, pero muy lindas y alegres, con su rosal y su estatua a la puerta, y dentro el corredor de columnas, donde pasaba los días la familia, que sólo en la noche iba a los cuartos, reducidos y oscuros. El comedor y el corredor era lo que amueblaban, y eso con pocos muebles: en las paredes ponían en nichos sus jarros preciosos: las sillas tenían filetes tallados, como los que solían ponerles a las puertas, que eran anchas de abajo y con la cornisa adornada de dibujos de palmas y madreselvas. Dicen que en el mundo no hay edificio más bello que el Paternón, como que allí no están los adornos por el gusto de adornar, que es lo que hace la gente ignorante con sus casas y vestidos, sino que la hermosura viene de una especie de música que se siente y no se oye, porque el tamaño está calculado de manera que venga bien con el color, y no hay cosa que no sea precisa, ni adorno sino donde no pueda estorbar. Parece que tienen alma las piedras de Grecia. Son modestas, y como amigas del que las ve. Se entran como amigas por el corazón. Parece que hablan.

Los etruscos vivieron al norte de Italia, en sus doce ciudades famosas, y fueron un pueblo original, que tuvo su gobierno y su religión, y un arte parecido al de los griegos, aunque les gustaba más la burla y la extravagancia, y usaban mucho color. Todo lo pintaban, como los persas; y en las paredes de sus sepulturas hay caballos con la cabeza amarilla y la cola azul. Mientras fueron república libre, los etruscos vivían dichosos, con maestros muy buenos de medicina y astronomía, y hombres que hablaban bien de los deberes de la vida y de la composición del mundo. Era célebre Etruria por sus sabios, y por sus jarros de barro negro, con figuras de relieve, y por sus estatuas y sarcófagos de tierra cocida, y por sus pinturas en los muros, y sus trabajos en metal. Pero con la esclavitud se hicieron viciosos y ricos, como sus dueños los romanos. Vivían en palacios, y no en sus casas de antes; y su gusto mayor era comer horas enteras acostados. La casa etrusca de antes era de un piso, con un terrado de baranda, y el techo de aleros caídos. Pintaban en las paredes sus fiestas y sus ceremonias, con retratos y caricaturas, y sabían dibujar sus figuras como si se las viera en movimiento.

La casa de los romanos fue primero como la de los etruscos, pero luego conocieron a Grecia, y la imitaron en sus casas, como en todo. El atrio al principio fue la casa entera, y después no era más que el portal, de donde se iba por un pasadizo al patio interior, rodeado de columnas, adonde daban los cuartos ricos del señor, que para cada cosa tenía un cuarto diferente: el cuarto de comer daba al corredor, lo mismo que la sala y el cuarto de la familia, que por el otro lado abría sobre un jardín. Adornaban las paredes con dibujos y figuras de colores brillantes, y en los recodos había muchos nichos con jarras y estatuas. Si la casa estaba en calle de mucha gente, hacían cuartos con puerta a la calle, y los alquilaban para tiendas. Cuando la puerta estaba abierta se podía ver hasta el fondo del jardín. El jardín, el patio y el atrio tenían alrededor de muchas casas una arquería. Luego Roma fue dueña de todos los países que tenía alrededor, hasta que tuvo tantos pueblos que no los pudo gobernar, y cada pueblo se fue haciendo libre y nombrando su rey, que era el guerrero más poderoso de todos los del país, y vivía en su castillo de piedra, con torres y portalones, como todos los que llamaban «señores» en aquel tiempo de pelear; y la gente de trabajo vivía alrededor de los castillos, en casuchos infelices. Pero el poder de Roma había sido muy grande, y en todas partes había puentes y arcos y acueductos y templos como los de los romanos; sólo que por el lado de Francia, donde había muchos castillos, iban haciendo las fábricas nuevas, y las iglesias sobre todo, como si fueran a la vez fortalezas y templos, que es lo que llaman «arquitectura románica», y del lado de los persas y de los árabes, por donde está ahora Turquía, les ponían a los monumentos tanta riqueza y color que parecían las iglesias cuevas de oro, por lo grande y lo resplandeciente: de modo que cuando los pueblos nuevos del lado de Francia empezaron a tener ciudades, las casas fueron de portales oscuros y de muchos techos de picos, como las iglesias románicas; y del lado de Turquía eran las casas como palacios, con las columnas de piedras ricas, y el suelo de muchas piedrecitas de color, y las pinturas de la pared con el fondo de oro, y los cristales dorados: había barandas en las casas bizantinas hechas con una mezcla de todos los metales, que lucía como fuego: era feo y pesado tanto adorno en las casas, que parecen sepulturas de hombre vanidoso, ahora que están vacías.

En España habían mandado también los romanos; pero los moros vinieron luego a conquistar, y fabricaron aquellos templos suyos que llaman mezquitas, y aquellos palacios que parecen cosa de sueño, como si ya no se viviese en el mundo, sino en otro mundo de encaje y de flores: las puertas eran pequeñas, pero con tantos arcos que parecían grandes: las columnas delgadas sostenían los arcos de herradura, que acababan en pico, como abriéndose para ir al cielo: el techo era de madera fina, pero todo tallado, con sus letras moras y sus cabezas de caballos: las paredes estaban cubiertas de dibujos, lo mismo que una alfombra: en los patios de mármol había laureles y fuentes: parecían como el tejido de un velo aquellos balcones.

Con las guerras y las amistades se fueron juntando aquellos pueblos diferentes, y cuando ya el rey pudo más que los señores de los castillos, y todos los hombres creían en el cielo nuevo de los cristianos, empezaron a hacer las iglesias «góticas» con sus arcos de pico, y sus torres como agujas que llegaban a las nubes, y sus pórticos bordados, y sus ventanas de colores. Y las torres cada vez más altas; porque cada iglesia quería tener su torre más alta que las otras; y las casas las hacían así también, y los muebles. Pero los adornos llegaron a ser muchos, y los cristianos empezaron a no creer en el cielo tanto como antes. Hablaban mucho de lo grande que fue Roma: celebraban el arte griego por sencillo: decían que ya eran muchas las iglesias: buscaban modos nuevos de hacer los palacios: y de todo eso vino una manera de fabricar parecida a la griega, que es lo que llaman arquitectura del «Renacimiento»: pero como en el arte gótico de la «ojiva» había mucha beldad, ya no volvieron a ser las casas de tanta sencillez, sino que las adornaron con las esquinas graciosas, las ventanas altas, y los balcones elegantes de la arquitectura gótica. Eran tiempos de arte y riqueza, y de grandes conquistas, así que había muchos señores y comerciantes con palacio. Nunca habían vivido los hombres, ni han vuelto a vivir, en casas tan hermosas. Los pueblos de otras razas, donde se sabe poco de los europeos, peleaban por su cuenta o se hacían amigos, y se aprendían su arte especial unos de otros, de modo que se ve algo de pagoda hindú en todo lo de Asia, y hay picos como los de los palacios de Lahore en las casas japonesas, que parecen cosa de aire y de encanto, o casitas de jugar, con sus corredores de barandas finas y sus paredes de mimbre o de estera. Hasta en la casa del eslavo y del ruso se ven las curvas revueltas y los techos de punta de los pueblos hindús. En nuestra América[58] las casas tienen algo de romano y de moro, porque moro y romano era el pueblo español que mandó en América, y echó abajo las casas de los indios. Las echó abajo de raíz: echó abajo sus templos, sus observatorios, sus torres de señales, sus casas de vivir, todo lo indio lo quemaron los conquistadores españoles y lo echaron abajo, menos las calzadas, porque no sabían llevar las piedras que supieron traer los indios, y los acueductos, porque les traían el agua de beber.

Ahora todos los pueblos del mundo se conocen mejor y se visitan: y en cada pueblo hay su modo de fabricar, según haya frío o calor, o sean de una raza o de otra; pero lo que parece nuevo en las ciudades no es su manera de hacer casas, sino que en cada ciudad hay casas moras, y griegas, y góticas, y bizantinas, y japonesas, como si empezara el tiempo feliz en que los hombres se tratan como amigos, y se van juntando.

---

[58] Utiliza Martí la misma terminología que en su ensayo de 1891, para diferenciar la América Hispánica de la Anglosajona.

Los dos príncipes

Idea de la poetisa norteamericana Helen Hunt Jackson[59]

El palacio está de luto
Y en el trono llora el rey,
Y la reina está llorando
Donde no la pueden ver:
En pañuelos de olán fino
Lloran la reina y el rey:
Los señores del palacio
Están llorando también.
Los caballos llevan negro
El penacho[60] y el arnés[61]:
Los caballos no han comido,
Porque no quieren comer:
El laurel del patio grande
Quedó sin hoja esta vez:

---

[59] Helen Hunt Jackson (1831-1885): poeta y novelista norteamericana, elogiada por Emerson en el prólogo a su poemario *Parnaso*. Fue una gran reivindicadora de las razas indígenas de las tierras de México incorporadas a la Unión. Destaca con *Una centuria de deshonor* (1871) y, sobre todo, *Ramona*, novela que Martí traduce al español dos años antes de publicar *La Edad de Oro*, y en cuyo prefacio valora como una obra fundamental en el género, al lado de novelas de la talla de *La cabaña del tío Tom*, de H. Beecher Stowe.

[60] *Penacho:* mechón de plumas que se pone como adorno en cascos y morriones, en el tocado de las mujeres, en la cabeza de las caballerías engalanadas, etc.

[61] *Arnés:* guarniciones de las caballerías.

Todo el mundo fue al entierro
Con coronas de laurel:
—¡El hijo del rey se ha muerto!
¡Se le ha muerto el hijo al rey!

En los álamos del monte
Tiene su casa el pastor:
La pastora está diciendo
«¿Por qué tiene luz el sol?»
Las ovejas cabizbajas,
Vienen todas al portón:
¡Una caja larga y honda
Está forrando el pastor!
Entra y sale un perro triste:
Canta allá adentro una voz:
«Pajarito, yo estoy loca,
Llévame donde él voló!»
El pastor coge llorando
La pala y el azadón:
Abre en la tierra una fosa:
Echa en la fosa una flor:
—¡Se quedó el pastor sin hijo!
¡Murió el hijo del pastor!

Nené traviesa

¡Quién sabe si hay una niña que se parezca a Nené! Un viejito que sabe mucho dice que todas las niñas son como Nené. A Nené le gusta más jugar a «mamá», o «a tiendas», o «a hacer dulces» con sus muñecas, que dar la lección de «treses y de cuatros» con la maestra que le viene a enseñar. Porque Nené no tiene mamá: su mamá se ha muerto: y por eso tiene Nené maestra. A hacer dulces es a lo que le gusta más a Nené jugar: ¿y por qué será? ¡Quién sabe! Será porque para jugar a los dulces le dan azúcar de veras: por cierto que los dulces nunca le salen bien de la primera vez: ¡son unos dulces más difíciles!: siempre tiene que pedir azúcar dos veces. Y se conoce que Nené no le quiere dar trabajo a sus amigas; porque cuando juega a paseo, o a comprar, o a visitar, siempre llama a sus amiguitas; pero cuando va a hacer dulces, nunca. Y una vez le sucedió a Nené una cosa muy rara: le pidió a su papá dos centavos para comprar un lápiz nuevo, y se le olvidó en el camino, se le olvidó como si no hubiera pensado nunca en comprar el lápiz: lo que compró fue un merengue de fresa. Eso se supo, por supuesto; y desde entonces sus amiguitas no le dicen Nené, sino «Merengue de Fresa».

El padre de Nené la quería mucho. Dicen que no trabajaba bien cuando no había visto por la mañana a «la hijita». Él no le decía «Nené», sino «la hijita». Cuando su papá venía del trabajo, siempre salía ella a recibirlo con los brazos abiertos, como un pajarito que abre las alas para volar, y su papá la alzaba del suelo, como quien coge de un rosal una rosa. Ella lo miraba con mucho cariño, como si le preguntase cosas: y él la miraba con los ojos tristes, como si quisiese echarse a llorar. Pero enseguida se ponía contento, se montaba a Nené en el hombro y entraban juntos en la casa, cantando el himno nacional. Siempre traía el papá de Nené algún libro nuevo, y se lo dejaba ver cuando tenía figuras; y a ella le gustaban mucho unos libros que él traía, donde estaban pintadas las estrellas, que tiene cada una su nombre y su color: y allí decía el nombre de la estrella colorada, y el de la amarilla, y el de la azul, y que la luz tiene siete colores, y que las estrellas pasean por el cielo, lo mismo que las niñas por un jardín. Pero no, lo mismo no: porque las niñas andan en los jardines de aquí para allá, como una hoja de flor que va empujando el viento, mientras que las estrellas van siempre en el cielo por un mismo camino, y no por donde quieren: ¿quién sabe?, puede ser que haya por allá arriba quien cuide a las estrellas, como los papás cuidan acá en la tierra a las niñas. Sólo que las estrellas no son niñas, por supuesto, ni flores de luz, como parece de aquí abajo, sino grandes como este mundo: y dicen que en las estrellas hay árboles, y agua, y gente como acá: y su papá dice que en un libro hablan de que uno se va a vivir a una estrella cuando se muere. «Y dime, papá», le preguntó Nené: «¿por qué ponen las casas de los muertos tan tristes? Si yo me muero, yo no quiero ver a nadie llorar, sino que me toquen la música, porque me voy a ir a vivir en la estrella azul». «¿Pero, sola, tú sola, sin tu pobre papá?» Y Nené le dijo a su papá: «¡Malo, que crees eso!» Esa noche no se quiso ir a dormir temprano, sino que se durmió en los brazos de su papá. ¡Los papás se quedan muy tristes, cuando se muere en la casa la madre! ¡Las niñitas deben querer mucho, mucho a los papás cuando se les muere la madre!

Esa noche que hablaron de las estrellas trajo el papá de Nené un libro muy grande: ¡oh, cómo pesaba el libro! Nené lo quiso cargar, y se cayó con el libro encima: no se le veía más que la cabecita rubia de un lado, y los zapaticos negros de otro. Su papá vino corriendo y la sacó de debajo del libro, y se rió mucho de Nené, que no tenía seis años todavía y quería cargar un libro de cien años. ¡Cien años tenía el libro, y no le habían salido barbas! Nené había visto un viejito de cien años, pero el viejito tenía una barba muy larga, que le daba por la cintura. Y lo que dice la muestra de escribir, que los libros buenos son como los viejos: «Un libro bueno es lo mismo que un amigo viejo»: eso dice la muestra de escribir. Nené se acostó muy callada, pensando en el libro. ¿Qué libro era aquél, que su papá no quiso que ella lo tocase? Cuando se despertó, en eso no más pensaba Nené. Ella quiere saber qué libro es aquél. Ella quiere saber cómo está hecho por dentro un libro de cien años que no tiene barbas.

Su papá está lejos, lejos de la casa, trabajando para ella, para que la niña tenga casa linda y coma dulces finos los domingos, para comprarle a la niña vestiditos blancos y cintas azules, para guardar un poco de dinero, no vaya a ser que se muera el papá, y se quede sin nada en el mundo «la hijita». Lejos de la casa está el pobre papá, trabajando para «la hijita». La criada está allá adentro, preparando el baño. Nadie oye a Nené: no la está viendo nadie. Su papá deja siempre abierto el cuarto de los libros. Allí está la sillita de Nené, que se sienta de noche en la mesa de escribir, a ver trabajar a su papá. Cinco pasitos, seis, siete... ya está Nené en la puerta: ya la empujó; ya entró. ¡Las cosas que suceden! Como si la estuviera esperando estaba abierto en su silla el libro viejo, abierto de medio a medio. Pasito a pasito se le acercó Nené, muy seria, y como cuando uno piensa mucho, que camina con las manos a la espalda. Por nada en el mundo hubiera tocado Nené el libro: verlo no más, no más que verlo. Su papá le dijo que no lo tocase.

El libro no tiene barbas: le salen muchas cintas y marcas por entre las hojas, pero ésas no son barbas: ¡el que sí es barbudo es el gigante que está pintado en el libro!: y es de colores la pintura, unos colores de esmalte que lucen, como el brazalete que le regaló su papá. ¡Ahora no pintan los libros así! El gigante está sentado en el pico de un monte, con una cosa revuelta, como las nubes del cielo, encima de la cabeza: no tiene más que un ojo, encima de la nariz: está vestido con un blusón, como los pastores, un blusón verde, lo mismo que el campo, con estrellas pintadas de plata y de oro: y la barba es muy larga, muy larga, que llega al pie del monte: y por cada mechón de la barba va subiendo un hombre, como sube la cuerda para ir al trapecio el hombre del circo. ¡Oh, eso no se puede ver de lejos! Nené tiene que bajar el libro de la silla. ¡Cómo pesa este pícaro libro! Ahora sí que se puede ver bien todo. Ya está el libro en el suelo.

Son cinco los hombres que suben: uno es un blanco, con casaca y con botas, y de barba también: ¡le gustan mucho a este pintor las barbas!: otro es como indio, sí, como indio, con una corona de plumas, y la flecha a la espalda; el otro es chino, lo mismo que el cocinero, pero va con un traje como de señora, todo lleno de flores; el otro se parece al chino, y lleva un sombrero de pico, así como una pera; el otro es negro, un negro muy bonito, pero está sin vestir: ¡eso no está bien, sin vestir! ¡por eso no quería su papá que ella tocase el libro! No: esa hoja no se ve más, para que no se enoje papá. ¡Muy bonito que es este libro viejo! Y Nené está ya casi acostada sobre el libro, y como si quisiera hablarle con los ojos.

¡Por poco se rompe la hoja! Pero no, no se rompió. Hasta la mitad no más se rompió. El papá de Nené no ve bien. Eso no lo va a ver nadie. ¡Ahora sí que está bueno el libro éste! Es mejor, mucho mejor que el arca de Noé. Aquí están pintados todos los animales del mundo. ¡Y con colores, como el gigante! Sí, ésta es, es la jirafa, comiéndose la luna: éste es el elefante, el elefante, con ese sillón lleno de niñitos. ¡Oh, los perros, cómo corre, cómo corre este perro! ¡ven acá, perro! ¡te voy a pegar, perro, porque no quieres venir! Y Nené, por supuesto, arranca la hoja. ¿Y qué ve mi señora Nené? Un mundo de monos es la otra pintura. Las dos hojas del libro están llenas de monos: un mono colorado juega con un monito verde: un monazo de barba le muerde la cola a un mono tremendo, que anda como un hombre, con un palo en la mano: un mono negro está jugando en la yerba con otro amarillo: ¡aquéllos, aquéllos de los árboles son los monos niños! ¡qué graciosos! ¡cómo juegan! ¡se mecen por la cola, como el columpio! ¡qué bien, qué bien saltan! ¡uno, dos, tres, cinco, ocho, dieciséis, cuarenta y nueve monos agarrados por la cola! ¡se van a tirar al río! ¡se van a tirar al río! ¡visst! ¡allá van todos! Y Nené, entusiasmada, arranca al libro las dos hojas. ¿Quién llama a Nené, quién la llama? Su papá, su papá, que está mirándola por la puerta.

Nené no ve. Nené no oye. Le parece que su papá crece, que crece mucho, que llega hasta el techo, que es más grande que el gigante del monte, que su papá es un monte que se le viene encima. Está callada, callada, con la cabeza baja, con los ojos cerrados, con las hojas rotas en las manos caídas. Y su papá le está hablando: «¿Nené, no te dije que no tocaras ese libro? ¿Nené, tú no sabes que ese libro no es mío, y que vale mucho dinero, mucho? ¿Nené, tú no sabes que para pagar ese libro voy a tener que trabajar un año?». Nené, blanca como el papel, se alzó del suelo, con la cabecita caída, y se abrazó a las rodillas de su papá: «Mi papá», dijo Nené, «¡mi papá de mi corazón! ¡Enojé a mi papá bueno! ¡Soy mala niña! ¡Ya no voy a poder ir cuando me muera a la estrella azul!».

La perla de la mora

Una mora de Trípoli tenía
Una perla rosada, una gran perla:
Y la echó con desdén al mar un día:
«¡Siempre la misma! ¡ya me cansa verla!»

Pocos años después, junto a la roca
De Trípoli... ¡la gente llora al verla!
Así le dice al mar la mora loca:
«¡Oh mar! ¡oh mar! ¡devuélveme mi perla!»

Las ruinas indias

No habría poema más triste y hermoso que el que se puede sacar de la historia americana. No se puede leer sin ternura, y sin ver como flores y plumas por el aire, uno de esos buenos libros viejos forrados de pergamino, que hablan de la América de los indios, de sus ciudades y de sus fiestas, del mérito de sus artes y de la gracia de sus costumbres. Unos vivían aislados y sencillos, sin vestidos y sin necesidades, como pueblos acabados de nacer; y empezaban a pintar sus figuras extrañas en las rocas de la orilla de los ríos, donde es más solo el bosque, y el hombre piensa más en las maravillas del mundo. Otros eran pueblos de más edad, y vivían en tribus, en aldeas de cañas o de adobes, comiendo lo que cazaban y pescaban y peleando con sus vecinos. Otros eran ya pueblos hechos, con ciudades de ciento cuarenta mil casas, y palacios adornados de pinturas de oro, y gran comercio en las calles y en las plazas, y templos de mármol con estatuas gigantescas de sus dioses. Sus obras no se parecen a las de los demás pueblos, sino como se parece un hombre a otro. Ellos fueron inocentes, supersticiosos y terribles. Ellos imaginaron su gobierno, su religión, su arte, su guerra, su arquitectura, su industria, su poesía. Todo lo suyo es interesante, atrevido, nuevo. Fue una raza artística, inteligente y limpia. Se leen como una novela las historias de los nahuales y mayas de México, de los chibchas de Colombia, de los cumanagotos de Venezuela, de los quechuas del Perú, de los aymaráes de Bolivia, de los charrúas del Uruguay, de los araucanos de Chile.

El quetzal es el pájaro hermoso de Guatemala, el pájaro de verde brillante con la larga pluma, que se muere de dolor cuando cae cautivo, o cuando se le rompe o lastima la pluma de la cola. Es un pájaro que brilla a la luz, como las cabezas de los colibríes, que parecen piedras preciosas, o joyas de tornasol, que de un lado fueran topacio, y de otro ópalo, y de otro amatista. Y cuando se lee en los viajes de Le Plongeon[62] los cuentos de los amores de la princesa maya Ara, que no quiso querer al príncipe Aak porque por el amor de Ara mató a su hermano Chaak; cuando en la historia del indio Ixtlilxochitl se ve vivir, elegantes y ricas, a las ciudades reales de México, a Tenochtitlán y a Texcoco; cuando en la *Recordación Florida* del capitán Fuentes[63], o en las *Crónicas* de Juarros[64], o en la *Historia* del conquistador Bernal Díaz del Castillo, o en los *Viajes* del inglés Tomás Gage[65], andan como si los tuviésemos delante, en sus vestidos blancos y con sus hijos de la mano, recitando versos y levantando edificios, aquellos gentíos de las ciudades de entonces, aquellos sabios de Chichén, aquellos potentados de Uxmal, aquellos comerciantes de Tulán, aquellos artífices de Tenochtitlán, aquellos sacerdotes de Cholula, aquellos maestros amorosos y niños mansos de Utatlán, aquella raza fina que vivía al sol y no cerraba sus casas de piedra, no parece que se lee un libro de hojas amarillas, donde las eses son como efes y se usan con mucha ceremonia las palabras, sino que se ve morir a un quetzal, que lanza el último grito al ver su cola rota. Con la imaginación se ven cosas que no se pueden ver con los ojos.

Se hace uno de amigos leyendo aquellos libros viejos. Allí hay héroes, y santos, y enamorados, y poetas, y apóstoles. Allí se

---

[62] Auguste Le Plongeon (1826-1908): ciudadano norteamericano de ascendencia francesa, que viajó con su mujer e Lima en 1860 y realizó varias expediciones a lugares prehispánicos incas, sobre todo a Tiahuanaco. En 1873 llegó a México, donde realizó asimismo investigaciones en Yucatán, y sobre todo en Chichén Itzá. Escribió varias obras sobre los mayas y también sobre cuestiones relacionadas con las técnicas fotográficas.

[63] Francisco Antonio de Fuentes y Guzmán (1643-1700): cronista y militar que escribió la *Recordación Florida* en 1690. En ella se cuenta la historia de Guatemala.

[64] Domingo Juarros: cronista y fraile que escribió en 1808 *Compendio de la Historia de la ciudad de Guatemala.*

[65] Thomas Gage es uno de los primeros británicos que recorren Hispanoamérica en el siglo XVII. Pasó por México y Guatemala de 1625 a 1637, y escribió unas memorias de sus viajes en 1648.

describen pirámides más grandes que las de Egipto; y hazañas de aquellos gigantes que vencieron a las fieras; y batallas de gigantes y hombres; y dioses que pasan por el viento echando semillas de pueblos sobre el mundo; y robos de princesas que pusieron a los pueblos a pelear hasta morir; y peleas de pecho a pecho, con bravura que no parece de hombres; y la defensa de las ciudades viciosas contra los hombres fuertes que venían de las tierras del Norte; y la vida variada, simpática y trabajadora de sus circos y templos, de sus canales y talleres, de sus tribunales y mercados. Hay reyes, como el chichimeca Netzahualpili, que matan a sus hijos porque faltaron a la ley, lo mismo que dejó matar al suyo el romano Bruto; hay oradores que se levantan llorando, como el tlascalteca Xicotencatl, a rogar a su pueblo que no dejen entrar al español, como se levantó Demóstenes a rogar a los griegos que no dejasen entrar a Filipo; hay monarcas justos como Netzahualcoyotl, el gran poeta-rey de los chichimecas, que sabe, como el hebreo Salomón, levantar templos magníficos al Creador del mundo, y hacer con alma de padre justicia entre los hombres. Hay sacrificios de jóvenes hermosas a los dioses invisibles del cielo, lo mismo que los hubo en Grecia, donde eran tantos a veces los sacrificios que no fue necesario hacer altar para la nueva ceremonia, porque el montón de cenizas de la última quema era tan alto que podían tender allí a las víctimas los sacrificadores; hubo sacrificios de hombres, como el del hebreo Abraham, que ató sobre los leños a Isaac, su hijo, para matarlo con sus mismas manos, porque creyó oír voces del cielo que le mandaban clavar el cuchillo al hijo, cosa de tener satisfecho con esta sangre a su Dios; hubo sacrificios en masa, como los había en la Plaza Mayor, delante de los obispos y del rey, cuando la Inquisición de España quemaba a los hombres vivos, con mucho lujo de leña y de procesión, y veían la quema las señoras madrileñas desde los balcones. La superstición y la ignorancia hacen bárbaros a los hombres en todos los pueblos. Y de los indios han dicho más de lo justo en estas cosas los españoles vencedores, que exageraban o inventaban los defectos de la raza vencida, para que la crueldad con que la trataron pareciese justa y conveniente al mundo. Hay que leer a la vez lo que dice de los sacrificios de los indios el soldado español Bernal Díaz, y lo que dice el sacerdote Bartolomé de las Casas. Ése es un nombre que se ha de llevar en el corazón, como el de un hermano. Bartolomé de las Casas era feo y flaco, de hablar confuso y precipitado, y de mucha nariz; pero se le veía en el fuego limpio de los ojos el alma sublime[66].

De México trataremos hoy, porque las láminas son de México. A México lo poblaron primero los toltecas bravos, que seguían con los escudos de cañas en alto, al capitán que llevaba el escudo con rondelas de oro. Luego los toltecas se dieron al lujo; y vinieron del Norte con fuerza terrible, vestidos de pieles, los chichimecas bárbaros, que se quedaron en el país, y tuvieron reyes de gran sabiduría. Los pueblos libres de los alrededores se juntaron después, con los aztecas astutos a la cabeza, y le ganaron el gobierno a los chichimecas, que vivían ya descuidados y viciosos. Los aztecas gobernaron como comerciantes, juntando riquezas y oprimiendo al país; y cuando llegó Cortés con sus españoles, venció a los aztecas con la ayuda de los cien mil guerreros indios que se le fueron uniendo, a su paso por entre los pueblos oprimidos.

Las armas de fuego y las armaduras de hierro de los españoles no amedrentaron a los héroes indios; pero ya no quería obedecer a sus héroes el pueblo fanático, que creyó que aquéllos eran los soldados del dios Quetzalcoatl que los sacerdotes les anunciaban que volvería del cielo a libertarlos de la tiranía. Cortés conoció las rivalidades de los indios, puso en mal a los que se tenían celos, fue separando de sus pueblos acobardados a los jefes, se ganó con regalos o aterró con amenazas a los débiles, encarceló o asesinó a los juiciosos y a los bravos; y los sacerdotes que vinieron de España después de los soldados echaron abajo el templo del dios indio, y pusieron encima el templo de su dios.

Y ¡qué hermosa era Tenochtitlán, la ciudad capital de los aztecas, cuando llegó a México Cortés! Era como una mañana todo el día, y la ciudad parecía siempre como en feria. Las

---

[66] El tópico de la leyenda negra de los españoles ya tenía un siglo de vida en Europa y América. Martí demuestra aquí nuevamente que su pensamiento en ciertos temas no ha evolucionado con respecto al sentir común de la época. Sus aspectos visionarios y precursores tienen que ver más con propuestas literarias, éticas y políticas.

calles eran de agua unas, y de tierra otras; y las plazas espaciosas y muchas; y los alrededores sembrados de una gran arboleda. Por los canales andaban las canoas, tan veloces y diestras como si tuviesen entendimiento; y había tantas a veces que se podía andar sobre ellas como sobre la tierra firme. En unas venían frutas, y en otras flores, y en otras jarros y tazas, y demás cosas de la alfarería. En los mercados hervía la gente, saludándose con amor, yendo de puesto en puesto, celebrando al rey o diciendo mal de él, curioseando y vendiendo. Las casas eran de adobe, que es el ladrillo sin cocer, o de calicanto[67], si el dueño era rico. Y en su pirámide de cinco terrazas se levantaba por sobre toda la ciudad, con sus cuarenta templos menores a los pies, el templo magno de Huitzilopochtli, de ébano y jaspes, con mármol como nubes y con cedros de olor, sin apagar jamás, allá en el tope, las llamas sagradas de sus seiscientos braseros. En las calles, abajo, la gente iba y venía, en sus túnicas cortas y sin mangas, blancas o de colores, o blancas y bordadas, y unos zapatos flojos, que eran como sandalias de botín. Por una esquina salía un grupo de niños disparando con la cerbatana semillas de fruta, o tocando a compás en sus pitos de barro, de camino para la escuela, donde aprendían oficios de mano, baile y canto, con sus lecciones de lanza y flecha, y sus horas para la siembra y el cultivo: porque todo hombre ha de aprender a trabajar en el campo, a hacer las cosas con sus propias manos, y a defenderse. Pasaba un señorón con un manto largo adornado de plumas, y su secretario al lado, que le iba desdoblando el libro acabado de pintar, con todas las figuras y signos del lado de adentro, para que al cerrarse no quedara lo escrito de la parte de los dobleces. Detrás del señorón venían tres guerreros con cascos de madera, uno con forma de cabeza de serpiente, y otro de lobo, y otro de tigre, y por afuera la piel, pero con el casco de modo que se les viese encima de la oreja las tres rayas que eran entonces la señal del valor. Un criado llevaba en un jaulón de carrizos[68]

---

[67] *Calicanto:* obra de mampostería.

[68] *Carrizo:* planta indígena de Venezuela, gramínea, de tallos nudosos y de seis a siete centímetros de diámetro, que contienen agua dulce y fresca.

un pájaro de amarillo de oro, para la pajarera del rey, que tenía muchas aves, y muchos peces de plata y carmín en peceras de mármol, escondidos en los laberintos de sus jardines. Otro venía calle arriba dando voces, para que abrieran paso a los embajadores que salían con el escudo atado al brazo izquierdo, y la flecha de punta a la tierra a pedir cautivos a los pueblos tributarios. En el quicio de su casa cantaba un carpintero, remendando con mucha habilidad una silla en figura de águila, que tenía caída la guarnición de oro y seda de la piel de venado del asiento. Iban otros cargados de pieles pintadas, parándose a cada puerta, por si les querían comprar la colorada o la azul, que ponían entonces como los cuadros de ahora, de adorno en las salas. Venía la viuda de vuelta del mercado con el sirviente detrás, sin manos para sujetar toda la compra de jarros de Cholula y de Guatemala; de un cuchillo de obsidiana verde, fino como una hoja de papel; de un espejo de piedra bruñida, donde se veía la cara con más suavidad que en el cristal; de una tela de grano muy junto, que no perdía nunca el color; de un pez de escamas de plata y de oro que estaban como sueltas; de una cotorra de cobre esmaltado, a la que se le iban moviendo el pico y las alas. O se paraban en la calle las gentes, a ver pasar a los dos recién casados, con la túnica del novio cosida a la de la novia, como para pregonar que estaban juntos en el mundo hasta la muerte; y detrás les corría un chiquitín, arrastrando su carro de juguete. Otros hacían grupos para oír al viajero que contaba lo que venía de ver en la tierra brava de los zapotecas, donde había otro rey que mandaba en los templos y en el mismo palacio real, y no salía nunca a pie, sino en hombros de los sacerdotes, oyendo las súplicas del pueblo, que pedía por su medio los favores al que manda al mundo desde el cielo, y a los reyes en el palacio, y a los otros reyes que andan en hombros de sacerdotes. Otros, en el grupo de al lado, decían que era bueno el discurso en que contó el sacerdote la historia del guerrero que se enterró ayer, y que fue rico el funeral, con la bandera que decía las batallas que ganó, y los criados que llevaban en bandejas de ocho metales diferentes las cosas de comer que eran del gusto del guerrero muerto. Se oía entre las conversaciones de la calle el rumor de los árboles de los patios y el ruido de las limas y el martillo. ¡De toda aquella grandeza apenas quedan en el museo unos cuantos vasos de oro, unas piedras como yugo, de obsidiana pulida, y uno que otro anillo labrado! Tenochitlán no existe. No existe Tulán, la ciudad de la gran feria. No existe Texcoco, el pueblo de los palacios. Los indios de ahora, al pasar por delante de las ruinas, bajan la cabeza, mueven los labios como si dijesen algo, y mientras las ruinas no les quedan atrás, no se ponen el sombrero. De ese lado de México, donde vivieron todos esos pueblos de una misma lengua y familia que se fueron ganando el poder por todo el centro de la costa del Pacífico en que estaban los nahuales, no quedó después de la conquista una ciudad entera, ni un templo entero.

De Cholula, de aquella Cholula de los templos, que dejó asombrado a Cortés, no quedan más que los restos de la pirámide de cuatro terrazas, dos veces más grande que la famosa pirámide de Cheops. En Xochicalco sólo está en pie, en la cumbre de su eminencia llena de túneles y arcos, el templo de granito cincelado, con las piezas enormes tan juntas que no se ve la unión, y la piedra tan dura que no se sabe ni con qué instrumento la pudieron cortar, ni con qué máquina la subieron tan arriba. En Centla, revueltas por la tierra, se ven las antiguas fortificaciones. El francés Charnay[69] acaba de desenterrar en Tula una casa de veinticuatro cuartos, con quince escaleras tan bellas y caprichosas, que dice que son «obra de arrebatador interés». En la Quemada cubren el Cerro de los Edificios las ruinas de los bastimentos y cortinas de la fortaleza, los pedazos de las colosales columnas de pórfido. Mitla era la ciudad de los zapotecas: en Mitla están aún en toda su beldad las paredes del palacio donde el príncipe que iba siempre en hombros venía a decir al rey lo que mandaba hacer desde el cielo el dios que se creó a sí mismo, el Pítao-Cozaana. Sostenían el techo las columnas de vigas talladas, sin base ni capitel, que no se han caído todavía, y que parecen en aquella soledad más imponentes que las montañas que ro-

[69] Charnay (1828-1915): viajero y arqueólogo francés a quien se deben interesantes estudios sobre la antigua civilización mexicana.

dean el valle frondoso en que se levanta Mitla. De entre la maleza, alta como los árboles, salen aquellas paredes tan hermosas, todas cubiertas de las más finas grecas y dibujos, sin curva ninguna, sino con rectas y ángulos compuestos con mucha gracia y majestad.

Pero las ruinas más bellas de México no están por allí, sino por donde vivieron los mayas, que eran gente guerrera y de mucho poder, y recibían de los pueblos del mar visitas y embajadores. De los mayas de Oaxaca es la ciudad célebre de Palenque, con su palacio de muros fuertes cubiertos de piedras talladas, que figuran hombres de cabeza de pico con la boca muy hacia afuera, vestidos de trajes de gran ornamento, y la cabeza con penachos de plumas. Es grandiosa la entrada del palacio, con las catorce puertas, y aquellos gigantes de piedra que hay entre una puerta y otra. Por dentro y fuera está el estuco que cubre la pared, lleno de pinturas rojas, azules, negras y blancas. En el interior está el patio, rodeado de columnas. Y hay un templo de la Cruz, que se llama así, porque en una de las piedras están dos que parecen sacerdotes a los lados de una como cruz, tan alta como ellos; sólo que no es cruz cristiana, sino como la de los que creen en la religión de Buda, que también tiene su cruz. Pero ni el Palenque se puede comparar a las ruinas de los mayas yucatecos, que son más extrañas y hermosas.

Por Yucatán estuvo el imperio de aquellos príncipes mayas, que eran de pómulos anchos, y frente como la del hombre blanco de ahora. En Yucatán están las ruinas de Zayi, con su Casa Grande, de tres pisos, y con su escalera de diez varas de ancho. Está Labná, con aquel edificio curioso que tiene por cerca del techo una hilera de cráneos de piedra, y aquella otra ruina donde cargan dos hombres una gran esfera, de pie uno, y el otro arrodillado. En Yucatán está Izamal, donde se encontró aquella Cara Gigantesca, una cara de piedra de dos varas y más. Y Kabah está allí también, la Kabah que conserva un arco, roto por arriba, que no se puede ver sin sentirse como lleno de gracia y nobleza. Pero las ciudades que celebran los libros del americano Stephens[70], de Brasseur de

[70] John Lloyd Stephens (1805-1852): viajó por diversas partes del planeta, y en nuestra América recorrió México, Guatemala y América Central.

Bourbourg[71] y de Charnay, de Le Plongeon y su atrevida mujer, del francés Nadaillac, son Uxmal y Chichén-Itzá, las ciudades de los palacios pintados, de las casas trabajadas lo mismo que el encaje, de los pozos profundos y los magníficos conventos. Uxmal está como a dos leguas de Mérida, que es la ciudad de ahora, celebrada por su lindo campo de henequén[72], y porque su gente es tan buena que recibe a los extranjeros como hermanos. En Uxmal son muchas las ruinas notables, y todas, como por todo México, están en las cumbres de las pirámides, como si fueran los edificios de más valor, que quedaron en pie cuando cayeron por tierra las habitaciones de fábrica más ligera. La casa más notable es la que llaman en los libros «del Gobernador», que es toda de piedra ruda, con más de cien varas de frente y trece de ancho, y con las puertas ceñidas de un marco de madera trabajada con muy rica labor. A otra casa le dicen de las Tortugas, y es muy curiosa por cierto, porque la piedra imita una como empalizada, con una tortuga en relieve de trecho en trecho. La Casa de las Monjas sí es bella de veras: no es una casa sola, sino cuatro, que están en lo alto de la pirámide. A una de las casas le dicen de la Culebra, porque por fuera tiene cortada en la piedra viva una serpiente enorme, que le da vuelta sobre vuelta a la casa entera; otra tiene cerca del tope de la pared una corona hecha de cabezas de ídolos, pero todas diferentes y de mucha expresión, y arregladas en grupos que son de arte verdadero, por lo mismo que parecen como puestas allí por la casualidad; y otro de los edificios tiene todavía cuatro de las diecisiete torres que en otro tiempo tuvo, y de las que se ven los arranques junto al techo, como la cáscara de una muela careada. Y todavía tiene Uxmal la Casa del Adivino, pintada de colores diferentes, y la Casa del Enano, tan pequeña y bien tallada que es como una caja de China, de esas que tienen labradas en la madera centenares de figuras, y tan graciosa que un viajero le llama «obra

[71] Étienne Brasseur de Bourbourg (1814-1874): viajero francés. Ordenado sacerdote en Roma a los treinta años, en 1847 viaja a México, y en los años 50 a Guatemala, Nicaragua y El Salvador. Vivió en comunidades indígenas, aprendió su idioma y escribió varios libros sobre sus experiencias americanas.

[72] *Henequén:* planta amarilídea, pita, agave.

maestra de arte y elegancia», y otro dice que «la Casa del Enano es bonita como una joya».

La ciudad de Chichén-Itzá es toda como la Casa del Enano. Es como un libro de piedra. Un libro roto, con las hojas por el suelo, hundidas en la maraña del monte, manchadas de fango, despedazadas. Están por tierra las quinientas columnas; las estatuas sin cabeza, al pie de las paredes a medio caer; las calles, de la yerba que ha ido creciendo en tantos siglos, están tapiadas. Pero de lo que queda en pie, de cuanto se ve o se toca, nada hay que no tenga una pintura finísima de curvas bellas, o una escultura noble, de nariz recta y barba larga. En las pinturas de los muros está el cuento famoso de la guerra de los dos hermanos locos, que se pelearon por ver quién se quedaba con la princesa Ara: hay procesiones de sacerdotes, de guerreros, de animales que parece que miran y conocen, de barcos con dos proas, de hombres de barba negra, de negros de pelo rizado; y todo con el perfil firme, y el color tan fresco y brillante como si aún corriera sangre por las venas de los artistas que dejaron escritas en jeroglíficos y en pinturas la historia del pueblo que echó sus barcos por las costas y ríos de todo Centroamérica, y supo de Asia por el Pacífico y de África por el Atlántico. Hay piedra en que un hombre en pie envía un rayo desde sus labios entreabiertos a otro hombre sentado. Hay grupos y símbolos que parecen contar, en una lengua que no se puede leer con el alfabeto incompleto del obispo Landa, los secretos del pueblo que construyó el Circo, el Castillo, el Palacio de las Monjas, el Caracol, el pozo de los sacrificios, lleno en lo hondo de una como piedra blanca, que acaso es la ceniza endurecida de los cuerpos de las vírgenes hermosas, que morían en ofrenda a su dios, sonriendo y cantando, como morían por el dios hebreo en el circo de Roma las vírgenes cristianas, como moría por el dios egipcio, coronada de flores y seguida del pueblo, la virgen más bella, sacrificada al agua del río Nilo. ¿Quién trabajó como el encaje las estatuas de Chichén-Itzá? ¿Adónde ha ido, adónde, el pueblo fuerte y gracioso que ideó la casa redonda del Caracol; la casita tallada del Enano, la Culebra grandiosa de la Casa de las Monjas en Uxmal? ¡Qué novela tan linda la historia de América!

Músicos, poetas y pintores

El mundo tiene más jóvenes que viejos. La mayoría de la humanidad es de jóvenes y niños. La juventud es la edad del crecimiento y del desarrollo, de la actividad y la viveza, de la imaginación y el ímpetu. Cuando no se ha cuidado del corazón y la mente en los años jóvenes, bien se puede temer que la ancianidad sea desolada y triste. Bien dijo el poeta Southey[73], que los primeros veinte años de la vida son los que tienen más poder en el carácter del hombre. Cada ser humano lleva en sí un hombre ideal, lo mismo que cada trozo de mármol contiene en bruto una estatua tan bella como la que el griego Praxiteles hizo del dios Apolo. La educación empieza con la vida, y no acaba sino con la muerte. El cuerpo es siempre el mismo, y decae con la edad; la mente cambia sin cesar, y se enriquece y perfecciona con los años. Pero las cualidades esenciales del carácter, lo original y enérgico de cada hombre, se deja ver desde la infancia en un acto, en una idea, en una mirada.

En el mismo hombre suelen ir unidos un corazón pequeño y un talento grande. Pero todo hombre tiene el deber de cultivar su inteligencia, por respeto a sí propio y al mundo. Lo general es que el hombre no logre en la vida un bienestar permanente sino después de muchos años de esperar con paciencia y de ser bueno, sin cansarse nunca. El ser bueno da

[73] Robert Southey (1774-1843): poeta, historiador y crítico inglés, que cultivó con éxito casi todos los tipos de poesía. Viajó por España y se entusiasmó por la literatura caballeresca.

gusto, y lo hace a uno fuerte y feliz. «La verdad es —dice el norteamericano Emerson— que la verdadera novela del mundo está en la vida del hombre, y no hay fábula ni romance que recree más la imaginación que la historia de un hombre bravo que ha cumplido con su deber.»

Es notable la diferencia de edades en que llegan los hombres a la fuerza del talento. «Hay algunos —dice el inglés Bacon— que maduran mucho antes de la edad y se van como vienen», que es lo mismo que dice en su latín elegante el retórico Quintiliano. Eso se ve en muchos niños precoces, que parecen prodigios de sabiduría en sus primeros años, y quedan oscurecidos en cuanto entran en los años mayores.

Heinecken, el niño de la antigua ciudad de Lubeck, aprendió de memoria casi toda la Biblia cuando tenía dos años; a los tres años, hablaba latín y francés; a los cuatro ya lo tenían estudiando la historia de la iglesia cristiana, y murió a los cinco. De esa pobre criatura puede decirse lo de Bacon: «El carro de Faetón no anduvo más que un día.»

Hay niños que logran salvar la inteligencia de estas exaltaciones de la precocidad, y aumentan en la edad mayor las glorias de su infancia. En los músicos se ve esto con frecuencia, porque la agitación del arte es natural y sana, y el alma que la siente padece más de contenerla que de darle salida. Haendel a los diez años había compuesto un libro de sonatas. Su padre lo quería hacer abogado, y le prohibió tocar un instrumento; pero el niño se procuró a escondidas un clavicordio mudo, y pasaba las noches tocando a oscuras en las teclas sin sonido. El duque de Sajonia Weinssenfels logró, a fuerza de ruegos, que el padre permitiera aprender la música a aquel genio perseverante, y a los dieciséis años Haendel había puesto en música el *Almira.* En veintitrés días compuso su gran obra *El Mesías,* a los cincuenta y siete años, y cuando murió, a los sesenta y siete, todavía estaba escribiendo óperas y oratorios.

Haydn fue casi tan precoz como Haendel, y a los trece años ya había compuesto una misa; pero lo mejor de él, que es la *Creación,* lo escribió cuando tenía sesenta y cinco. A Sebastián Bach le fue casi tan difícil como a Haendel aprender la primera música, porque su hermano mayor, el organista Cristóbal, tenía celos de él, y le escondió el libro donde estaban las mejores piezas de los maestros del clavicordio. Pero Sebastián encontró el libro en una alacena, se lo llevó a su cuarto, y empezó a copiarlo a deshoras de la noche, a la luz del cielo, que en verano es muy claro, o a la luz de la luna. Su hermano lo descubrió, y tuvo la crueldad de llevarse el libro y la copia, lo que de nada le valió, porque a los dieciocho años ya estaba Sebastián de músico en la corte famosa de Weimar, y no tenía como organista más rival que Haendel.

Pero de todos los niños más prodigios en el arte de la música, el más célebre es Mozart. No parecía que necesitaba de maestros para aprender. A los cuatro años, cuando aún no sabía escribir, ya componía tonadas; a los seis arregló un concierto para piano, y a los doce ya no tenía igual como pianista, y compuso la *Finta Semplice,* que fue su primera ópera. Aquellos maestros serios no sabían cómo entender a un niño que improvisaba fugas dificilísimas sobre un tema desconocido, y se ponía en seguida a jugar a caballito con el bastón de su padre. El padre anduvo enseñándolo por las principales ciudades de Europa, vestido como un príncipe, con su casaquita color de pulga, sus polainas de terciopelo, sus zapatos de hebilla, y el pelo largo y rizado, atado por detrás como las pelucas. El padre no se cuidaba de la salud del pianista pigmeo, que no era buena, sino de sacar de él cuanto dinero podía. Pero a Mozart lo salvaba su carácter alegre; porque era un maestro en música, pero un niño en todo lo demás. A los catorce años, compuso su ópera de *Mitrídates,* que se representó veinte noches seguidas; a los treinta y seis, en su cama de moribundo, consumido por la agitación de su vida y el trabajo desordenado, compuso el *Requiem,* que es una de sus obras más perfectas.

El padre de Beethoven quería hacer de él una maravilla, y le enseñó a fuerza de porrazos y penitencias tanta música, que a los trece años el niño tocaba en público y había compuesto tres sonatas. Pero hasta los veintiuno no empezó a producir sus obras sublimes. Weber, que era un muchacho muy travieso, publicó a los doce sus seis primeras fugas, y a los catorce compuso su ópera *Las Ninfas del Bosque;* la famosísima del *Cazador* la compuso a los treinta y seis. Mendelssohn aprendió a tocar antes que a hablar, y a los doce años ya había escrito tres cuartetos para piano, violines y contrabajo: dieciséis años cumplía cuando acabó su primera ópera, *Las Bodas de Camacho;* a los dieciocho escribió su sonata en sí bemol; antes de los veinte compuso su *Sueño de una Noche de Verano;* a los veintidós su *Sinfonía de Reforma,* y no cesó de escribir obras profundas y dificilísimas hasta los treinta y ocho, que murió. Meyerbeer era a los nueve pianista excelente, y a los dieciocho puso en el teatro de Múnich su primera pieza *La hija de Jephté;* pero hasta los treinta y siete no ganó la fama con su *Roberto el Diablo.*

El inglés Carlyle[74] habla en su *Vida del poeta Schiller* de un Daniel Schubart, que era poeta, músico y predicador, y a derechas no era nada. Todo lo hacía por espasmos y se cansaba de todo, de sus estudios, de su pereza y de sus desórdenes. Era hombre de mucha capacidad, notable como músico; como predicador, muy elocuente; y hábil periodista. A los cincuenta y dos años murió, y su mujer e hijo quedaron en la miseria.

Pero Franz Schubert, el niño maravilloso de Viena, vivió de otro modo, aunque no fue mucho más feliz. Tocaba el violín cuando no era más alto que él, lo mismo que el piano y el órgano. Con leer una vez una canción, tenía bastante para ponerla en música exquisita, que parece de sueño y de capricho, y como si fuera un aire de colores. Escribió más de quinientas melodías, a más de óperas, misas, sonatas, sinfonías y cuartetos. Murió pobre a los treinta y un años.

Entre los músicos de Italia se ha visto la misma precocidad. Cimarosa, hijo de un zapatero remendón, era autor a los diez y nueve de *La Baronesa de Stramba.* A los ocho tocaba Paganini en el violín una sonata suya. El padre de Rossini tocaba el trombón en una compañía de cómicos ambulantes, en que la madre iba de cantatriz. A los diez años Rossini iba con su padre de segundo; luego cantó en los coros hasta que se quedó sin voz; y a los veintiún años era el autor famoso de la ópera *Tancredo.*

Entre los pintores y escultores han sido muchos los que se han revelado en la niñez. El más glorioso de todos es Miguel

[74] Thomas Carlyle (1795-1881): gran historiador británico, famoso sobre todo por su obra *Los héroes y el culto de los héroes.*

Ángel. Cuando nació lo mandaron al campo a criarse con la mujer de un picapedrero, por lo que decía él después que había bebido el amor de la escultura con la leche de la madre. En cuanto pudo manejar un lápiz le llenó las paredes al picapedrero de dibujos, y cuando volvió a Florencia, cubría de gigantes y leones el suelo de la casa de su padre. En la escuela no adelantaba mucho con los libros, ni dejaba el lápiz de la mano; y había que ir a sacarlo por fuerza de casa de los pintores. La pintura y la escultura eran entonces oficios bajos, y el padre, que venía de familia noble, gastó en vano razones y golpes para convencer a su hijo de que no debía ser un miserable cortapiedras. Pero cortapiedras quería ser el hijo, y nada más. Cedió el padre al fin, y lo puso de alumno en el taller del pintor Ghirlandaio, quien halló tan adelantado al aprendiz que convino en pagarle un tanto por mes. Al poco tiempo el aprendiz pintaba mejor que el maestro; pero vio las estatuas de los jardines célebres de Lorenzo de Médicis, y cambió entusiasmado los colores por el cincel. Adelantó con tanta rapidez en la escultura, que a los dieciocho años admiraba Florencia su bajorrelieve de la *Batalla de los Centauros;* a los veinte hizo el *Amor Dormido,* y poco después su colosal estatua de *David.* Pintó luego, uno tras otro, sus cuadros terribles y magníficos. Benvenuto Cellini, aquel genio creador en el arte de ornamentar, dice que ningún cuadro de Miguel Ángel vale tanto como el que pintó a los veintinueve años, en que unos soldados de Pisa, sorprendidos en el baño por sus enemigos, salen del agua a arremeter contra ellos.

La precocidad de Rafael fue también asombrosa, aunque su padre no se le oponía, sino le celebraba su pasión por el arte. A los diecisiete años ya era pintor eminente. Cuentan que se llenó de admiración al ver las obras grandiosas de Miguel Ángel en la Capilla Sixtina, y que dio en voz alta gracias a Dios por haber nacido en el mismo siglo de aquel genio extraordinario. Rafael pintó su *Escuela de Atenas* a los veinticinco años y su *Transfiguración* a los treinta y siete. Estaba acabándola cuando murió, y el pueblo romano llevó la pintura al Panteón, el día de los funerales. Hay quien piensa que *La Transfiguración* de Rafael, incompleta como está, es el cuadro más bello del mundo.

Leonardo de Vinci sobresalió desde la niñez en las matemáticas, la música y el dibujo. En un cuadro de su maestro Verrocchio pintó un ángel de tanta hermosura que el maestro, desconsolado de verse inferior al discípulo, dejó para siempre su arte. Cuando Leonardo llegó a los años mayores era la admiración del mundo, por su poder como arquitecto e ingeniero, y como músico y pintor. Guercino a los diez años adornó con una virgen de fino dibujo la fachada de su casa. Tintoretto era un discípulo tan aventajado que su maestro Tiziano se enceló de él y lo despidió de su servicio. El desaire le dio ánimo en vez de acobardarlo, y siguió pintando tan de prisa que le decían «el furioso». Canova, el escultor, hizo a los cuatro años un león de un pan de mantequilla. El dinamarqués Thornwaldsen tallaba, a los trece, mascarones para los barcos en el taller de su padre, que era escultor en madera; y a los quince ganó la medalla en Copenhague por su bajorrelieve del *Amor en Reposo.*

Los poetas también suelen dar pronto muestras de su vocación, sobre todo los de alma inquieta, sensible y apasionada. Dante a los nueve años escribía versos a la niña de ocho años de que habla en su *Vida Nueva.* A los diez años lamentó Tasso en verso su separación de su madre y hermana, y se comparó al triste Ascanio cuando huía de Troya con su padre Eneas a cuestas; a los treinta y un años puso las últimas octavas a su poema de la *Jerusalén,* que empezó a los veinticinco. De diez años andaba Metastasio improvisando por las calles de Roma; y Goldoni, que era muy revoltoso, compuso a los ocho su primera comedia. Muchas veces se escapó Goldoni de la escuela para irse detrás de los cómicos ambulantes. Su familia logró que estudiase leyes, y en pocos años ganó fama de excelente abogado, pero la vocación natural pudo más en él, y dejó la curia para hacerse el poeta famoso de los comediantes.

Alfieri demostró cualidades extraordinarias desde la juventud. De niño era muy endeble, como muchos poetas precoces, y en extremo meditabundo y sensible. A los ocho años se quiso envenenar, en un arrebato de tristeza, con unas yerbas que le parecían de cicuta; pero las yerbas sólo le sirvieron de purgante. Lo encerraron en su cuarto y le hicieron ir a la iglesia en penitencia, con su gorro de dormir. Cuando vio el mar por primera vez, tuvo deseos misteriosos, y conoció que era poeta. Sus padres ricos no se habían cuidado de educarlo bien, y no pudo poner en palabras las ideas que le hervían en la mente. Estudió, viajó, vivió sin orden, se enamoró con frenesí. Su amada no lo quiso y él resolvió morir, pero un criado le salvó la vida. Se curó, se volvió a enamorar, volvió la novia a desdeñarlo, se encerró en su cuarto, se cortó el pelo de raíz, y en su soledad forzosa empezó a escribir versos. Tenía veintiséis años cuando se representó su tragedia *Cleopatra:* en siete años compuso catorce tragedias.

Cervantes empezó a escribir en verso, y no tenía todo el bigote cuando ya había escrito sus pastorales y canciones a la moda italiana. Wieland, el poeta alemán, leía de corrido a los tres años, a los siete traducía del latín a Cornelio Nepote, y a los dieciséis escribió su primer poema didáctico, de *El Mundo Perfecto.* Klopstock, que desde niño fue impetuoso y apasionado, comenzó a escribir su poema de la *Mesíada* a los veinte años.

Schiller nació con la pasión por la poesía. Cuentan que un día de tempestad lo encontraron encaramado en un árbol adonde se había subido «para ver de dónde venía el rayo, ¡porque era tan hermoso!» Schiller leyó la *Mesíada* a los catorce años, y se puso a componer un poema sacro sobre Moisés. De Goethe se dice que antes de cumplir los ocho años escribía en alemán, en francés, en italiano, en latín y en griego, y pensaba tanto en las cosas de la religión que imaginó un gran «Dios de la naturaleza», y le encendía hogueras en señal de adoración. Con el mismo afán estudiaba la música y el dibujo, y toda especie de ciencias. El bravo poeta Korner murió a los veinte años como quería él morir, defendiendo a su patria. Era enfermizo de niño, pero nada contuvo su amor por las ideas nobles que se celebran en los versos. Dos horas antes de morir escribió *El Canto de la Espada.*

Tomás Moore, el poeta de las *Melodías Irlandesas,* dice que casi todas las comedias buenas y muchas de las tragedias famosas han sido obras de la juventud. Lope de Vega y Calderón, que son los que más han escrito para el teatro, empezaron muy temprano, uno a los doce años y otro a los trece. Lope cambiaba sus versos con sus condiscípulos por juguetes y láminas, y a los doce años ya había compuesto dramas y comedias. A los dieciocho publicó su poema de la *Arcadia*, con pastores por héroes. A los veintiséis iba en un barco de la armada española, cuando el asalto a Inglaterra, y en el viaje escribió varios poemas. Pero los centenares de comedias que lo han hecho célebre los escribió después de su vuelta a España, siendo ya sacerdote. Calderón no escribió menos de cuatrocientos dramas. A los trece años compuso su primera obra *El Carro del Cielo*. A los cincuenta se hizo sacerdote, como Lope, y ya no escribió más que piezas sagradas.

Estos poetas españoles escribieron sus obras principales antes de llegar a los años de la madurez. Entre los poetas de las tierras del Norte la inteligencia anda mucho más despacio. Molière tuvo que educarse por sí mismo; pero a los treinta y un años ya había escrito *El Atolondrado*. Voltaire a los doce escribía sátiras contra los padres jesuitas del colegio en que se estaba educando: su padre quería que estudiase leyes, y se desesperó cuando supo que el hijo andaba recitando versos entre la gente de París: a los veinte años estaba Voltaire preso en la Bastilla por sus versos burlescos contra el rey vicioso que gobernaba en Francia: en la prisión corrigió su tragedia de *Edipo*, y comenzó su poema la *Henriada*.

El alemán Kotzebue, fue otro genio dramático precoz. A los siete años escribió una comedia en verso, de una página. Entraba como podía en el teatro de Weimar, y cuando no tenía con qué pagar se escondía detrás del biombo hasta que empezaba la representación. Su mayor gusto era andar con teatros de juguete y mover a los muñecos en la escena. A los dieciocho años se representó su primera tragedia en un teatro de amigos.

Víctor Hugo no tenía más que quince años cuando escribió su tragedia *Irtamene*. Ganó tres premios seguidos en los juegos florales; a los veinte escribió *Bug Jargal*, y un año después su novela *Han de Islandia* y sus primeras *Odas y Baladas*. Casi todos los poetas franceses de su tiempo eran muy jóvenes. «En Francia», decía en burla el crítico Moreau, «ya no hay quien respete a un escritor si tiene más de dieciocho años».

El inglés Congreve escribió a los diecinueve su novela *Incógnita*, y todas sus comedias antes de los veinticinco. A Sheridan le llamaba su maestro «burro incorregible»; pero a los veintiséis años había escrito su *Escuela del Escándalo.* Entre los poetas ingleses de la antigüedad hubo muy pocos precoces. Se sabe poco de Chaucer, Shakespeare y Spencer. El mismo Shakespeare llama «primogénito de su invención» al poema *Venus y Adonis,* que compuso a los veintiocho años. Milton tendría veintiséis años cuando escribió su *Comus.* Pero Cowley escribía versos mitológicos a los doce años. Pope «empezó a hablar en verso»: su salud era mísera y su cuerpo deforme, pero por más que le doliera la cabeza, los versos le salían muchos y buenos. El que había de idear *La Borricada* volvió un día a su casa echado de la escuela por una sátira que escribió contra el maestro. Samuel Johnson dice que Pope escribió su oda a *La Soledad* a los doce años, y sus *Pastorales* a los dieciséis: de los veinticinco a los treinta, tradujo la *Ilíada.* El infeliz Chatterton logró engañar con una maravillosa falsificación literaria a los eruditos más famosos de su tiempo: rebosan genio la oda de Chatterton a la *Libertad* y su *Canto del Bardo.* Pero era fiero y arrogante, de carácter descompuesto y defectuoso, y rebelde contra las leyes de la vida. Murió antes de haber comenzado a vivir.

Robert Burns, el poeta escocés, escribía ya a los dieciséis años sus encantadoras canciones montañesas. El irlandés Moore componía a los trece, versos buenos a su Celia famosa, y a los catorce había empezado a traducir del griego a Anacreonte. En su casa no sabían qué significaban aquellas ninfas, aquellos placeres alados, y aquellas canciones al vino. Moore se libró pronto de estos modelos peligrosos, y alcanzó fama mejor con los versos ricos de su *Lalla Rookh* y la prosa ejemplar de su *Vida de Byron.*

Keats, el más grande de los poetas jóvenes de Inglaterra, murió a los veinticuatro años, ya célebre. Pero nadie hubiera podido decir en su niñez que había de ser ilustre por su genio poético aquel estudiantuelo feroz que andaba siempre de peleas y puñetazos. Es verdad que leía sin cesar; aunque no pareció revelársele la vocación hasta que leyó a los dieciséis años la *Reina Encantada* de Spencer: desde entonces sólo vivió para los versos.

Shelley sí fue precocísimo. Cuando estudiaba en Eaton, a los quince años, publicó una novela y dio un banquete a sus amigos con la ganancia de la venta. Era tan original y rebelde que todos le decían «el ateo Shelley», o «el loco Shelley». A los dieciocho publicó su poema de la *Reina Mab,* a los diecinueve lo echaron del colegio por el atrevimiento con que defendió sus doctrinas religiosas; a los treinta años murió ahogado, con un tomo de versos de Keats en el bolsillo. Maravillosa es la poesía de Shelley por la música del verso, la elegancia de la construcción y la profundidad de las ideas. Era un manojo de nervios siempre vibrantes, y tenía tales ilusiones y rarezas que sus condiscípulos lo tenían por destornillado; pero su inteligencia fue vivísima y sutil, su cuerpo frágil se estremecía con las más delicadas emociones, y sus versos son de incomparable hermosura.

Byron fue otro genio extraordinario y errante de la misma época de Shelley y de Keats. Desde la escuela se le conoció el carácter turbulento y arrebatado. De los libros se cuidaba poco; pero antes de los ocho años ya sufría de penas de hombre. Tenía una pierna más corta que la otra, aunque eso no le quitaba los bríos, y se hizo el dueño de la escuela a fuerza de puños, como Keats: él mismo cuenta que de siete batallas perdía una. Cuando estaba en Cambridge de estudiante, tenía en su casa un oso y varios perros de presa, y cada día contaban de él una historia escandalosa: aquél era sin embargo el niño sensible que a los doce años había celebrado en versos sentidos a una prima suya. Leía con afán todos los libros de literatura, y a los dieciocho años publicó para sus amigos su primer libro de versos: *Horas de Ocio.* La *Revista de Edimburgo* habló del libro con desdén, y Byron contestó con su célebre sátira sobre los *Poetas Ingleses y los Críticos de Escocia.* Cumplía los veinticuatro cuando salió al público el primer canto de su poema *Childe Harold.* «A los veinticinco años», dice Macaulay, «se vio Byron en la cima de la gloria literaria, con todos los ingleses famosos de la época a sus pies. Byron era ya más célebre que Scott, Wordsworth, y Southey. Apenas hay ejemplo de un ascenso tan rápido a tan vertiginosa eminencia». Murió a los treinta y siete años, edad fatal para tantos hombres de genio.

Coleridge escribió a los veinticinco su himno del *Amanecer,* donde se ven en unión completa la sublimidad y la energía.

Bulwer Lytton tenía hecho a los quince su *Ismael*. A los diecisiete había publicado su primer tomo la poetisa Barrett Browning, que desde los diez escribía en verso y prosa. Robert Browning, su marido, publicó el *Paracelso* a los veintitrés. A los veinte había escrito Tennyson algunas de las poesías melodiosas que han hecho ilustre su nombre. Se ve, pues, que en el fuego tumultuoso de la juventud han nacido muchas de las obras más nobles de la música, la pintura y la poesía. Suele el genio poético decaer con los años, aunque Goethe dice que con la edad se va haciendo mejor el poeta. Es seguro que si no hubieran muerto tan temprano los poetas precoces, habrían imaginado después obras más perfectas que las de su juventud. La fuerza del genio no se acaba con la juventud.

Pero las dotes especiales que hacen más tarde ilustres a los hombres se revelan casi siempre entre los diecisiete y veintitrés años. Puede irse desarrollando poco a poco el talento poético; pero el que es poeta de veras, siempre lo mostrará de algún modo. Crabbe y Wordsworth, que descubrieron el genio tarde, escribían versos desde la niñez. Crabbe llenó de versos toda una gaveta, cuando estaba de aprendiz de cirujano; y Wordsworth, que era agrio y melancólico de niño, empezó a hacer cuartetas heroicas a los catorce. Shelley dice de Wordsworth que «no tenía más imaginación que un cacharro», lo que no quita que sea Wordsworth un poeta inmortal. No fue precoz como Shelley; pero creció despacio y con firmeza, como un roble, hasta que llegó a su majestuosa altura.

Walter Scott tampoco fue precoz de niño. Su maestro dijo que no tenía cabeza para el griego, y él mismo cuenta que fue de muchacho muy travieso y holgazán; pero gozaba de mucha salud, y era gran amigo de los juegos de su edad. En lo primero en que se le vio el genio fue en su gusto por las baladas antiguas, y en su facilidad extraordinaria para inventar historias. Cuando su padre supo que había estado vagando por el país con su camarada Clark, metiéndose por todas partes, y posando en las casas de los campesinos, le dijo: «Dudo mucho, señor, de que sirva Vd. más que para cola de caballo!» De su facilidad para los cuentos, el mismo Scott dice que en las horas de ocio de los inviernos, cuando no tenían modo de estar al aire libre, mantenía muchas horas maravillados con sus narraciones a sus compañeros de escuela, que se peleaban por sentarse cerca del que les decía aquellas historias lindas que no acababan nunca.

Dice Carlyle que en una clase de la escuela de gramática de Edimburgo había dos muchachos: «John, siempre hecho un brinquillo, correcto y ducal; Walter, siempre desarreglado, borrico y tartamudo. Con el correr de los años, John llegó a ser el Regidor John, de un barrio infeliz, y Walter fue Sir Walter Scott, de todo el universo.» Dice Carlyle, con mucho seso, que la legumbre más precoz y completa es la col. A los treinta años no se podía decir de seguro que Scott tuviera genio para la literatura. A los treinta y uno publicó su primer tomo del *Cancionero de Escocia,* y no imprimió su novela *Waverley* hasta los cuarenta y tres, aunque la tenía escrita nueve años antes.

La última página

Hay un cuento muy lindo de una niña que estaba enamorada de la luna, y no la podían sacar al jardín cuando había luna en el cielo, porque le tendía los brazos como si la quisiera coger, y se desmayaba de la desesperación porque la luna no venía; hasta que un día, de tanto llorar, la niña se murió, en una noche de luna llena.

La Edad de Oro no se quiere morir, porque nadie debe morirse mientras puede servir para algo, y la vida es como todas las cosas, que no debe deshacerlas sino el que puede volverlas a hacer. Es como robar, deshacer lo que no se puede volver a hacer. El que se mata, es un ladrón. Pero *La Edad de Oro* se parece a la niñita del cuento, porque siempre quiere escribir para sus amigos los niños más de lo que cabe en el papel, que es como querer coger la luna. ¿No les ofreció la «Historia de la Cuchara, el Tenedor y el Cuchillo» para este número? Pues no cupo. Ni otras muchas cosas más que les tenía escritas. Así es la vida, que no cabe en ella todo el bien que pudiera uno hacer. Los niños debían juntarse una vez por lo menos a la semana, para ver a quién podían hacerle algún bien, todos juntos.

Y ahora nos juntaremos, el hombre de *La Edad de Oro* y sus amiguitos, y todos en coro, cogidos de la mano, les daremos gracias con el corazón, gracias como de hermano, a las hermosas señoras y nobles caballeros que han tenido el cariño de decir que *La Edad de Oro* es buena.

La Exposición de París

Los pueblos todos del mundo se han juntado este verano de 1889 en París. Hasta hace cien años, los hombres vivían como esclavos de los reyes, que no los dejaban pensar, y les quitaban mucho de lo que ganaban en sus oficios, para pagar tropas con que pelear con otros reyes, y vivir en palacios de mármol y de oro, con criados vestidos de seda, y señoras y caballeros de pluma blanca, mientras los caballeros de veras, los que trabajaban en el campo y en la ciudad, no podían vestirse más que de pana, ni ponerle pluma al sombrero: y si decían que no era justo que los holgazanes viviesen de lo que ganaban los trabajadores, si decían que un país entero no debía quedarse sin pan para que un hombre solo y sus amigos tuvieran coches, y ropas de tisú y encaje, y cenas con quince vinos, el rey los mandaba apalear, o los encerraba vivos en la prisión de la Bastilla, hasta que se morían, locos y mudos: y a uno le puso una máscara de hierro, y lo tuvo preso toda la vida, sin levantarle nunca la máscara. En todos los pueblos vivían los hombres así, con el rey y los nobles como los amos, y la gente de trabajo como animales de carga, sin poder hablar, ni pensar, ni creer, ni tener nada suyo, porque a sus hijos se los quitaba el rey para soldados, y su dinero se lo quitaba el rey en contribuciones, y las tierras, se las daba todas a los nobles el rey. Francia fue el pueblo bravo, el pueblo que se levantó en defensa de los hombres, el pueblo que le quitó al rey el poder.

Eso era hace cien años, en 1789. Fue como si se acabase un mundo, y empezara otro. Los reyes todos se juntaron contra Francia. Los nobles de Francia ayudaban a los reyes de afuera.

La gente de trabajo, sola contra todos, peleó contra todos, y contra los nobles, y los mató en la guerra y con la cuchilla de la guillotina. Sangró Francia entonces, como cuando abren un animal vivo y le arrancan las entrañas. Los hombres de trabajo se enfurecieron, se acusaron unos a otros, y se gobernaron mal, porque no estaban acostumbrados a gobernar. Vino a París un hombre atrevido y ambicioso, vio que los franceses vivían sin unión, y cuando llegó de ganarles todas las batallas a los enemigos, mandó que lo llamasen emperador, y gobernó a Francia como un tirano. Pero los nobles ya no volvieron a sus tierras. Aquel rey del oro y la seda, ya no volvió nunca. La gente de trabajo se repartió las tierras de los nobles, y las del rey. Ni en Francia, ni en ningún otro país han vuelto los hombres a ser tan esclavos como antes. Eso es lo que Francia quiso celebrar después de cien años con la Exposición de París. Para eso llamó Francia a París, en verano, cuando brilla más el sol, a todos los pueblos del mundo.

Y eso vamos a ver ahora, como si lo tuviésemos delante de los ojos[75]. Vamos a la Exposición, a esta visita que se están haciendo las razas humanas. Vamos a ver en un mismo jardín los árboles de todos los pueblos de la tierra. A la orilla del río Sena, vamos a ver la historia de las casas, desde la cueva del hombre troglodita, en una grieta de la roca, hasta el palacio de granito y ónix. Vamos a subir, con los noruegos de barba colorada, con los negros senegaleses de cabello lanudo, con los anamitas de moño y turbante, con los árabes de babuchas y albornoz, con el inglés callado, con el yanqui celoso, con el italiano fino, con el francés elegante, con el español alegre, vamos a subir por encima de las catedrales más altas, a la cúpula de la torre de hierro. Vamos a ver en sus palacios extraños y magníficos a nuestros pueblos queridos de América. Veremos, entre lagos y jardines, en monumentos de hierro y porcelana, la vida del hombre entera, y cuanto ha descubierto y

---

[75] Una vez más, Martí elige un tema en el que pueda demostrar la universalidad del hombre, el tronco común que une a todos los humanos por encima de sus diferencias de cultura, raza, etc. Las líneas que siguen son un ejemplo de máxima diversidad, pero también de valores paralelos en todas las civilizaciones.

hecho desde que andaba por los bosques desnudo hasta que navega por lo alto del aire y lo hondo de la mar. En un templo de hierro, tan ancho y hermoso que se parece a un cielo dorado, veremos trabajando a la vez todas las máquinas y ruedas del mundo. De debajo de la tierra, como de un volcán de joyas, vamos a ver salir, en lluvias que parecen de piedras finas, trescientas fuentes de colores que caen chispeando en un lago encendido. Vamos a ver vivir, como viven en sus países de luz, al javanés en su casa de cañas, al egipcio cantando detrás de su burro, al argelino que borda la lana a la sombra del palmar, al siamés que trabajó la madera con los pies y las manos, al negro del Sudán, que sale ojeando, con la lanza de punta, de su conuco[76] de tierra, al árabe que corre a caballo, disparando la espingarda, por la calle de dátiles, con el albornoz blanco al viento. Bailan en un café moro. Pasan las bailarinas de Java, con su casco de plumas. Salen de su teatro, vestidos de tigres, los cómicos cochinchinos. Hombres de todos los pueblos andan asombrados por las calles morunas, por las aldeas negras, por el caserío de bambú javanés, por los puentes de junco de los malayos pescadores, por el jardín criollo de plátanos y naranjos, por el rincón donde, de su techo labrado como un mueble rico, levanta su torre ceñida de serpientes la pagoda. Y para nosotros, los niños, hay un palacio de juguetes, y un teatro donde están como vivos el pícaro Barba Azul y la linda Caperucita Roja. Se le ve al pícaro la barba como el fuego, y los ojos de león. Se le ve a la Caperucita el gorro colorado, y el delantal de lana. Cien mil visitantes entran cada día en la Exposición. En lo alto de la torre flota al viento la bandera de tres colores de la República Francesa.

Por veintidós puertas se puede entrar a la Exposición. La entrada hermosa es por el palacio del Trocadero, de forma de herradura, que quedó de una Exposición de antes, y está ahora lleno de aquellos trabajos exquisitos que hacían con plata para las iglesias y las mesas de los príncipes los joyeros del tiempo de capa y espadón, cuando los platos de comer eran de

---

[76] *Conuco:* porción de tierra que los indios taínos, en la Isla de Cuba, dedicaban al cultivo. La palabra se utiliza en Cuba y se refiere a realidades cubanas, pero aquí Martí la universaliza para referirse a las tierras africanas.

oro, y las copas de beber eran como los cálices. Y del palacio se sale al jardín, que es la primera maravilla. De rosas nada más, hay cuatro mil quinientas diferentes: hay una rosa casi azul. En una tienda de listas blancas y rojas venden unas mujeres jóvenes las podaderas afiladas, los rastrillos de acero pulido, las regaderas como de juguete con que se trabaja en los jardines. La tierra está en canteros, rodeados de acequias, por donde corre el agua clara, haciendo a los canteros como islotes. Uno está lleno de pensamientos negros; y otro de fresas como corales, escondidas entre las hojas verdes; y otro de chícharos, y de espárragos, que dan la hoja muy linda. Hay un cantero rojo y amarillo, que es de tulipanes. Un rincón es de enredaderas, y el de al lado de helechos gigantescos, con hojas como plumas. En un laberinto flotan sobre el agua la ninfea[77], y el nelumbio[78] rosado del Indostán, y el loto del río Nilo, que parece una lira. Un bosque es de árboles de copa de pico; pino, abeto. Otro es de árboles desfigurados, que dan la fruta pobre, porque les quitan a las ramas su libertad natural. Dentro de un cercado de cañas están los lirios y los cerezos del Japón, en sus tibores[79] de porcelana blanca y azul. Al pie de un palmar, con las paredes de cuanto tronco hay, está el pabellón de Aguas y Bosques, donde se ve cómo se ha de cuidar a los árboles, que dan hermosura y felicidad a la tierra. A la sombra de un arce del Japón, están, en tazas rústicas, la wellingtonia del Norte, que es el pino más alto, y la araucaria, el pino de Chile.

Por sobre un puente se pasa el río de París, el Sena famoso, y ya se ven por todas partes los grupos de gente asombrada, que vienen de los edificios de orillas del río, donde está la Galería del Trabajo, en que cuecen los bizcochos en un horno enorme, y destilan licor del alambique[80] de bronce rojo, y en la máquina de cilindro están moliendo chocolate con el ca-

---

[77] *Ninfea:* nenúfar.

[78] *Nelumbio:* planta ninfeácea, de flores blancas o amarillas y de hojas aovadas.

[79] *Tibor:* vaso grande de barro, de China o el Japón, por lo regular en forma de tinaja, aunque los hay de varias hechuras, y decorado exteriormente.

[80] *Alambique:* aparato que sirve para destilar o separar de otras sustancias más fijas, por medio del calor, una sustancia volátil. Se compone fundamentalmente de un recipiente para el líquido y de un conducto que arranca del recipiente y se continúa en un serpentín por donde sale el producto de la destilación.

cao y el azúcar, y en las bandejas calientes están los dulceros de gorro blanco haciendo caramelos y yemas: todo lo de comer se ve en la Galería, una montaña de azúcar, un árbol de ciruelas pasas, una columna de jamones: y en la sala de vinos, un tonel donde cabrían quince convidados a la mesa, y un mapa de relieve, que todos quieren ver a un tiempo, donde está todo el arte del vino —la cepa con los racimos, los hombres cogiendo en cestos la uva en el mes de la vendimia, la artesa donde fermenta la vid machucada, la cueva fría donde ponen el mosto a reposar, y luego el vino puro, como topacio deshecho, y la botella de donde salta con su espuma olorosa el champaña. Cerca está la historia entera del cultivo del campo, en modelos de realce, y en cuadros y libros; y un pabellón de arados de acero relucientes; y una colmena de abejas de miel, junto al moral de hoja velluda en que se cría el gusano de seda; y los semilleros de peces, que nacen de los huevos presos en cajones de agua, y luego salen a crecer a miles por la mar y los ríos. Los más admirados son los que vienen de ver las cuarenta y tres Habitaciones del Hombre. La vida del hombre está allí desde que apareció por primera vez en la tierra, peleando con el oso y el rengífero[81], para abrigarse de la helada terrible con la piel, acurrucado en su cueva. Así nacen los pueblos hoy mismo. El salvaje imita las grutas de los bosques o los agujeros de la roca: luego ve el mundo hermoso, y siente con el cariño deseo de regalar, y se mira el cuerpo en el agua del río, y va imitando en la madera y la piedra de sus casas todo lo que le parece hermosura, su cuerpo de hombre, los pájaros, una flor, el tronco y la copa de los árboles. Y cada pueblo crece imitando lo que ve a su alrededor, haciendo sus casas como las hacen sus vecinos, enseñándose en sus casas como es, si de clima frío o de tierra caliente, si pacífico o amigo de pelear, si artístico y natural, o vano y ostentoso. Allí están las chozas de piedra bruta, y luego pulida, de los primeros hombres: la ciudad lacustre del tiempo en que levantaban las casas en el lago sobre pilares, para que no las atacasen las fieras; las casas altas, cuadradas y ligeras, de mirador corrido, de

[81] *Rengífero:* reno.

los pueblos de sol que eran antes las grandes naciones, el Egipto sabio, la Fenicia comerciante, la Asiria guerreadora. La casa del Indostán es alta como ellas. La de Persia es ya un castillo, de rica loza azul, porque allí saltan del suelo las piedras preciosas, y las flores y las aves son de mucho color. Parece una familia de casas la de los hebreos, los griegos y los romanos, todas de piedra, y bajas con tejado o azotea; y se ve, por lo semejantes, que eran del país la casa etrusca y la bizantina. Por el norte de Europa vivían entonces los hunos bárbaros como allí se ve, en su tienda de andar; y el germano y el galo en sus primeras casas de madera, con el techo de paja. Y cuando con las guerras se juntaron los pueblos, tuvo Rusia esa casa de adornos y colorines, como la casa hindú, y los bárbaros pusieron en sus caserones la piedra labrada y graciosa de los italianos y los griegos. Luego, al fin de la edad que medió entre aquella pelea y el descubrimiento de América, volvieron los gustos de antes, de Grecia y de Roma, en las casas graciosas y ricas del Renacimiento. En América vivían los indios en palacios de piedra con adornos de oro, como ese de los aztecas de México, y ese de los incas del Perú. Al moro de África se le ve, por su casa de piedra bordada, que conoció a los hebreos, y vivió en bosques de palmeras, defendiéndose de sus enemigos desde la torre, viendo en el jardín a la gacela entre las rosas, y en la arena de la orilla los caprichos de espuma de la mar. El negro del Sudán, con su casa blanca de techo rodeado de campanillas, parece moro. El chino ligero, que vive de pescado y arroz, hace su casa de tabla y de bambú. El japonés vive tallando el marfil, en sus casas de estera y tabloncillo. Allí se ve donde habitan ahora los pueblos salvajes, el esquimal en su casa redonda de hielo, en su tienda de pieles pintadas el indio norteamericano: pintadas de animales raros y hombres de cara redonda, como los que pintan los niños.

Pero adonde va el gentío con un silencio como de respeto es a la torre Eiffel, el más alto y atrevido de los monumentos humanos. Es como el portal de la Exposición. Arrancan de la tierra, rodeados de palacios, sus cuatro pies de hierro: se juntan en arco, y van ya casi unidos hasta el segundo estrado de la torre, alto como la Pirámide de Cheops: de allí, fina como un encaje, valiente como un héroe, delgada como una flecha, sube más arriba que el monumento de Washington, que era la altura mayor entre las obras humanas, y se hunde, donde se alcanzan los ojos, en lo azul, con la campanilla, como la cabeza de los montes, coronada de nubes. —Y todo, de la raíz al tope, es un tejido de hierro. Sin apoyo apenas se levantó por el aire. Los cuatro pies muerden, como raíces enormes, en el suelo de arena. Hacia el río, por donde caen dos de los pies, el suelo era movedizo, le hundieron dos cajones, les sacaron de adentro la arena floja, y los llenaron de cimiento seguro. De las cuatro esquinas arrancaron, como para juntarse en lo alto, los cuatro pies recios: con un andamio fueron sosteniendo las piezas más altas, que se caían por la mucha inclinación: sobre cuatro pilares de tablones habían levantado el primer estrado, que como una corona lleva alrededor los nombres de los grandes ingenieros franceses: allá en el aire, una mañana hermosa, encajaron los cuatro pies en el estrado, como una espada en una vaina, y se sostuvo sin parales[82] la torre: de allí, como lanzas que apuntaban al cielo, salieron las vergas delicadas: de cada una colgaba una grúa: allá arriba subían, danzando por el aire, los pedazos nuevos: los obreros, agarrados a la verga con las piernas como el marinero al cordaje del barco, clavaban el ribete, como quien pone el pabellón de la patria en el asta enemiga: así, acostados de espalda, puestos de cara al vacío, sujetos a la verga que el viento sacudía como una rama, los obreros, con blusa y gorro de pieles, ajustaban en invierno, en el remolino del vendaval y de la nieve, las piezas de esquina, los cruceros, los sostenes, y se elevaba por sobre el universo, como si fuera a colgarse del cielo, aquella blonda calada: en su navecilla de cuerdas se balanceaban, con la brocha del rojo en las manos, los pintores[83]. ¡El mundo en-

[82] *Paral:* madero que se aplica oblicuo a una pared y sirve para asegurar el puente de un andamio.

[83] En estas últimas líneas Martí describe de un modo muy plástico el proceso de construcción de la Torre Eiffel. Algunos datos los ha leído, pero otros los inventa, siempre con la misma función: estimular la imaginación del niño y educarlo en detalles prácticos. Asombra la capacidad del cubano para hacernos ver la escena de la misma construcción y transportarnos al lugar donde ocurrieron los hechos, como si fuéramos un trabajador más de la época o un periodista enviado para cubrir la información acerca del levantamiento de la torre.

tero va ahora como moviéndose en la mar, con todos los pueblos humanos a bordo, y del barco del mundo, la torre es el mástil! Los vientos se echan sobre la torre, como para derribar a la que los desafía, y huyen por el espacio azul, vencidos y despedazados. Allá abajo la gente entra, como las abejas en el colmenar, por los pies de la torre suben y bajan, por la escalera de caracol, por los ascensores inclinados, dos mil visitantes a la vez; los hombres, como gusanos, hormiguean entre las mallas de hierro; el cielo se ve por entre el tejido como en grandes triángulos azules de cabeza cortada, de picos agudos. Del primer estrado abierto, con sus cuatro hoteles curiosos, se sube, por la escalinata de hélice, al descanso segundo, donde se escribe y se imprime un diario, a la altura de la cúpula de San Pedro. El cilindro de la prensa da vueltas: los diarios salen húmedos: al visitante le dan una medalla de plata. Al estrado tercero suben los valientes, a trescientos metros sobre la tierra y el mar, donde no se oye el ruido de la vida, y el aire, allá en la altura, parece que limpia y besa: abajo la ciudad se tiende, muda y desierta, como un mapa de relieve: veinte leguas de ríos que chispean, de valles iluminados, de montes de verde negruzco, se ven con el anteojo; sobre el estrado se levanta la campanilla, donde dos hombres en su casa de cristal, estudian los animales del aire, la carrera de las estrellas, y el camino de los vientos. De una de las raíces de la torre sube culebreando por el alambre vibrante la electricidad, que enciende en el cielo negro el faro que derrama sobre París sus ríos de luz blanca, roja y azul, como la bandera de la patria. En lo alto de la cúpula, ha hecho su nido una golondrina[84].

Por debajo de la torre se va, sin poder hablar del asombro, a los jardines llenos de fuentes, y rodeados de palacios, y el más grande de todos al fondo, donde caben las muestras de cuanto se trabaja en la humanidad, con la puerta de hierro bordado y lleno de guirnaldas, como se labraba antes el oro de los ricos; y sobre el portón, imitando la bóveda del cielo,

---

[84] Nuevamente demuestra Martí su capacidad narrativa. Aunque no ha estado en la Exposición, imagina cómo debía ser el ambiente y lo describe magistralmente, de modo que el lector se siente transportado a París y puede gozar de las maravillas de aquella Exposición como si estuviera allí mismo.

la cúpula de porcelanas relucientes; y en la corona, abriendo las alas como para volar, una mujer que lleva en la mano una rama de oliva: a la entrada del pórtico está, con una mano en la cabeza de un león, la Libertad, en bronce. Y delante de la gran fuente, donde van por el agua los hombres y mujeres que los poetas de antes dicen que hubo en la mar, las nereidas[85] y los tritones[86], llevando en hombros, como si fueran en triunfo, la barca donde, en figuras de héroes y heroínas, el progreso, la ciencia, y el arte dan vivas a la república, sentada más alta que todos, que levanta la antorcha encendida sobre sus alas. A cada lado del jardín, desde el palacio grande hasta la torre, hay otro palacio de oros y esmaltes, uno para las estatuas y los cuadros, donde están los paisajes ingleses de montes y animales, las pinturas graciosas de los italianos, con campesinos y con niños, los cuadros españoles de muertes y de guerra, con sus figuras que parecen vivas, y la historia elegante del mundo en los cuadros de Francia. De las Bellas Artes le llaman a ése, y al del otro lado, el palacio de las Artes Liberales, que son las de los trabajos de utilidad, y todas las que no sirven para mero adorno. La historia de todo se ve allí: del grabado, la pintura, la escultura, las escuelas, la imprenta. Parece que se anda, por lo perfecto y fino de todo, entre agujas y ruedas de reloj. Allí se ve, en miniatura de cera, a los chinos observando en su torre los astros del cielo; allí está el químico Lavoisier[87], de medias de seda y chupa azul, soplando en su retorta, para ver cómo está hecho el pedrusco que cayó a la tierra de una estrella rota y fría; allí, entre las figuras de las diferentes razas del hombre, están sentados por tierra, trabajando el pedernal, como los que desenterraron en Dinamarca hace poco, cabezudos y fuertes, los hombres de la edad de bronce.

---

[85] *Nereidas:* ninfas de la mitología clásica que habitaban en el mar.

[86] *Tritones:* de la mitología clásica. Deidades marinas a las que se atribuía figura de hombre desde la cabeza hasta la cintura, y de pez el resto.

[87] Antoine-Laurent Lavoisier (1743-1794): químico francés. En su *Tratado elemental de química* (1789) expone el principio de conservación de la materia, y da el primer paso para la creación de la nomenclatura química en su *Método de nomenclatura química* (1787). Puso el nombre al *oxígeno,* y experimentó gran parte de su comportamiento químico.

Y ya estamos al pie de la torre: un bosque tiene a un lado, y otro bosque al otro. Uno tiene más verde, y es como una selva de recreo, con su casa sueca de pino, llenas de flores las ventanas, a la orilla de un lago; y la isba[88] de puerta bordada y techo de picos en que vive el labrador ruso; y la casa linda de madera, con ventanas de triángulo, en que pasa los meses de nevada el finlandés, enseñando a su hijos a pintar y a pensar, a amar a los poetas de Finlandia y a componer el arpón de la pesca y el trineo de la cacería, mientras talla el abuelo el granito como ópalo, o saca botes y figuras de una rama seca, y las mujeres de gorro alto y delantal tejen su encaje fino, junto a la chimenea de madera labrada. Hay teatro allí, y lecherías, y una casa de anchos comedores, y criados de chaqueta negra, que pasan con las botellas de vino en cestos a la hora de comer, cuando los pájaros cantan en los árboles. Pero al otro lado es donde se nos va el corazón[89], porque allí están, al pie de la torre, como los retoños del plátano alrededor del tronco, los pabellones famosos de nuestras tierras de América, elegantes y ligeros como un guerrero indio: el de Bolivia como el casco, el de México como el cinturón, el de la Argentina como el penacho de colores: ¡parece que la miran como los hijos al gigante! ¡Es bueno tener sangre nueva, sangre de pueblos que trabajan! El de Brasil está allí también, como una iglesia de domingo en un palmar, con todo lo que se da en sus selvas tupidas, y vasos y urnas raras de los indios marajos del Amazonas, y en una fuente una victoria regia en que puede navegar un niño, y orquídeas de extraña flor, y sacos de café, y montes de diamantes. Brilla un sol de oro allí por sobre los árboles y sobre los pabellones, y es el sol argentino, puesto en lo alto de la cúpula, blanca y azul como la bandera del país, que entre otras cuatro cúpulas corona, con grupos de estatuas en las esquinas del techo, el palacio de hierro

---

[88] *Isba:* vivienda de madera que construyen algunos pueblos septentrionales del viejo mundo.

[89] El sentido universalista no impide, sin embargo, que exista un hondo y consciente americanismo. El niño tiene que querer a todos los hombres y respetarlos, pero en ese amor hay jerarquías. Los primeros son los más cercanos, los pueblos de Nuestra América; a ellos va a dedicar los mejores elogios en las siguientes líneas, y los va a tratar con mayor familiaridad.

dorado y cristales de color en que la patria del hombre nuevo de América convida al mundo lleno de asombro, a ver lo que puede hacer en pocos años un pueblo recién nacido que habla español, con la pasión por el trabajo y la libertad, ¡con la pasión por el trabajo!: ¡mejor es morir abrasado por el sol que ir por el mundo, como una piedra viva, con los brazos cruzados! Una estatua señala a la puerta un mapa donde se ve de realce la república, con el río por donde entran al país los vapores repletos de gente que va a trabajar; con las montañas que crían sus metales, y las pampas extensas, cubiertas de ganados. De relieve está allí la ciudad modelo de La Plata, que apareció de pronto en el llano silvestre, con ferrocarriles, y puerto, y cuarenta mil habitantes, y escuelas como palacios. Y cuanto dan la oveja y el buey se ve allí, y todo lo que el hombre atrevido puede hacer de la bestia: mil cueros, mil lanas, mil tejidos, mil industrias: la carne fresca en la sal de enfriar: crines, cuernos, capullos, plumas, paños. Cuanto el hombre ha hecho, el argentino lo intenta hacer. De noche, cuando el gentío llama a la puerta, se encienden a la vez, en sus globos de cristal blanco y azul, y rojo y verde, las mil luces eléctricas del palacio.

Como con un cinto de dioses y de héroes está el templo de acero de México, con la escalinata solemne que lleva al portón, y en lo alto de él el sol Tonatiuh, viendo cómo crece con su calor la diosa Cipactli, que es la tierra: y los dioses todos de la poesía de los indios, los de la caza y el campo, los de las artes y el comercio, están en los dos muros que tiene la puerta a los lados, como dos alas; y los últimos valientes, Cacama[90], Cuitláhuac[91] y Cuauhtémoc[92], que murieron en la pelea, o

---

[90] Cacama: señor de Texcoco en la época de la llegada de los españoles, con un gran protagonismo en la defensa de sus territorios frente a las invasiones. Fue ejecutado por Hernán Cortés.

[91] Cuitláhuac: penúltimo gobernante supremo de los mexicas o aztecas (1520) antes de la conquista española, hermano de Moctezuma II, al que sucedió a su muerte. Se esforzó por expulsar a los españoles, tratando de que regresaran a Veracruz, lo que no pudo alcanzar debido sobre todo a la epidemia de viruelas que afligió a los aztecas y finalmente le causó también a él muerte.

[92] Cuauhtémoc: último emperador de los aztecas y sucesor de Moctezuma. Se opuso a las fuerzas de Hernán Cortés, y fue ejecutado en 1525. Hoy es considerado como símbolo nacionalista.

quemados en las parrillas, defendiendo de los conquistadores la independencia de su patria: dentro, en las pinturas ricas de las paredes, se ve cómo eran los mexicanos de entonces, en sus trabajos y en sus fiestas, la madre viuda dando su parecer entre los regidores de la ciudad, los campesinos sacando el aguamiel del tronco del agave[93], los reyes haciéndose visitas en el lago, en sus canoas adornadas de flores. ¡Y ese templo de acero lo levantaron, al pie de la torre, dos mexicanos, como para que no les tocasen su historia, que es como madre de un país, los que no la tocaran como hijos!: ¡así se debe querer a la tierra en que uno nace: con fiereza, con ternura! Las cortinas hermosas, las vidrieras de caoba en que están las filigranas de plata, los tejidos de fibras, las esencias de olor, los platos de esmalte y las jarras de barniz, los ópalos, los vinos, los arneses, los azúcares; todo tiene por adorno letras y figuras indias. Vivos parecen, con sus trajes de cuero de flecos y galones, y sus sombreros anchos con trenzado de plata y oro, y su zarape[94] al hombro, de seda de color, vivos como si fueran a montar a caballo, los maniquíes del estanciero rico, del joven elegante que cuida de su hacienda, y sabe «voltear» un toro. A la puerta, a un lado, troncos colosales de madera fina repulida; y al otro, de color de rosa y verdemar, la pirámide del mármol transparente de la tierra, del ónix que parece nube cuajada de la puesta del sol. Del techo cuelga, verde y blanca y roja, la bandera del águila.

Y juntos como hermanos, están otros pabellones más: el de Bolivia, la hija de Bolívar, con sus cuatro torres graciosas de cúpula dorada, lleno de cuarzos de mineral riquísimo, de restos del hombre salvaje y los animales como montes que hubo antes en América, y de hojas de coca, que dan fuerza al cansado para seguir andando: el del Ecuador, que es un templo inca, con dibujos y adornos como los que los indios de antes ponían en los templos del Sol, y adentro los metales y cacaos famosos, y tejidos y bordados de mucha finura, en mostrado-

---

[93] *Agave:* pita, planta amarilídea, monocotiledónea y perenne.

[94] *Zarape:* sarape. En México, especie de frazada de lana o colcha de algodón generalmente de colores vivos, con abertura o sin ella en el centro para la cabeza, que se lleva para abrigarse.

res de cristal y de oro: el pabellón de Venezuela, con su fachada como de catedral, y en la sala espaciosa tanta muestra de café, y pilones de su panela[95] dulce, y libros de versos y de ingeniería, y zapatos ligeros y finos: el pabellón de Nicaragua con su tejado rojo, como los de las casas del país, y sus salones de los lados, con los cacaos y vainillas de aroma y aves de plumas de oro y esmeralda, y piedras de metal con luces de arco iris, y maderos que dan sangre de olor; y en la sala del centro, el mapa del canal que van a abrir de un mar a otro de América, entre los restos de las ruinas. Tiene ventanas anchas como las casas salvadoreñas, y un balcón de madera muy hermoso, el pabellón del Salvador, que es país obrero, que inventa y trabaja fino, y en el campo cultiva la caña y el café, y hace muebles como los de París, y sedas como las de Lyon, y bordados como los de Burano[96], y lanas de tinte alegre, tan buenas como las inglesas, y tallados de mucha gracia en la madera y en el oro. Por un pórtico grandioso se entra, entre sacos de trigo y muestras de mineral, al palacio de hierro de Chile: allí la madera fuerte de los bosques del indio araucano, los vinos topacios y rojos, las barras de plata y oro mate, las artes todas de un pueblo que no se quiere quedar atrás, la sal y el arbusto colorado del desierto: al fondo hay como un jardín: las paredes están llenas de cuadros de números.

Y allí, al lado de Chile, entraríamos ahora al Palacio de los Niños, donde juegan los chiquitines al caballito y al columpio, y ven hacer barcos de cristal de Venecia, y las muñecas que hace el japonés, envolviendo con el palitroque alrededor de una varita las pastas blandas de colores diferentes: y hace un daimio[97] con su sable, y un Mikado[98] de ahora, con su levita a la francesa: ¡oh, el teatro! ¡oh, el hombre que está haciendo los confites! ¡oh, el perro que sabe multiplicar! ¡oh, el gimnasta que anda a caballo en una rueda! ¡y el palacio es de juguetes todo por afuera, desde el quicio hasta los banderines

---

[95] *Panela:* bizcochuelo de forma prismática.
[96] Burano: isla italiana cercana a Venecia, famosa hasta la actualidad por sus bordados y encajes.
[97] *Daimio:* gobernador de un territorio en el Japón.
[98] *Mikado:* soberano del Japón.

del techo! Pero, si no tenemos tiempo, ¿cómo hemos de pararnos a jugar, nosotros, niños de América, si todavía hay tanto que ver, si no hemos visto todos los pabellones de nuestras tierras americanas? ¿Y esta casa de madera tan franca y tan amiga, que convida a la gente a entrar a ver todo lo que da la tierra volcánica de su país, uva y café, enredaderas y tigres, cocos y pájaros, y los lleva a su colgadizo con cortinas, a tomar en jícaras labradas su chocolate de espuma?: es el de Guatemala ese pabellón generoso. Y ese otro elegante, con tantas maderas, es el de la tierra donde se saben defender con ramas de árboles de los que vienen de afuera a quitarles el país: de Santo Domingo. Ese otro es del Paraguay, ese de la torre de mirador, con las ventanas y puertas como de nación de mucho bosque, que imita en sus casas las grutas y los arcos de los árboles. Y ese otro suntuoso que tiene torres como lanzas y alegría como de salón; ese que ha dado una parte de sus salas a dos pueblos de nuestra familia —a Colombia, que tiene ahora mucho que hacer, al Perú, que está triste después de una guerra que tuvo—, ése es el pueblo bravo y cordial de Uruguay, que trabaja con arte y placer, como el de Francia, y peleó nueve años contra un mal hombre que lo quería gobernar, y tiene un poeta de América que se llama Magariños[99]; vive de sus ganados el Uruguay, y no hay pueblo en el mundo que haya inventado tantos modos de conservar la carne buena, en el tasajo[100] seco, en caldos que parecen vino, en la pasta negra de Liebig[101], y en bizcochos sabrosos: y en la torre, que se parece a una lanza, flota, como llamando a los hombres buenos, la bandera del sol, de listas blancas y azules.

¡Y tener que pasar tan de prisa por los palacios de una tierra enana como Holanda, donde no hay holandés que no sea feliz, y viva como en pueblo grande, por su trabajo de marino, de ingeniero, de impresor, de tejedor de encajes, de tallador de diamantes; de un pueblo como Bélgica, que sabe tan-

---

[99] Alejandro Magariños Cervantes (1825-1893): escritor uruguayo romántico que cultivó la poesía, la novela histórica, indianista, y el drama histórico.

[100] *Tasajo:* trozo de carne salado para que se conserve.

[101] Liebig: pequeña localidad argentina en la provincia de Entre Ríos, en el norte del país.

to de cultivos, y de hacer carruajes, y casas, y armas, y lozas, y tapices y ladrillos! No podemos ver al pabellón de Suiza, con su escuela modelo, sus quesos como ruedas y su taller de relojes; ni el de Hawaii, que es país donde todos saben leer, y trabaja el hombre de la isla, al pie del volcán de fuego, la lava y la pluma; ni el de la República de San Marino —¿quién sabe dónde está San Marino?— con sus cristales pintados famosos y sus familias de escultores. Esa de la puerta tallada de colores es Servia, de cerca de Rusia, donde hacen tapicería fina y mosaicos; y ese comedor, con su techo de aleros, es de Rumania, donde el más pobre viste de paños bordados, y comen la carne casi cruda con mucha pimienta en platos de madera, y beben leche de búfalo. Está llena de sedas con recamos de flores y pájaros, llena de palanquines y colmillos de elefante, esa casa de dos techos de Siam, el pueblo de la ceremonia y del arroz. ¿Y a China quién no la conoce, con su pabellón de tres torres, donde no caben las cortinas con árboles y demonios de oro, ni las cajas de marfil con dibujos de relieve, ni el tapiz donde están, con los siete colores de la luz, los pájaros que van de corte por el aire, cuando llega el mes de mayo, a saludar al rey y la reina, que son dos ruiseñores que fueron al cielo a ver quién se sienta en las nubes, y se trajeron un nido de rayos de sol? ¡Oh, cuánto hay que ver! ¿Y el palacio hindú, de rojo oscuro con los ornamentos blancos, como los bordados de trencilla en un vestido de mujer, y tan tallado todo, las ventanas menudas y la torre, como la fuente de mármol, las columnas de pórfido, los leones de bronce que adornan la sala, colgada de tapicerías? ¿Y el Japón, que es como la China, con más gracia y delicadeza, y unos jardineros viejos que quieren mucho a los niños? ¿Y Grecia, esa de la puerta baja con un muro a cada lado, con la historia de antes en uno, antes de que los romanos la vencieran cuando fue viciosa, y la vida del trabajo de hoy, en antigüedades, en mármoles rojos, en sedas finas, en vinos olorosos, desde que resucitó con la vuelta a la libertad, y tiene ciudades como Pireo, Siracusa, Corfú y Patras, que valen ya por lo trabajadoras tanto como las cuatro famosas de la Grecia vieja: Atenas, Esparta, Tebas y Corinto? ¿Persia, con su entrada religiosa de mezquita, de techo de azul vivo, y adentro, entre colgaduras verdes y amarillas, las cazoletas cinceladas de quemar los olores, los chales de seda que caben por una sortija, los alfanjes de puño enjoyado que cortan el hierro, las violetas azucaradas y las conservas de hojas de rosa? ¿Y el bazar de los marroquíes, con su arquería blanca que reluce al sol, y sus moros de turbante y babucha, bruñendo cuchillos, tiñendo el cuero blando, trenzando la paja, labrando a martillazos el cobre, bordando de hilo de oro el terciopelo? ¿Y la calle del Cairo, que es una calle egipcia como en Egipto, unos comprando albornoces, otros tejiendo la lana en el telar, unos pregonando sus confites, y otros trabajando de joyeros, de torneros, de alfareros, de jugueteros, y por todas partes, alquilando el pollino, los burreros burlones, y allá arriba, envuelta en velos, la mora hermosa, que mira desde su balcón de persianas caladas?

¡Oh, no hay tiempo! Tenemos que ir a ver la maravilla mayor, y el atrevimiento que ablanda al verlo el corazón, y hace sentir como deseo de abrazar a los hombres y de llamarlos hermanos. Volvamos al jardín. Entremos por el pórtico del Palacio de las Industrias. Pasemos, con los ojos cerrados, por la galería de las catorce puertas, donde cada país exhibe sus trabajos mejores, y cada industria compuso la puerta de su departamento, la platería con platas y oros y dos columnas de piedra azul, la locería con porcelana y azulejos, la de muebles con madera esculpida como hojas de flor, y la de hierro con picos y martillos, y la de armas con ruedas, cureñas, balas y cañones, y así todas. Por un corredor, que hace pensar en cosas grandes, se va a la escalera que lleva al balcón del monumento: se alzan los ojos: y se ve, llena de luz de sol, una sala de hierro en que podrían moverse a la vez dos mil caballos, en que podrían dormir treinta mil hombres. ¡Y toda está cubierta de máquinas, que dan vueltas, que aplastan, que silban, que echan luz, que atraviesan el aire calladas, que corren temblando por debajo de la tierra! En cuatro hileras están en el centro las máquinas mayores. De un horno rojo les viene la fuerza. Viene por correas, que no se ven de lo ligeras que andan. De cuatro filas de postes cuelgan las ruedas de las correas. Alrededor, unidas, están todas las máquinas del mundo, las que hacen polvo de acero, las que afilan las agujas. Unas mujeres de delantal colorado trabajan el papel holandés. Un cilindro, que parece un elefante que se mueve, está cortando sobres. Un mortero separa el grano de trigo de la cáscara. Un anillo de hierro está en el aire por la electricidad, sin nada que lo sujete. Allí se funden los metales con que se hacen las letras de imprimir, allí se hace el papel de tela o de madera, allí la prensa imprime el diario, lo echa del otro lado, lo devuelve, húmedo. Una máquina echa aire en el pozo de una mina, para que no se ahoguen los mineros. Otra aplasta la caña, y echa un chorro de miel. ¡Pues da ganas de llorar, el ver las máquinas desde el balcón! Rugen, susurran, es como la mar: el sol entra a torrentes. De noche, un hombre toca un botón, los dos alambres de la luz se juntan, y por sobre las máquinas, que parecen arrodilladas en la tiniebla, derrama la claridad, colgado de la bóveda, el cielo eléctrico. Lejos, donde tiene Edison sus invenciones, se encienden de un chispazo veinte mil luces, como una corona.

Hay panoramas de París, y de Nápoles con su volcán, y del Mont Blanc, que da frío verlo, y de la rada[102] de Río Janeiro. Hay otro que es en el centro como un puente de un buque, y parece por la pintura que está allí el buque entero, y el cielo y el mar. Hay el palacio de las pinturas finas de los acuarelistas, y otro, con adornos como de espejo, de los que pintan al pastel. Hay los dos pabellones de París, donde se aprende a cuidar una ciudad grande. Hay talleres por los arrabales de la Exposición, donde se ve, ¡para que el egoísta aprenda a ser bueno!, el trabajo del hombre en las minas de hulla, en el fondo del agua, en los tanques donde hierve, como fango, el oro. Hay, allá lejos, negras y feas, las hornallas donde echan el carbón para el vapor los hombres tiznados. Pero adonde todos van es al campo que tiene delante el palacio donde los soldados mancos y cojos cuidan la sepultura de piedra de Napoleón, rodeada de banderas rotas: ¡y en lo alto del palacio, la cúpula dorada! Todos van, a ver los pueblos extraños, a la Explanada de los Inválidos. De paso no más veremos el palacio donde está todo lo de pelear: el globo que va por el aire a ver

---

102 *Rada:* bahía, ensenada, donde las naves pueden estar ancladas al abrigo de algunos vientos.

por donde viene el enemigo: las palomas que saben volar con el recado tan arriba que no las alcanzan las balas: ¡y alguna les suele alcanzar, y la paloma blanca cae llena de sangre en la tierra! De paso veremos, en el pabellón de la República del África del Sur, el diamante imperial, que sacaron allá de la tierra, y es el más grande del mundo. Aquí están las tiendas de los soldados, con los fusiles a la puerta. Allá están, graciosas, las casas que los hombres buenos quieren hacer a los trabajadores, para que vean luz los domingos, y descansen en su casita limpia, cuando vienen cansados. Allí, con su torre como la flor de la magnolia, está la pagoda de Cambodia, la tierra donde ya no viven, porque murieron por la libertad, aquellos Kmers que hacían templos más altos que los montes. Allí está, con sus columnas de madera, el palacio de Cochinchina, y en el patio su estanque de peces dorados, y los marcos de las puertas labrados a punta de cuchillo, y, en el fondo, en la escalinata, dos dragones, con la boca abierta, de loza reluciente. Parece chino el palacio de Anam, con sus maderas pintadas de rojo y azul, y en el patio un dios gigante del bronce de ellos, que es como cera muy fina de color de avellana, y los techos y las columnas y las puertas talladas a hilos, como los nidos, o a hojas menudas, como la copa de los árboles. Y por sobre los templos hindús, con sus torres de colores y su monte de dioses de bronce a la puerta, dioses de vientre de oro y de ojos de esmalte, está, lleno de sedas y marfiles, de paños de plata bordados de zafiros, el Palacio Central de todas las tierras que tiene Francia en Asia: en una sala, al levantar una colgadura azul, ofrece una pipa de opio un elefante. Allá, entre las palmeras, brilla, blanco y como de encaje, el minarete del palacio de arquerías, de Argel, por donde andan, como reyes presos, los árabes hermosos y callados. Con sus puertas de clavos y sus azoteas, lleno de moros tunecinos y hebreos de barba negra, bebiendo vino de oro en el café, comprando puñales con letras del Corán en la hoja, está, entre bosques de dátiles, el caserío de Túnez, hecho con piedras viejas y lozas rotas de Cartago. Un anamita solo, sentado de cuclillas, mira, con los ojos a medio cerrar, la pagoda de Angkor, la de la torre como la flor de magnolia, con el dios Buda arriba, el Buda de cuatro cabezas.

Y entre los palacios hay pueblos enteros de barro y de paja: el negro canaco[103] en su choza redonda, el de Futa-Jalón[104] cociendo el hierro en su horno de tierra, el de Kedugú[105], con su calzón de plumas, en la torre redonda en que se defiende del blanco: y al lado, de piedra y con ventanas de pelear, ¡la torre cuadrada en que veintiséis franceses echaron atrás a veinte mil negros, que no podían clavar su lanza de madera en la piedra dura! En la aldea de Anam, con las casas ligeras de techo de picos y corredores, se ve al cochinchino, sentado en la estera leyendo en su libro, que es una hoja larga, enrollada en un palo; y a otro, un actor, que se pinta la cara de bermellón y de negro; y al bonzo rezando, con la capucha por la cabeza y las manos en la falda. Los javaneses, de blusa y calzón ancho, viven felices, con tanto aire y claridad, en su kampong[106] de casas de bambú: de bambú la cerca del pueblo, las casas y las sillas, el granero donde guardan el arroz, y el tendido en que se juntan los viejos a mandar en las cosas de la aldea, y las músicas con que van a buscar a las bailarinas descalzas, de casco de plumas y brazaletes de oro. El kabila, con su albornoz blanco, se pasea a la puerta de su casa de barro, baja y oscura, para que el extranjero atrevido no entre a ver las mujeres de la casa, sentadas en el suelo, tejiendo en el telar, con la frente pintada de colores. Detrás está la tienda del kabila, que lleva a los viajes: el pollino se revuelca en el polvo: el hermano echa en un rincón la silla de cuero bordado de oro puro: el viejito a la puerta está montando en el camello a su nieto, que le hala[107] la barba.

Y afuera, al aire libre, es como una locura. Parecen joyas que andan, aquellas gentes de traje de colores. Unos van al café moro, a ver a las moras bailar, con sus velos de gasa y su traje violeta, moviendo despacio los brazos, como si estuvie-

---

[103] *Canaco:* indígena de Tahití y otras islas de Oceanía.

[104] Futa-Jalon o Futa Yalon: macizo guineano donde nacen los ríos Senegal, Níger y Gambia.

[105] Kedugú: población situada al sureste de Senegal.

[106] *Kampong:* palabra de origen malayo que significa «casa en un jardín».

[107] *Hala:* del verbo halar. En Colombia y Cuba, tirar de una cosa cualquiera, hacer fuerza para traerla hacia sí.

ran dormidas. Otros van al teatro del kampong donde están en hileras unos muñecos de cucurucho, viendo con sus ojos de porcelana a las bayaderas[108] javanesas, que bailan como si no pisasen, y vienen con los brazos abiertos, como mariposas. En un café de mesas coloradas, con letras moras en las paredes, los aissauas, que son como unos locos de religión, se sacan los ojos y se los dejan colgando, y mascan cristal, y comen alacranes vivos, porque dicen que su dios les habla de noche desde el cielo, y se los manda comer. Y en el teatro de los anamitas, los cómicos, vestidos de panteras y de generales, cuentan, saltando y aullando, tirándose las plumas de la cabeza y dando vueltas, la historia del príncipe que fue de visita al palacio de un ambicioso, y bebió una taza de té envenenado. Pero ya es de noche, y hora de irse a pensar, y los clarines, con su corneta de bronce, tocan a retirada. Los camellos se echan a correr. El argelino sube al minarete, a llamar a la oración. El anamita saluda tres veces, delante de la pagoda. El negro canaco alza su lanza al cielo. Pasan, comiendo dulces, las bailarinas moras. Y el cielo, de repente, como en una llamarada, se enciende de rojo: ya es como la sangre: ya es como cuando el sol se pone: ya es del color del mar a la hora del amanecer: ya es de un azul como si se entrara por el pensamiento el cielo: ahora blanco, como plata: ahora violeta, como un ramo de lilas: ahora, con el amarillo de la luz, resplandecen las cúpulas de los palacios, como coronas de oro: allá abajo, en lo de adentro de las fuentes, están poniendo cristales de color entre la luz y el agua, que cae en raudales del color del cristal, y echa al cielo encendido sus florones de chispas. La torre, en la claridad, luce en el cielo negro como un encaje rojo, mientras pasan debajo de sus arcos los pueblos del mundo.

---

[108] *Bayadera:* bailarina y cantora india, dedicada a intervenir en las funciones religiosas o solo a divertir a la gente con sus danzas o cantos.

El camarón encantado

Cuento de magia del francés Laboulaye[109]

Allá por un pueblo del mar Báltico, del lado de Rusia, vivía el pobre Loppi, en un casuco viejo, sin más compañía que su hacha y su mujer. El hacha ¡bueno!; pero la mujer se llamaba Masicas, que quiere decir «fresa agria». Y era agria Masicas de veras, como la fresa silvestre. ¡Vaya un nombre: Masicas! Ella nunca se enojaba, por supuesto, cuando le hacían el gusto, o no la contradecían; pero si se quedaba sin el capricho, era de irse a los bosques por no oírla. Se estaba callada de la mañana a la noche, preparando el regaño, mientras Loppi andaba afuera con el hacha, corta que corta, buscando el pan: y en cuanto entraba Loppi, no paraba de regañarlo, de la noche a la mañana. Porque estaban muy pobres, y cuando la gente no es buena, la pobreza los pone de mal humor. De veras que era pobre la casa de Loppi: las arañas no hacían telas en sus rincones porque no había allí moscas que coger, y dos ratones que entraron extraviados, se murieron de hambre.

---

[109] Aunque Martí toma la idea de una versión de Laboulaye, se trata de un cuento popular europeo cuyo tema es la avaricia castigada, y que los folcloristas han llamado genéricamente «El pescador y su mujer», dentro del ciclo de argumentos populares denominado *Los animales ayudantes*. Otros autores europeos de la época que desarrollan relatos similares son los hermanos Grimm, Zacarías Topelius, Alexander Pushkin, etc. Ahora bien, parece que el origen del tema y su difusión está en el folclorista estonio Kreutzwald, y Laboulaye utilizó la traducción alemana que, vertida al francés, fue leída y adaptada por Martí. En la obra de Boris Lukin, citada en la Bibliografía, se pueden confrontar todos estos datos.

Un día estuvo Masicas más buscapleitos que de costumbre, y el buen leñador salió de la casa suspirando, con el morral vacío al hombro: el morral de cuero, donde echaba el pico de pan, o la col, o las papas que le daban de limosna. Era muy de mañanita, y al pasar cerca de un charco vio en la yerba húmeda uno que le pareció animal raro y negruzco, de muchas bocas, como muerto o dormido. Era grande por cierto: era un enorme camarón. «¡Al saco el camarón!: con esta cena le vuelve el juicio a esa hambrona de Masicas; ¿quién sabe lo que dice cuando tiene hambre?» Y echó el camarón en el saco.

Pero ¿qué tiene Loppi, que da un salto atrás, que le tiembla la barba, que se pone pálido? Del fondo del saco salió una voz tristísima: el camarón le estaba hablando:

—Párate amigo, párate, y déjame ir. Yo soy el más viejo de los camarones: más de un siglo tengo yo: ¿qué vas a hacer con este carapacho duro? Sé bueno conmigo, como tú quieres que sean buenos contigo.

—Perdóname, camaroncito, que yo te dejaría ir; pero mi mujer está esperando su cena, y si le digo que encontré el camarón mayor del mundo, y que lo dejé escapar, esta noche sé yo a lo que suena un palo de escoba cuando se lo rompe su mujer a uno en las costillas.

—Y ¿por qué se lo has de decir a tu mujer?

—¡Ay camaroncito!: eso me dices tú porque no sabes quién es Masicas. Masicas es una gran persona, que lo lleva a uno por la nariz, y uno se deja llevar: Masicas me vuelve del revés, y me saca todo lo que tengo en el corazón: Masicas sabe mucho.

—Pues mira, leñador, que yo no soy camarón como parezco, sino una maga de mucho poder, y si me oyes, tu mujer se contentará, y si no me oyes, toda la vida te has de arrepentir.

—Tú contenta a Masicas, y yo te dejaré ir, que por gusto a nadie le hago daño.

—Dime qué pescado le gusta más a tu mujer.

—Pues el que haya, camarón, que los pobres no escogen: lo que has de hacer es que no vuelva yo con el morral vacío.

—Pues ponme en la yerba, mete en el charco tu morral abierto, y di: «¡Peces, al morral!»

Y tantos peces entraron en el morral que casi se le iba a Loppi de las manos. Las manos le bailaban a Loppi del asombro.

—Ya ves, leñador —le dijo el camarón—, que no soy desagradecido. Ven acá todas las mañanas, y en cuanto digas: «¡Al morral, peces!», tendrás el morral lleno de los peces colorados, de los peces de plata, de los peces amarillos. Y si quieres algo más, ven y dime así:

«Camaroncito duro,
Sácame del apuro»:

y yo saldré, y veré lo que puedo hacer por ti. Pero mira, ten juicio, y no le digas a tu mujer lo que ha sucedido hoy.

—Probaré, señora maga, probaré —dijo el leñador; y puso en la yerba con mucho cuidado el camarón milagroso, que se metió de un salto en el agua.

Iba como la pluma Loppi, de vuelta a su casa. El morral no le pesaba, pero lo puso en el suelo antes de llegar a la puerta, porque ya no podía más de la curiosidad. Y empezaron los peces a saltar, primero un lucio como de una vara, luego una carpa, radiante como el oro, luego dos truchas, y un mundo de meros. Masicas abrazó a Loppi, y lo volvió a abrazar, y le dijo: «¡Leñadorcito mío!».

—Ya ves, ya ves, Loppi, lo que nos sucede por haber oído a tu mujer y salir temprano a buscar fortuna. Anda a la huerta, anda, y tráeme unos ajos y cebollas, y tráeme unas setas: anda, anda al monte, leñadorcito, que te voy a hacer una sopa que no la come el rey. Y la carpa la asaremos: ni un regidor va a comer mejor que nosotros.

Y fue muy buena por cierto la comida, porque Masicas no hacía sino lo que quería Loppi, y Loppi estaba pensando en cuando la conoció, que era como una rosa fina, y no le hablaba del miedo. Pero al otro día no le hizo Masicas tantas fiestas al morral de pescados. Y al otro, se puso a hablar sola. Y el sábado, le sacó la lengua en cuanto lo vio venir. Y el domingo, se le fue encima a Loppi, que volvía con su morral a cuestas.

—¡Mal marido, mal hombre, mal compañero! ¡que me vas a matar a pescado! ¡que de verte el morral me da el alma vueltas!

—Y ¿qué quieres que te traiga, pues? —dijo el pobre Loppi.

—Pues lo que comen todas las mujeres de los leñadores honrados: una sopa buena y un trozo de tocino.

«Con tal —pensó Loppi— que la maga me quiera hacer este favor.»

Y al otro día a la mañanita fue al charco, y se puso a dar voces:

Camaroncito duro,
Sácame del apuro:

y el agua se movió, y salió una boca negra, y luego otra boca, y luego la cabeza, con dos ojos grandes que resplandecían.

—¿Qué quiere el leñador?

—Para mí, nada; nada para mí, camaroncito: ¿qué he de querer yo? Pero ya mi mujer se cansó del pescado, y quiere ahora sopa y un trozo de tocino.

—Pues tendrás lo que quiere tu mujer —respondió el camarón—. Al sentarse esta noche a la mesa, dale tres golpes con el dedo meñique, y di a cada golpe: «¡Sopa, aparece: aparece, tocino!» Y verás que aparecen. Pero ten cuidado, leñador, que si tu mujer empieza a pedir, no va a acabar nunca.

—Probaré, señora maga, probaré —dijo Loppi, suspirando.

Como una ardilla, como una paloma, como un cordero estuvo al otro día en la mesa Masicas, que comió sopa dos veces, y tocino tres, y luego abrazó a Loppi, y lo llamó: «Loppi de mi corazón.»

Pero a la semana justa, en cuanto vio en la mesa el tocino y la sopa, se puso colorada de la ira, y le dijo a Loppi con los puños alzados:

—¿Hasta cuándo me has de atormentar, mal marido, mal compañero, mal hombre? ¿Que una mujer como yo ha de vivir con caldo y manteca?

—Pero ¿qué quieres, amor mío, qué quieres?

—Pues quiero una buena comida, mal marido: un ganso asado, y unos pasteles para postres.

En toda la noche no cerró Loppi los ojos pensando en el amanecer, y en los puños alzados de Masicas, que le parecieron un ganso cada uno. Y a paso de moribundo se fue arrimando al charco a los claros del día. Y las voces que daba parecían hilos, por lo triste, por lo delgadas:

Camaroncito duro,
Sácame del apuro.

—¿Qué quiere el leñador?

—Para mí, nada: ¿qué he de querer yo? Pero ya mi mujer se está cansando del tocino y la sopa. Yo no, yo no me canso, señora maga. Pero mi mujer se ha cansado, y quiere algo ligero, así como un gansito asado, así como unos pastelitos.

—Pues vuélvete a tu casa, leñador, y no tienes que venir cuando tu mujer quiera cambiar de comida, sino pedírselo a la mesa, que yo le mandaré a la mesa que se lo sirva.

En un salto llegó Loppi a su casa, e iba riendo por el camino, y tirando por el aire el sombrero. Llena estaba ya la mesa de platos, cuando él llegó, con cucharas de hierro, y tenedores de tres puntas, y una jarra de estaño: y el ganso con papas, y un pudín de ciruelas. Hasta un frasco de anisete había en la mesa, con su forro de paja.

Pero Masicas estaba pensativa. Y a Loppi ¿quién le daba todo aquello? Ella quería saber: «¡Dímelo, Loppi!» Y Loppi se lo dijo, cuando ya no quedaba del anisete más que el forro de paja, y estaba Masicas más dulce que el anís. Pero ella prometió no decírselo a nadie: no había una vecina en doce leguas a la redonda.

A los pocos días, una tarde que Masicas había estado muy melosa, le contó a Loppi muchos cuentos y le acabó así el discurso:

—Pero, Loppi mío, ya tú no piensas en tu mujercita: comer, es verdad, come mejor que la reina; pero tu mujercita anda en trapos, Loppi, como la mujer de un pordiosero. Anda, Loppi, anda, que la maga no te tendrá a mal que quieras vestir bien a tu mujercita.

A Loppi le pareció que Masicas tenía mucha razón, y que no estaba bien sentarse a aquella mesa de lujo con el vestido tan pobre. Pero la voz se le resistía cuando a la mañanita llamó al camarón encantado:

Camaroncito duro,
Sácame del apuro.

El camarón entero sacó el cuerpo del agua.

—¿Qué quiere el leñador?

—Para mí, nada; ¿qué puedo yo querer? Pero mi mujer está triste, señora maga, porque se ve tan mal vestida, y quiere que su señoría me dé poder para tenerla con traje de señora.

El camarón se echó a reír, y estuvo riendo un rato, y luego dijo a Loppi: «Vuélvete a casa, leñador, que tu mujer tendrá lo que desea.»

—¡Oh, señor camarón! ¡oh, señora maga! ¡déjeme que le bese la patica izquierda, la que está de lado del corazón! ¡déjeme que la bese!

Y se fue cantando un canto que le había oído a un pájaro dorado que le daba vueltas a una rosa: y cuando entró a su casa vio a una bella señora, y la saludó hasta los pies; y la señora se echó a reír, porque era Masicas, su linda Masicas, que estaba como un sol de la hermosura. Y se tomaron los dos de la mano, y bailaron en redondo, y se pusieron a dar brincos.

A los pocos días Masicas estaba pálida, como quien no duerme, y con los ojos colorados, como de mucho llorar. «Y dime, Loppi», le decía una tarde, con un pañuelo de encaje en la mano: «¿de qué me sirve tener tan buen vestido sin un espejo donde mirarme, ni una vecina que me pueda ver, ni más casa que este casuco? Loppi, dile a la maga que esto no puede ser». Y lloraba Masicas, y se secaba los ojos colorados con su pañuelo de encaje: «Dile, Loppi, a la maga que me dé un castillo hermoso, y no le pediré nada más.»

—¡Masicas, tú estás loca! Tira de la cuerda y se reventará. Conténtate, mujer, con lo que tienes, que si no la maga te castigará por ambiciosa.

—¡Loppi, nunca serás más que un zascandil! ¡El que habla con miedo se queda sin lo que desea! Háblale a la maga como un hombre. Háblale, que yo estoy aquí para lo que suceda.

Y el pobre Loppi volvió al charco, como con piernas postizas. Iba temblando todo él. ¿Y si el camarón se cansaba de tanto pedirle, y le quitaba cuanto le dio? ¿Y si Masicas lo dejaba sin pelo si volvía sin el castillo? Llamó muy quedito[110]:

Camaroncito duro,
Sácame del apuro.

—¿Qué quiere el leñador? —dijo el camarón, saliendo del agua poco a poco.

—Nada para mí: ¿qué más podría yo querer? Pero mi mujer no está contenta y me tiene en tortura, señora maga, con tantos deseos.

—¿Y qué quiere la señora, que ya no va a parar de querer?

—Pues una casa, señora maga, un castillito, un castillo. Quiere ser princesa del castillo, y no volverá a pedir nada más.

—Leñador —dijo el camarón, con una voz que Loppi no le conocía—: tu mujer tendrá lo que desea. —Y desapareció en el agua de repente.

A Loppi le costó mucho trabajo llegar a su casa, porque estaba cambiado todo el país, y en vez de matorrales había ganados y siembras hermosas, y en medio de todo una casa muy rica con un jardín lleno de flores. Una princesa bajó a saludarlo a la puerta del jardín, con un vestido de plata. Y la princesa le dio la mano. Era Masicas: «Ahora sí, Loppi, que soy dichosa. Eres muy bueno, Loppi. La maga es muy buena.» Y Loppi se echó a llorar de alegría.

Vivía Masicas con todo el lujo de su señorío. Los barones y baronesas se disputaban el honor de visitarla: el gobernador no daba orden sin saber si le parecía bien: no había en todo el país quien tuviera un castillo más opulento, ni coches con más oro, ni caballos más finos. Sus vacas eran inglesas, sus perros de San Bernardo, sus gallinas de Guinea, sus faisanes de Terán, sus cabras eran suizas. ¿Qué le faltaba a Masicas, que estaba siempre tan llena de pesar? Se lo dijo a Loppi, apoyando en su hombro la cabeza. Masicas quería algo más. Quería ser reina Masicas: «¿No ves que para reina he nacido yo? ¿No

[110] *Quedito:* diminutivo de quedo. En voz baja, despacio, poco a poco.

ves, Loppi mío, que tú mismo me das siempre la razón, aunque eres más terco que una mula? Ya no puedo esperar, Loppi. Dile a la maga que quiero ser reina.»

Loppi no quería ser rey. Almorzaba bien, comía mejor; ¿a qué los trabajos de mandar a los hombres? Pero cuando Masicas decía a querer, no había más remedio que ir al charco. Y al charco fue al salir el sol, limpiándose los sudores, y con la sangre a medio helar. Llegó. Llamó.

Camaroncito duro,
Sácame del apuro.

Vio salir del agua las dos bocas negras. Oyó que le decían «¿qué quiere el leñador?» pero no tenía fuerzas para dar su recado. Al fin dijo tartamudeando:

—Para mí, nada: ¿qué pudiera yo pedir? Pero se ha cansado mi mujer de ser princesa.

—¿Y qué quiere ahora ser la mujer del leñador?

—¡Ay, señora maga!: reina quiere ser.

—¿Reina no más? Me salvaste la vida, y tu mujer tendrá lo que desea. ¡Salud, marido de la reina!

Y cuando Loppi volvió a su casa, el castillo era un palacio, y Masicas tenía puesta la corona. Los lacayos, los pajes, los chambelanes[111], con sus medias de seda y sus casaquines, iban detrás de la reina Masicas, cargándole la cola.

Y Loppi almorzó contento, y bebió en copa tallada su anisete más fino, seguro de que Masicas tenía ya cuanto podía tener. Y dos meses estuvo almorzando pechugas de faisán con vinos olorosos, y paseando por el jardín con su capa de armiño y su sombrero de plumas, hasta que un día vino un chambelán de casaca carmesí con botones de topacio, a decirle que la reina lo quería ver, sentada en su trono de oro.

—Estoy cansada de ser reina, Loppi. Estoy cansada de que todos estos hombres me mientan y me adulen. Quiero gobernar a hombres libres. Ve a ver a la maga por última vez. Ve: dile lo que quiero.

---

[111] *Chambelán:* camarlengo, gentilhombre de cámara.

—Pero ¿qué quieres entonces, infeliz? ¿Quieres reinar en el cielo donde están los soles y las estrellas, y ser dueña del mundo?

—Que vayas, te digo, y le digas a la maga que quiero reinar en el cielo, y ser dueña del mundo.

—Que no voy, te digo, a pedirle a la maga semejante locura.

—Soy tu reina, Loppi, y vas a ver a la maga, o mando que te corten la cabeza.

—Voy, mi reina, voy. —Y se echó al brazo el manto de armiño, y salió corriendo por aquellos jardines, con su sombrero de plumas. Iba como si le corrieran detrás, alzando los brazos, arrodillándose en el suelo, golpeándose la casaca bordada de colores: «Tal vez —pensaba Loppi— tal vez el camarón tenga piedad de mí!» Y lo llamó desde la orilla, con voz como un gemido:

¡Camaroncito duro,
Sácame del apuro!

Nadie respondió. Ni una hoja se movió. Volvió a llamar, con la voz como un soplo.

—¿Qué quiere el leñador? —respondió otra voz terrible.

—Para mí, nada: ¿qué he de querer para mí? Pero la reina, mi mujer, quiere que le diga a la señora maga su último deseo: el último, señora maga.

—¿Qué quiere ahora la mujer del leñador?

Loppi, espantado, cayó de rodillas.

—¡Perdón, señora, perdón! ¡quiere reinar en el cielo, y ser dueña del mundo!

El camarón dio una vuelta en redondo, que le sacó al agua espuma, y se fue sobre Loppi, con las bocas abiertas:

—¡A tu rincón, imbécil, a tu rincón! ¡los maridos cobardes hacen a las mujeres locas![112] ¡abajo el palacio, abajo el castillo,

[112] En este relato, además del tema general sobre las consecuencias nefastas de la ambición desmedida y el egoísmo creciente, Martí plantea asimismo un tema recurrente desde el inicio de la revista: los diferentes roles que tienen el hombre y la mujer en la sociedad. Conecta este pensamiento con la presentación que hace el cubano de la revista en la primera página del primer número.

abajo la corona! ¡A tu casuca con tu mujer, marido cobarde! ¡A tu casuca, con el morral vacío!

Y se hundió en el agua, que silbó como cuando mojan un hierro caliente.

Loppi se tendió en la yerba, como herido de un rayo. Cuando se levantó, no tenía en la cabeza el sombrero de plumas, ni llevaba al brazo el manto de armiño, ni vestía la casaca bordada de colores. El camino era oscuro, y matorral, como antes. Membrillos empolvados y pinos enfermos eran la única arboleda. El suelo era, como antes, de pozos y pantanos. Cargaba a la espalda su morral vacío. Iba sin saber que iba, mirando a la tierra.

Y de pronto sintió que le apretaban el cuello dos manos feroces.

—¿Estás aquí, monstruo? ¿Estás aquí, mal marido? ¡Me has arruinado, mal compañero! ¡Muere a mis manos, mal hombre!

—¡Masicas, que te lastimas! ¡Oye a tu Loppi, Masicas!

Pero las venas de la garganta de la mujer se hincharon, y reventaron, y cayó muerta, muerta de la furia. Loppi se sentó a sus pies, le compuso los harapos sobre el cuerpo, y le puso de almohada el morral vacío. Por la mañana, cuando salió el sol, Loppi estaba tendido junto a Masicas, muerto.

El Padre Las Casas

Cuatro siglos es mucho, son cuatrocientos años. Cuatrocientos años hace que vivió el Padre Las Casas, y parece que está vivo todavía, porque fue bueno. No se puede ver un lirio sin pensar en el Padre Las Casas, porque con la bondad se le fue poniendo de lirio el color, y dicen que era hermoso verlo escribir, con su túnica blanca, sentado en un sillón de tachuelas, peleando con la pluma de ave porque no escribía de prisa. Y otras veces se levantaba del sillón, como si le quemase: se apretaba las sienes con las dos manos, andaba a pasos grandes por la celda, y parecía como si tuviera un gran dolor. Era que estaba escribiendo, en su libro famoso de la *Destrucción de las Indias,* los horrores que vio en las Américas cuando vino de España la gente a la conquista. Se le encendían los ojos, y se volvía a sentar, de codos en la mesa, con la cara llena de lágrimas. Así pasó la vida, defendiendo a los indios.

Aprendió en España a licenciado, que era algo en aquellos tiempos, y vino con Colón a la isla Española en un barco de aquellos de velas infladas y como cáscara de nuez. Hablaba mucho a bordo, y con muchos latines. Decían los marineros que era grande su saber para un mozo de veinticuatro años. El sol, lo veía él siempre salir sobre cubierta. Iba alegre en el barco, como aquel que va a ver maravillas. Pero desde que llegó, empezó a hablar poco. La tierra, sí, era muy hermosa, y se vivía como en una flor: ¡pero aquellos conquistadores asesinos debían de venir del infierno, no de España! Español era él también, y su padre, y su madre; pero él no salía por las islas Lucayas[113] a robarse a los indios libres: ¡porque en diez años ya no quedaba indio vivo de los tres millones, o más, que hubo en la Española!: él no los iba cazando con perros hambrientos, para matarlos a trabajo en las minas: él no les quemaba las manos y los pies cuando se sentaban porque no podían andar, o se les caía el pico porque ya no tenían fuerzas: él no los azotaba, hasta verlos desmayar, porque no sabían decirle a su amo dónde había más oro: él no se gozaba con sus amigos, a la hora de comer, porque el indio de la mesa no pudo con la carga que traía de la mina, y le mandó cortar en castigo las orejas: él no se ponía el jubón de lujo, y aquella capa que llamaban ferreruelo, para ir muy galán a la plaza, a las doce, a ver la quema que mandaba hacer la justicia del gobernador, la quema de los cinco indios. Él los vio quemar[114], los vio mirar con desprecio desde la hoguera a sus verdugos; y ya nunca se puso más que el jubón negro, ni cargó caña de oro, como los otros licenciados ricos y regordetes, sino que se fue a consolar a los indios por el monte, sin más ayuda que su bastón de rama de árbol.

Al monte se habían ido, a defenderse, cuantos indios de honor quedaban en la Española. Como amigos habían recibido ellos a los hombres blancos de las barbas: ellos les habían regalado con su miel y su maíz, y el mismo rey Behechío[115] le

---

[113] Las actuales Bahamas.

[114] Se refiere a la famosa matanza de Caonao en 1513.

[115] Escribe Bartolomé Las Casas en la *Brevísima relación de la destrucción de las Indias* acerca de La Española (hoy República Dominicana): «El cuarto reino es que se llamó de Xaragua; éste era como el meollo o médula o como la corte de toda aquella isla; excedía en la lengua y habla ser más polida; en la policía y crianza más ordenada y compuesta; en la muchedumbre de la nobleza y generosidad, porque había muchos y en gran cantidad señores y nobles; y en la lindeza y hermosura de toda la gente, a todos los otros. El rey y señor dél se llamaba Behechio; tenía una hermana que se llamaba Anacaona. Estos dos hermanos hicieron grandes servicios a los reyes de Castilla e inmensos beneficios a los cristianos, librándolos de muchos peligros de muerte; y después de muerto el rey Behechio quedó en el reino por señora Anacaona. Aquí llegó una vez el gobernador que gobernaba esta isla, con sesenta de caballo y más trescientos peones, que los de caballo solos bastaban para asolar a toda la isla y la Tierra Firme, y llegáronse más de trescientos señores a su llamado seguros; de los cuales hizo meter dentro de una casa de paja muy grande los más señores por engaño; e metidos les mandó poner fuego y los quemaron vivos. A todos los otros alancearon e metieron a espada con infinita gente, e a la señora Anacaona, por hacelle honra, ahorcaron.»

dio de mujer a un español hermoso su hija Higuemota, que era como la torcaza y como la palma real: ellos les habían enseñado sus montañas de oro, y sus ríos de agua de oro, y sus adornos, todos de oro fino, y les habían puesto sobre la coraza y guanteletes de la armadura pulseras de las suyas, y collares de oro: ¡y aquellos hombres crueles los cargaban de cadenas; les quitaban sus indias, y sus hijos; los metían en lo hondo de la mina, a halar la carga de piedra, con la frente; se los repartían, y los marcaban con el hierro, como esclavos!: en la carne viva los marcaban con el hierro. En aquel país de pájaros y de frutas los hombres eran bellos y amables; pero no eran fuertes. Tenían el pensamiento azul como el cielo, y claro como el arroyo; pero no sabían matar, forrados de hierro, con el arcabuz cargado de pólvora. Con huesos de frutas y con gajos de mamey no se puede atravesar una coraza.

Caían, como las plumas y las hojas. Morían de pena, de furia, de fatiga, de hambre, de mordidas de perros. ¡Lo mejor era irse al monte, con el valiente Guaroa[116], y con el niño Guarocuya[117], a defenderse con las piedras, a defenderse con el agua, a salvar al reyecito bravo, a Guarocuya! Él saltaba el arroyo, de orilla a orilla; él clavaba la lanza lejos, como un guerrero; a la hora de andar, a la cabeza iba él; se le oía la risa de noche, como un canto; lo que él no quería era que lo llevase nadie en hombros. Así iban por el monte, cuando se les apareció entre los españoles armados el Padre Las Casas, con sus ojos tristísimos, en su jubón y su ferreruelo. Él no les disparaba el arcabuz: él les abría los brazos. Y le dio un beso a Guarocuya.

Ya en la isla lo conocían todos, y en España hablaban de él. Era flaco, y de nariz muy larga, y la ropa se le caía del cuerpo, y no tenía más poder que el de su corazón; pero de casa en casa andaba echando en cara a los encomenderos la muerte de los indios de las encomiendas[118]; iba a palacio, a pedir al

---

[116] Guaroa: primo de Higuerota, sobrino de Behechío.

[117] Guarocuya: sobrino de Anacaona, llegó a ser cacique de Haití.

[118] *Encomienda:* en América, institución de contenidos distintos según tiempos y lugares, por la cual se señalaba a una persona un grupo de indios para que se aprovechara de su trabajo o de una tributación tasada por la auto-

gobernador que mandase cumplir las ordenanzas reales; esperaba en el portal de la audiencia a los oidores[119], caminando de prisa, con las manos a la espalda, para decirles que venía lleno de espanto, que había visto morir a seis mil niños indios en tres meses. Y los oidores le decían: «Cálmese, licenciado, que ya se hará justicia»: se echaban el ferreruelo al hombro, y se iban a merendar con los encomenderos, que eran los ricos del país, y tenían buen vino y buena miel de Alcarria. Ni merienda ni sueño había para Las Casas: sentía en sus carnes mismas los dientes de los molosos[120] que los encomenderos tenían sin comer, para que con el apetito les buscasen mejor a los indios cimarrones[121]: le parecía que era su mano la que chorreaba sangre, cuando sabía que, porque no pudo con la pala, le habían cortado a un indio la mano: creía que él era el culpable de toda la crueldad, porque no la remediaba; sintió como que se iluminaba y crecía, y como que eran sus hijos todos los indios americanos. De abogado no tenía autoridad, y lo dejaban solo: de sacerdote tendría la fuerza de la Iglesia, y volvería a España, y daría los recados del cielo, y si la corte no acababa con el asesinato, con el tormento, con la esclavitud, con las minas, haría temblar a la corte. Y el día en que entró de sacerdote, toda la isla fue a verlo, con el asombro de que tomara aquella carrera un licenciado de fortuna: y las indias le echaron al pasar a sus hijitos, a que le besasen los hábitos.

Entonces empezó su medio siglo de pelea, para que los indios no fuesen esclavos; de pelea en las Américas; de pelea en Madrid; de pelea con el rey mismo; contra España toda, él solo, de pelea. Colón fue el primero que mandó a España a los indios en esclavitud, para pagar con ellos las ropas y comidas que traían a América los barcos españoles. Y en América había habido repartimiento de indios, y cada cual de los que

---

ridad, y siempre con la obligación, por parte del encomendero, de procurar y costear la instrucción cristiana de aquellos indios. Con frecuencia, los indios incardinados en la encomienda eran sometidos a una explotación casi esclavista.

[119] *Oidor:* ministro togado que en las audiencias del reino oía y sentenciaba las causas y pleitos.

[120] *Molosos:* cierta casta de perros procedente de Molosia.

[121] *Cimarrón:* se decía del esclavo que se refugiaba en los montes buscando la libertad.

vino de conquista, tomó en servidumbre su parte de la indiada, y la puso a trabajar para él, a morir para él, a sacar el oro de que estaban llenos los montes y los ríos. La reina, allá en España, dicen que era buena, y mandó a un gobernador que sacase a los indios de la esclavitud; pero los encomenderos le dieron al gobernador buen vino, y muchos regalos, y su porción en las ganancias, y fueron más que nunca los muertos, las manos cortadas, los siervos de las encomiendas, los que se echaban de cabeza al fondo de las minas. «Yo he visto traer a centenares maniatadas a estas amables criaturas, y darles muerte a todas juntas, como a las ovejas.» Fue a Cuba de cura con Diego Velázquez, y volvió de puro horror, porque antes que para hacer casas, derribaban los árboles para ponerlos de leñas a las quemazones de los taínos. En una isla donde había quinientos mil «vio con sus ojos» los indios que quedaban: once. Eran aquellos conquistadores soldados bárbaros, que no sabían los mandamientos de la ley, ¡y tomaban a los indios de esclavos, para enseñarles la doctrina cristiana, a latigazos y a mordidas! De noche, desvelado de la angustia, hablaba con su amigo Rentería, otro español de oro. ¡Al rey había que ir a pedir justicia, al rey Fernando de Aragón! Se embarcó en la galera de tres palos, y se fue a ver al rey.

Seis veces fue a España, con la fuerza de su virtud, aquel padre que «no probaba carne». Ni al rey le tenía él miedo, ni a la tempestad. Se iba a cubierta cuando el tiempo era malo; y en la bonanza se estaba el día en el puente, apuntando sus razones en papel de hilo, y dando a que le llenaran de tinta el tintero de cuero «porque la maldad no se cura sino con decirla, y hay mucha maldad que decir, y la estoy poniendo donde no me la pueda negar nadie, en latín y en castellano». Si en Madrid estaba el rey, antes que a la posada a descansar del viaje, iba al palacio. Si estaba en Viena, cuando el rey Carlos de los españoles era emperador de Alemania, se ponía un hábito nuevo, y se iba a Viena. Si era su enemigo Fonseca[122] el que

[122] Juan Rodríguez de Fonseca (1451-1524): fue el presidente del Consejo de Indias. Obispo y asesor de los Reyes Católicos, se había opuesto a finales del siglo XV a los viajes de Colón.

mandaba en la junta de abogados y clérigos que tenía el rey para las cosas de América, a su enemigo se iba a ver, y a ponerle pleito al Consejo de Indias. Si el cronista Oviedo, el de la *Natural Historia de las Indias,* había escrito de los americanos las falsedades que los que tenían las encomiendas le mandaban poner, le decía a Oviedo mentiroso, aunque le estuviera el rey pagando por escribir las mentiras. Si Sepúlveda, que era el maestro del rey Felipe, defendía en sus «conclusiones» el derecho de la Corona a repartir como siervos, y a dar muerte a los indios, porque no eran cristianos, a Sepúlveda le decía que no tenían culpa de estar sin la cristiandad los que no sabían que hubiera Cristo, ni conocían las lenguas en que de Cristo se hablaba, ni tenían más noticias de Cristo que la que les habían llevado los arcabuces. Y si el rey en persona le arrugaba las cejas, como para cortarle el discurso, crecía unas cuantas pulgadas a la vista del rey, se le ponía ronca y fuerte la voz, le temblaba en el puño el sombrero, y al rey le decía, cara a cara, que el que manda a los hombres ha de cuidar de ellos, y si no los sabe cuidar, no los puede mandar, y que lo había de oír en paz, porque él no venía con manchas de oro en el vestido blanco, ni traía más defensa que la cruz.

O hablaba, o escribía, sin descanso. Los frailes dominicanos lo ayudaban, y en el convento de los frailes se estuvo ocho años, escribiendo. Sabía religión y leyes, y autores latinos, que era cuanto en su tiempo se aprendía; pero todo lo usaba hábilmente para defender el derecho del hombre a la libertad, y el deber de los gobernantes de respetárselo. Eso era mucho decir, porque por eso quemaban entonces a los hombres. Llorente, que ha escrito la *Vida de Las Casas,* escribió también la *Historia de la Inquisición,* que era quien quemaba: el rey iba de gala a ver la quemazón, con la reina y los caballeros de la corte: delante de los condenados venían cantando los obispos, con un estandarte verde: de la hoguera salía un humo negro. Y Fonseca y Sepúlveda querían que «el clérigo» Las Casas dijese en sus disputas algún pecado contra la autoridad de la Iglesia, para que los inquisidores lo condenaran por hereje. Pero «el clérigo» le decía a Fonseca: «¡Lo que yo digo es lo que dijo en su testamento la buena reina Isabel; y tú me quieres mal y me calumnias, porque te quito el pan de sangre que comes, y acuso la encomienda de indios que tienes en América!» Y a Sepúlveda, que ya era confesor de Felipe II, le decía: «Tú eres disputador famoso, y te llaman el Livio[123] de España por tus historias; pero yo no tengo miedo al elocuente que habla contra su corazón, y que defiende la maldad, y te desafío a que me pruebes en plática abierta que los indios son malhechores y demonios, cuando son claros y buenos como la luz del día, e inofensivos y sencillos como las mariposas.» Y duró cinco días la plática con Sepúlveda. Sepúlveda empezó con desdén, y acabó turbado. El clérigo lo oía con la cabeza baja y los labios temblorosos, y se le veía hincharse la frente. En cuanto Sepúlveda se sentaba satisfecho, como el que hincó el alfiler donde quiso, se ponía el clérigo en pie, magnífico, regañón, confuso, apresurado. «¡No es verdad que los indios de México mataran cincuenta mil en sacrificios al año, sino veinte apenas, que es menos de lo que mata España en la horca!» «¡No es verdad que sean gente bárbara y de pecados horribles, porque no hay pecado suyo que no lo tengamos más los europeos; ni somos nosotros quien, con todos nuestros cañones y nuestra avaricia, para compararnos con ellos en tiernos y amigables; ni es para tratar como a fiera un pueblo que tiene virtudes, y poetas, y oficios, y gobiernos y artes!» «¡No es verdad, sino iniquidad, que el modo mejor que tenga el rey para hacerse de súbditos sea exterminarlos, ni el modo mejor de enseñar la religión a un indio sea echarlo en nombre de la religión a los trabajos de las bestias; y quitarle los hijos y lo que tiene de comer; y ponerlo a halar de la carga con la frente como los bueyes!» Y citaba versículos de la Biblia, artículos de la ley, ejemplos de la historia, párrafos de los autores latinos, todo revuelto y de gran hermosura, como caen las aguas de un torrente, arrastrando en la espuma las piedras y las alimañas del monte.

[123] Tito Livio (59 a.C.-17 d.C.): famoso escritor romano que escribió una historia de Roma de dimensiones inconmensurables: 142 libros, desde los orígenes de Roma hasta su tiempo.

Solo estuvo en la pelea; solo cuando Fernando[124], que a nada se supo atrever, ni quería descontentar a los de la conquista, que le mandaban a la corte tan buen oro; solo cuando Carlos V, que de niño lo oyó con veneración, pero lo engañaba después, cuando entró en ambiciones que requerían mucho gastar, y no estaba para ponerse por las «cosas del clérigo» en contra de los de América, que le enviaban de tributo los galeones de oro y joyas; solo cuando Felipe II, que se gastó un reino en procurarse otro, y lo dejó todo a su muerte envenenado y frío, como el agujero en que ha dormido la víbora. Si iba a ver al rey, se encontraba la antesala llena de amigos de los encomenderos, todos de seda y sombreros de plumas, con collares de oro de los indios americanos: al ministro no le podía hablar, porque tenía encomiendas él, y tenía minas, o gozaba los frutos de las que poseía en cabeza de otros. De miedo de perder el favor de la corte, no le ayudaban los mismos que no tenían en América interés. Los que más lo respetaban, por bravo, por justo, por astuto, por elocuente, no lo querían decir, o lo decían donde no los oyeran: porque los hombres suelen admirar al virtuoso mientras no los avergüenza con su virtud o les estorba las ganancias; pero en cuanto se les pone en su camino, bajan los ojos al verlo pasar, o dicen maldades de él, o dejan que otros las digan, o lo saludan a medio sombrero, y le van clavando la puñalada en la sombra. El hombre virtuoso debe ser fuerte de ánimo, y no tenerle miedo a la soledad, ni esperar a que los demás le ayuden, porque estará siempre solo: ¡pero con la alegría de obrar bien, que se parece al cielo de la mañana en la claridad!

Y como él era tan sagaz que no decía cosa que pudiera ofender al rey ni a la Inquisición, sino que pedía la bondad con los indios para bien del rey, y para que se hiciesen más de veras cristianos, no tenían los de la corte modo de negársele a las claras, sino que fingían estimarle mucho el celo, y una vez le daban el título de «Protector Universal de los Indios», con la firma de Fernando, pero sin modo de que le acatasen la autoridad de proteger; y otra, al cabo de cuarenta años de razo-

[124] El Rey Católico.

nar, le dijeron que pusiera en papel las razones por que opinaba que no debían ser esclavos los indios; y otra le dieron poder para que llevase trabajadores de España a una colonia de Cumaná[125] donde se había de ver a los indios con amor, y no halló en toda España sino cincuenta que quisieran ir a trabajar, los cuales fueron, con un vestido que tenía una cruz al pecho, pero no pudieron poner la colonia, porque el «adelantado» había ido antes que ellos con las armas, y los indios enfurecidos disparaban sus flechas de punta envenenada contra todo el que llevaba cruz. Y por fin le encargaron, como por entretenerlo, que pidiese las leyes que le parecían a él bien para los indios, «¡cuantas leyes quisiera, pues que por ley más o menos no hemos de pelear!», y él las escribía, y las mandaba el rey cumplir, pero en el barco iba la ley, y el modo de desobedecerla. El rey le daba audiencia, y hacía como que le tomaba consejo; pero luego entraba Sepúlveda, con sus pies blandos y sus ojos de zorra, a traer los recados de los que mandaban los galeones, y lo que se hacía de verdad era lo que decía Sepúlveda. Las Casas lo sabía, lo sabía bien; pero ni bajó el tono, ni se cansó de acusar, ni de llamar crimen a lo que era, ni de contar en su *Descripción* las «crueldades», para que el rey mandara al menos que no fuesen tantas, por la vergüenza de que las supiera el mundo. El nombre de los malos no lo decía, porque era noble y les tuvo compasión. Y escribía como hablaba, con la letra fuerte y desigual, llena de chispazos de tinta, como caballo que lleva de jinete a quien quiere llegar pronto, y va levantando el polvo y sacando luces de la piedra.

Fue obispo por fin, pero no de Cusco[126], que era obispado rico, sino de Chiapas, donde por lo lejos que estaba el virrey, vivían los indios en mayor esclavitud. Fue a Chiapas, a llorar con los indios; pero no sólo a llorar, porque con lágrimas y quejas no se vence a los pícaros, sino a acusarlos sin miedo, a negarles la iglesia a los españoles que no cumplían con la ley

[125] En esa ciudad venezolana creó Las Casas sus comunidades, pero fracasó estrepitosamente, debido a una importante revuelta de los indígenas contra los misioneros, que provocó muchos muertos.

[126] Capital esplendorosa del imperio inca.

nueva que mandaba poner libres a los indios, a hablar en los consejos del ayuntamiento, con discursos que eran a la vez tiernos y terribles, y dejaban a los encomenderos atrevidos como los árboles cuando ha pasado el vendaval. Pero los encomenderos podían más que él, porque tenían el gobierno de su lado; y le componían cantares en que le decían traidor y español malo; y le daban de noche músicas de cencerro, y le disparaban arcabuces a la puerta para ponerlo en temor, y le rodeaban el convento armados —todos armados, contra un viejo flaco y solo. Y hasta le salieron al camino de Ciudad Real para que no volviera a entrar en la población. Él venía a pie, con su bastón, y con dos españoles buenos, y un negro que lo quería como a padre suyo: porque es verdad que las Casas por el amor de los indios, aconsejó al principio de la conquista que se siguiese trayendo esclavos negros, que resistían mejor el calor; pero luego que los vio padecer, se golpeaba el pecho, y decía: «¡con mi sangre quisiera pagar el pecado de aquel consejo que di por mi amor a los indios!» Con su negro cariñoso venía, y los dos españoles buenos. Venía tal vez de ver cómo salvaba a la pobre india que se le abrazó a las rodillas a la puerta de su templo mexicano, loca de dolor porque los españoles le habían matado al marido de su corazón, que fue de noche a rezarles a los dioses: ¡y vio de pronto las Casas que eran indios los centinelas que los españoles le habían echado para que no entrase! ¡Él les daba a los indios su vida, y los indios venían a atacar a su salvador, porque se lo mandaban los que los azotaban! Y no se quejó, sino que dijo así: «Pues por eso, hijos míos, os tengo que defender más, porque os tienen tan martirizados que no tenéis ya valor ni para agradecer.» Y los indios, llorando, se echaron a sus pies, y le pidieron perdón. Y entró en Ciudad Real, donde los encomenderos lo esperaban, armados de arcabuz y cañón, como para ir a la guerra. Casi a escondidas tuvo que embarcarlo para España el virrey, porque los encomenderos lo querían matar. Él se fue a su convento, a pelear, a defender, a llorar, a escribir. Y murió, sin cansarse, a los noventa y dos años.

Los zapaticos de rosa

A mademoiselle Marie: José Martí

Hay sol bueno y mar de espuma,
Y arena fina, y Pilar
Quiere salir a estrenar
Su sombrerito de pluma.

«¡Vaya la niña divina!»,
Dice el padre, y le da un beso:
«Vaya mi pájaro preso
A buscarme arena fina.»

«Yo voy con mi niña hermosa»,
Le dijo la madre buena:
«¡No te manches en la arena
Los zapaticos de rosa!»

Fueron las dos al jardín
Por la calle del laurel:
La madre cogió un clavel
Y Pilar cogió un jazmín.

Ella va de todo juego,
Con aro, y balde, y paleta:
El balde es color violeta:
El arco es color de fuego.

Vienen a verlas pasar:
Nadie quiere verlas ir:
La madre se echa a reír,
Y un viejo se echa a llorar.

El aire fresco despeina
A Pilar, que viene y va
Muy oronda: «¡Di, mamá!
¿Tú sabes qué cosa es reina?»

Y por si vuelven de noche
De la orilla de la mar,
Para la madre y Pilar
Manda luego el padre el coche.

Está la playa muy linda:
Todo el mundo está en la playa:
Lleva espejuelos el aya
De la francesa Florinda.

Está Alberto, el militar
Que salió en la procesión
Con tricornio y con bastón,
Echando un bote a la mar.

¡Y qué mala, Magdalena
Con tantas cintas y lazos,
A la muñeca sin brazos
Enterrándola en la arena!

Conversan allá en las sillas,
Sentadas con los señores,
Las señoras, como flores,
Debajo de las sombrillas.

Pero está con estos modos
Tan serios, muy triste el mar:
¡Lo alegre es allá, al doblar,
En la barranca de todos!

Dicen que suenan las olas
Mejor allá en la barranca,
Y que la arena es muy blanca
Donde están las niñas solas.

Pilar corre a su mamá:
«¡Mamá, yo voy a ser buena:
Déjame ir sola a la arena:
Allá, tú me ves, allá!»

«¡Esta niña caprichosa!
No hay tarde que no me enojes:
Anda, pero no te mojes
Los zapaticos de rosa.»

Le llega a los pies la espuma:
Gritan alegres las dos:
Y se va, diciendo adiós,
La del sombrero de pluma.

¡Se va allá, donde ¡muy lejos!
Las aguas son más salobres,
Donde se sientan los pobres,
Donde se sientan los viejos!

Se fue la niña a jugar,
La espuma blanca bajó,
Y pasó el tiempo, y pasó
Un águila por el mar,

Y cuando el sol se ponía
Detrás de un monte dorado,
Un sombrerito callado
Por las arenas venía.

Trabaja mucho, trabaja
Para andar: ¿qué es lo que tiene
Pilar que anda así, que viene
Con la cabecita baja?

Bien sabe la madre hermosa
Por qué le cuesta el andar:
«¿Y los zapatos, Pilar,
Los zapaticos de rosa?»

«¡Ah, loca! ¿en dónde estarán?
¡Di dónde, Pilar!» «Señora»,
Dice una mujer que llora:
«¡Están conmigo: aquí están!

»Yo tengo una niña enferma
Que llora en el cuarto oscuro
Y la traigo al aire puro
A ver el sol, y a que duerma.

»Anoche soñó, soñó
Con el cielo, y oyó un canto:
Me dio miedo, me dio espanto,
Y la traje, y se durmió.

»Con sus dos brazos menudos
Estaba como abrazando;
Y yo mirando, mirando
Sus piececitos desnudos.

»Me llegó al cuerpo la espuma,
Alcé los ojos, y vi
Esta niña frente a mí
Con su sombrero de pluma.

"¡Se parece a los retratos
Tu niña!", dijo: "¿Es de cera?
¿Quiere jugar? ¡si quisiera!...
¿Y por qué está sin zapatos?"

"Mira: ¡la mano le abrasa,
Y tiene los pies tan fríos!
¡Oh, toma, toma los míos:
Yo tengo más en mi casa!"

»No sé bien, señora hermosa,
Lo que sucedió después:
¡Le vi a mi hijita en los pies
Los zapaticos de rosa!»

Se vio sacar los pañuelos
A una rusa y a una inglesa;
El aya de la francesa
Se quitó los espejuelos.

Abrió la madre los brazos:
Se echó Pilar en su pecho,
Y sacó el traje deshecho,
Sin adornos y sin lazos.

Todo lo quiere saber
De la enferma la señora:
¡No quiere saber que llora
De pobreza una mujer!

«¡Sí, Pilar, dáselo! ¡y eso
También! ¡tu manta! ¡tu anillo!»
Y ella le dio su bolsillo,
Le dio el clavel, le dio un beso.

Vuelven calladas de noche
A su casa del jardín:
Y Pilar va en el cojín
De la derecha del coche.

Y dice una mariposa
Que vio desde su rosal
Guardados en un cristal
Los zapaticos de rosa.

La última página

Éste es el número de *La Edad de Oro,* donde se ve lo viejo y lo nuevo del mundo, y se aprende cómo las cosas de guerra y de muerte no son tan bellas como las de trabajar: ¡a saber si el tiempo del Padre Las Casas era mejor que el de la Exposición de París! ¿Y quién es mejor: Masicas, o Pilar? Sólo que en todo lo de esta vida hay siempre un desventurado. Y el desventurado de *La Edad de Oro* es el artículo sobre la «Historia de la Cuchara, el Tenedor y el Cuchillo», que en cada número se anuncia muy orondo, como si fuera una maravilla, y luego sucede que no queda lugar para él. Lo que le está muy bien empleado, por pedante, y por andarse anunciando así. Las cosas buenas se deben hacer sin llamar al universo para que lo vea a uno pasar. Se es bueno porque sí; y porque allá adentro se siente como un gusto cuando se ha hecho un bien, o se ha dicho algo útil a los demás. Eso es mejor que ser príncipe: ser útil. Los niños debían echarse a llorar, cuando ha pasado el día sin que aprendan algo nuevo, sin que sirvan de algo.

¡Quién sabe si sirve, quién sabe, el artículo de la Exposición de París! Pero va a suceder como con la Exposición, que de grande que es no se la puede ver toda, y la primera vez se sale de allí como con chispas y joyas en la cabeza, pero luego se ve más despacio, y cada hermosura va apareciendo entera y clara entre las otras. Hay que leerlo dos veces: y leer luego cada párrafo suelto: lo que hay que leer, sobre todo, con mucho cuidado, es lo de los pabellones de nuestra América. Una pena tiene *La Edad de Oro;* y es que no pudo encontrar lámina del pabellón del Ecuador. ¡Está triste la mesa cuando falta uno de los hermanos!

Un paseo por la tierra de los anamitas

Cuentan un cuento de cuatro hindús ciegos, de allá del Indostán de Asia, que eran ciegos desde el nacer, y querían saber cómo era un elefante. «Vamos, dijo uno, adonde el elefante manso de la casa del rajá, que es príncipe generoso, y nos dejará saber cómo es.» Y a casa del príncipe se fueron, con su turbante blanco y su manto blanco; y oyeron en el camino rugir a la pantera y graznar al faisán de color de oro, que es como un pavo con dos plumas muy largas en la cola; y durmieron de noche en las ruinas de piedra de la famosa Jehanabad, donde hubo antes mucho comercio y poder; y pasaron por sobre un torrente colgándose mano a mano de una cuerda, que estaba a los dos lados levantada sobre una horquilla, como la cuerda floja en que bailan los gimnastas en los circos; y un carretero de buen corazón les dijo que se subieran en su carreta, porque su buey giboso de astas cortas era un buey bonazo, que debió ser algo así como abuelo en otra vida, y no se enojaba porque se le subieran los hombres encima, sino que miraba a los caminantes como convidándoles a entrar en el carro. Y así llegaron los cuatro ciegos al palacio del rajá, que era por fuera como un castillo, y por dentro como una caja de piedras preciosas, lleno todo de cojines y de colgaduras, y el techo bordado, y las paredes con florones de esmeraldas y zafiros, y las sillas de marfil, y el trono del rajá de marfil y de oro. «Venimos, señor rajá, a que nos deje ver con nuestras manos, que son los ojos de los pobres ciegos, cómo es de figura un elefante manso.» «Los ciegos son santos», dijo el rajá, «los hombres que desean saber son santos: los hombres deben aprenderlo todo por sí mismos, y no creer sin preguntar, ni hablar sin entender, ni pensar como esclavos lo que les mandan pensar otros: vayan los cuatro ciegos a ver con sus manos el elefante manso». Echaron a correr los cuatro, como si les hubiera vuelto de repente la vista: uno cayó de nariz sobre las gradas del trono del rajá; otro dio tan recio contra la pared que se cayó sentado, viendo si se le había ido en el coscorrón algún retazo de cabeza: los otros dos, con los brazos abiertos, se quedaron de repente abrazados. El secretario del rajá los llevó adonde el elefante manso estaba, comiéndose su ración de treinta y nueve tortas de arroz y quince de maíz, en una fuente de plata con el pie de ébano; y cada ciego se echó, cuando el secretario dijo «¡ahora!», encima del elefante, que era de los pequeños y regordetes: uno se le abrazó por una pata: el otro se le prendió a la trompa, y subía en el aire y bajaba, sin quererla soltar: el otro le sujetaba la cola: otro tenía agarrada un asa de la fuente del arroz y el maíz. «Ya sé», decía el de la pata: «el elefante es alto y redondo, como una torre que se mueve». «¡No es verdad!», decía el de la trompa: «el elefante es largo, y acaba en pico, como un embudo de carne». «¡Falso y muy falso», decía el de la cola: «el elefante es como un badajo de campana!». «Todos se equivocan, todos; el elefante es de figura de anillo, y no se mueve», decía el del asa de la fuente. Y así son los hombres, que cada uno cree que sólo lo que él piensa y ve es la verdad, y dice en verso y en prosa que no se debe creer sino lo que él cree, lo mismo que los cuatro ciegos del elefante, cuando lo que se ha de hacer es estudiar con cariño lo que los hombres han pensado y hecho, y eso da un gusto grande, que es ver que todos los hombres tienen las mismas penas, y la historia igual, y el mismo amor, y que el mundo es un templo hermoso, donde caben en paz los hombres todos de la tierra, porque todos han querido conocer la verdad, y han escrito en sus libros que es útil ser bueno, y han padecido y peleado por ser libres, libres en su tierra, libres en el pensamiento.

También, y tanto como los más bravos, pelearon, y volverán a pelear, los pobres anamitas, los que viven de pescado y arroz y se visten de seda, allá lejos, en Asia, por la orilla del mar, debajo de China. No nos parecen de cuerpo hermoso, ni nosotros les parecemos hermosos a ellos: ellos dicen que es un pecado cortarse el pelo, porque la naturaleza nos dio pelo largo, y es un presumido el que se crea más sabio que la naturaleza, así que llevan el pelo en moño, lo mismo que las mujeres: ellos dicen que el sombrero es para que dé sombra, a no ser que se le lleve como señal de mando en la casa del gobernador, que entonces puede ser casquete sin alas: de modo que el sombrero anamita es como un cucurucho, con el pico arriba, y la boca muy ancha: ellos dicen que en su tierra caliente se ha de vestir suelto y ligero, de modo que llegue al cuerpo el aire, y no tener al cuerpo preso entre lanas y casimires, que se beben los rayos del sol, y sofocan y arden: ellos dicen que el hombre no necesita ser de espaldas fuertes, por que los cambodios[127] son más altos y robustos que los anamitas, pero en la guerra los anamitas han vencido siempre a sus vecinos los cambodios; y que la mirada no debe ser azul, porque el azul engaña y abandona, como la nube del cielo y el agua del mar; y que el color no debe ser blanco, porque la tierra, que da todas las hermosuras, no es blanca, sino de los colores de bronce de los anamitas; y que los hombres no deben llevar barba, que es cosa de fieras: aunque los franceses, que son ahora los amos de Anam, responden que esto de la barba no es más que envidia, porque bien que se deja el anamita el poco bigote que tiene: ¿y en sus teatros, quién hace de rey, sino el que tiene la barba más larga? ¿y el mandarín, no sale a las tablas con bigotes de tigre? ¿y los generales, no llevan barba colorada? «¿Y para qué necesitamos tener los ojos más grandes», dicen los anamitas, «ni más juntos a la nariz?: con estos ojos de almendra que tenemos, hemos fabricado el Gran Buda de Hanoi, el dios de bronce, con cara que parece viva, y alto como una torre; hemos levantado la pagoda de Angkor[128], en un bosque de palmas, con corredores de a dos leguas, y lagos en los patios, y una casa en la pagoda para cada dios, y mil quinientas columnas, y calles de estatuas; hemos

---

[127] Naturales de Camboya.

[128] Angkor: capital del Reino de Camboya desde el siglo IX al XIV. Algunos de los monumentos conservados de aquella importante civilización son hoy en día Patrimonio de la Humanidad.

hecho, en el camino de Saigón a Cholen, la pagoda donde duermen, bajo una corona de torres caladas, los poetas que cantaron el patriotismo y el amor, los santos que vivieron entre los hombres con bondad y pureza, los héroes que pelearon por libertarnos de los cambodios, de los siameses[129] y de los chinos: y nada se parece tanto a la luz como los colores de nuestras túnicas de seda. Usamos moño, y sombrero de pico, y calzones anchos, y blusón de color, y somos amarillos, chatos, canijos y feos; pero trabajamos a la vez el bronce y la seda: y cuando los franceses nos han venido a quitar nuestro Hanoy, nuestro Hue[130], nuestras ciudades de palacios de madera, nuestros puertos llenos de casas de bambú y de barcos de junco, nuestros almacenes de pescado y arroz, todavía, con estos ojos de almendra, hemos sabido morir, miles sobre miles, para cerrarles el camino. Ahora son nuestros amos; pero mañana ¡quién sabe!».

Y se pasean callados, a paso igual y triste, sin sorprenderse de nada, aprendiendo lo que no saben, con las manos en los bolsillos de la blusa: de la blusa azul, sujeta al cuello con un botón de cristal amarillo: y por zapato llevan una suela de cordón, atada al tobillo con cintas. Ése es el traje del pescador; del que fabrica las casas de caña, con el techo de paja de arroz: del marino ligero, en su barca de dos puntas; del ebanista, que maneja la herramienta con los pies y las manos, y embute los adornos de nácar en las camas y sillas de madera preciosa; del tejedor, que con los hilos de plata y de oro borda pájaros de tres cabezas, y leones con picos y alas, y cigüeñas con ojos de hombre, y dioses de mil brazos: ése es el traje del pobre cargador, que se muere joven del cansancio de halar la djirincka, que es el coche de dos ruedas, de que va halando el anamita pobre: trota, trota como un caballo: más que el caballo anda, y más aprisa: ¡y dentro, sin pena y sin vergüenza, va un hombre sentado!: como los caballos se mueren después, del mal de correr, los pobres cargadores. Y de beber clarete y borgoña, y del mucho comer, se mueren, colorados

129 Los siameses vencieron y saquearon Angkor en 1432.
130 Hanoi y Hue son ciudades del actual Vietnam.

y gordos, los que se dejan halar en la djirincka, echándose aire con el abanico; los militares ingleses, los empleados franceses, los comerciantes chinos.

¿Y ese pueblo de hombres trotones es el que levantó las pagodas de tres pisos, con lagos en los patios, y casas para cada dios, y calles de estatuas; el que fabricó leones de porcelana y gigantes de bronce; el que tejió la seda con tanto color que centellea al sol, como una capa de brillantes? A eso llegan los pueblos que se cansan de defenderse: a halar como las bestias del carro de sus amos: y el amo va en el carro, colorado y gordo. Los anamitas están ahora cansados. A los pueblos pequeños les cuesta mucho trabajo vivir. El pueblo anamita se ha estado siempre defendiendo. Los vecinos fuertes, el chino y el siamés, lo han querido conquistar. Para defenderse del siamés, entró en amistades con el chino, que le dijo muchos amores, y lo recibió con procesiones y fuegos y fiestas en los ríos, y le llamó «querido hermano». Pero luego que entró en la tierra de Anam, lo quiso mandar como dueño, hace como dos mil años: ¡y dos mil años hace que los anamitas se están defendiendo de los chinos! Y con los franceses les sucedió así también, porque con esos modos de mando que tienen los reyes no llegan nunca los pueblos a crecer, y más allá, que es como en China, donde dicen que el rey es hijo del cielo, y creen pecado mirarlo cara a cara, aunque los reyes saben que son hombres como los demás, y pelean unos contra otros para tener más pueblos y riquezas: y los hombres mueren sin saber por qué, defendiendo a un rey o a otro. En una de esas peleas de reyes andaba por Anam un obispo francés, que hizo creer al rey vencido que Luis XVI de Francia le daría con qué pelear contra el que le quitó el mando al de Anam: y el obispo se fue a Francia con el hijo del rey, y luego vino solo, porque con la revolución que había en París no lo podía Luis XVI ayudar; juntó a los franceses que había por la India de Asia: entró en Anam; quitó el poder al rey nuevo; puso al rey de antes a mandar. Pero quien mandaba de veras eran los franceses, que querían para ellos todo lo del país, y quitaban lo de Anam para poner lo suyo, hasta que Anam vio que aquel amigo de afuera era peligroso, y valía más estar sin el amigo, y lo echó de una pelea de la tierra, que todavía sabía pelear:

sólo que los franceses vinieron luego con mucha fuerza, y con cañones en sus barcos de combate, y el anamita no se pudo defender en el mar con sus barcos de junco, que no tenían cañones; ni pudo mantener sus ciudades, porque con lanzas no se puede pelear contra balas; y por Saigón, que fue por donde entró el francés, hay poca piedra con que fabricar murallas; ni estaba el anamita acostumbrado a ese otro modo de pelear, sino a sus guerras de hombre a hombre, con espada y lanza, pecho a pecho los hombres y los caballos. Pueblo a pueblo se ha estado defendiendo un siglo entero del francés, huyéndole unas veces, otras cayéndole encima, con todo el empuje de los caballos, y despedazándole el ejército: China le mandó sus jinetes de pelea, porque tampoco quieren los chinos al extranjero en su tierra, y echarlo de Anam era como echarlo de China; pero el francés es de otro mundo, que sabe más de guerras y de modos de matar; y pueblo a pueblo, con la sangre a la cintura, le ha ido quitando el país a los anamitas.

Los anamitas se pasean, callados, a paso igual y triste, con las manos en los bolsillos de la blusa azul. Trabajan. Parecen plateros finos en todo lo que hacen, en la madera, en el nácar, en la armería, en los tejidos, en las pinturas, en los bordados, en los arados. No aran con caballo ni con buey, sino con búfalo. La tela de los vestidos la pintan a mano. Con los cuchillos de tallar labran en la madera dura pueblos enteros, con la casa al fondo, y los barcos navegando en el río, y la gente a miles en los barcos, y árboles, y faroles, y puentes, y botes de pescadores, todo tan menudo como si lo hubieran hecho con la uña. La casa es como para enanos, y tan bien hecha que parece casa de juguete, toda hecha de piezas. Las paredes, las pintan: los techos, que son de madera, los tallan con mucha labor, como las paredes de afuera: por todos los rincones hay vasos de porcelana, y los grifos de bronce con las alas abiertas, y pantallas de seda bordada, con marco de bambú. No hay casa sin su ataúd, que es allá un mueble de lujo, con los adornos de nácar: los hijos buenos le dan al padre como regalo un ataúd lujoso, y la muerte es allá como una fiesta, con su música de ruido y sus cantares de pagoda: no les parece que la vida es propiedad del hombre, sino préstamo que le hizo la Naturaleza, y morir no es más que volver a la Naturaleza de donde se vino, y en la que todo es como hermano del hombre; por lo que suele el que muere decir en su testamento que pongan un brazo o una pierna suya adonde lo puedan picar los pájaros, y devorarlo las fieras, y deshacerlo los animales invisibles que vuelan en el viento. Desde que viven en la esclavitud, van mucho los anamitas a sus pagodas, porque allí les hablan los sacerdotes de los santos del país, que no son los santos de los franceses: van mucho a los teatros, donde no les cuentan cosas de reír, sino la historia de sus generales y de sus reyes: ellos oyen, encuclillados, callados, la historia de las batallas.

Por dentro es la pagoda como una cinceladura, con encajes de madera pintada de colores alrededor de los altares; y en las columnas sus mandamientos y sus bendiciones en letras plateadas y doradas; y los santos de oro, familias enteras de santos, en el altar tallado. Delante van y vienen los sacerdotes, con sus manteos de tisú precioso, o de seda verde y azul, y el bonete de tejido de oro, uno con la flor del loto, que es la flor de su dios, por lo hermosa y lo pura, y otro cargándole el manteo al de la flor, y otros cantando: detrás van los encapuchados, que son sacerdotes menores, con músicas y banderines, coreando la oración: en el altar, con sus mitras brillantes, ven la fiesta los dioses sentados. Buda es su gran dios, que no fue dios cuando vivió de veras, sino un príncipe bueno, tan fuerte de cuerpo que mano a mano echaba por tierra a leones jóvenes, y tan hermoso que lo quería como a su corazón el que lo veía una vez, y de tanto pensamiento que no podían los doctores discutir con él, porque de niño sabía más que los doctores más sabios y viejos. Y luego se casó, y quería mucho a su mujer y a su hijo; pero una tarde que salió en su carro de perlas y plata a pasear, vio a un viejo pobre, vestido de harapos, y volvió del paseo triste: y otra tarde vio a un moribundo, y no quiso pasear más: y otra tarde vio a un muerto, y su tristeza fue ya mucha: y otra vio a un monje que pedía limosnas, y el corazón le dijo que no debía andar en carro de plata y de perlas, sino pensar en la vida, que tenía tantas penas, y vivir solo, donde se pudiera pensar, y pedir limosna para los infelices, como el monje. Tres veces le dio en su palacio la vuelta a la cama de su mujer y de su hijo, como si fuera un altar, y sollozó: y sintió como que el corazón se le moría en el pecho. Pero se fue, en lo oscuro de la noche, al monte, a pensar en la vida, que tenía tanta pena, a vivir sin deseos y sin mancha, a decir sus pensamientos a los que se los querían oír, a pedir limosna para los pobres como el monje. Y no comía, más que lo que un pájaro: y no bebía, más que para no morirse de sed: y no dormía, sino sobre la tierra de su cabaña: y no andaba, sino con los pies descalzos. Y cuando el demonio Mara le venía a hablar de la hermosura de su mujer, y de las gracias de su niño, y de la riqueza de su palacio, y de la arrogancia de mandar en su pueblo como rey, él llamaba a sus discípulos, para consagrarse otra vez ante ellos a la virtud: y el demonio Mara huía espantado. Ésas son cosas que los hombres sueñan, y llaman demonios a los consejos malos que vienen del lado feo del corazón; sólo que como el hombre se ve con cuerpo y nombre, pone nombre y cuerpo, como si fuesen personas, a todos los poderes y fuerzas que imagina: ¡y ése es poder de veras, el que viene de lo feo del corazón, y dice al hombre que viva para sus gustos más que para sus deberes, cuando la verdad es que no hay gusto mayor, no hay delicia más grande, que la vida de un hombre que cumple con su deber, que está lleno alrededor de espinas!: ¿pero qué es más bello, ni da más aromas que una rosa? Del monte volvió Buda, porque pensó, después de mucho pensar, que con vivir sin comer y beber no se hacía bien a los hombres, ni con dormir en el suelo, ni con andar descalzo, sino que estaba la salvación en conocer las cuatro verdades, que dicen que la vida es toda de dolor, y que el dolor viene de desear, y que para vivir sin dolor es necesario vivir sin deseo, y que la dulce nirvana, que es la hermosura como de luz que le da al alma el desinterés, no se logra viviendo, como loco o glotón, para los gustos de lo material, y para amontonar a fuerza de odio y humillaciones el mando y la fortuna, sino entendiendo que no se ha de vivir para la vanidad, ni se ha de querer lo de otros y guardar rencor, ni se ha de dudar de la armonía del mundo o ignorar nada de él o mortificarse con la ofensa y la envidia, ni se ha de reposar hasta que el alma sea como una luz de aurora, que llena de claridad y hermosura al mundo, y llore y padezca por todo lo triste que hay en él, y se va como médico y padre de todos los que tienen razón de dolor: es como vivir en un azul que no se acaba, con un gusto tan puro que debe ser lo que se llama gloria, y con los brazos siempre abiertos. Así vivió Buda, con su mujer y con su hijo, luego que volvió del monte. Después sus discípulos, que eran muchos, empezaron a vivir de lo que la gente les daba, porque les hablasen de las verdades de Buda, y de sus hazañas cuando era príncipe, y de cómo vivió en el monte; y el rey vio que en el nombre de Buda había poder, porque la gente miraba todo lo de Buda como cosa del cielo, tan hermoso que no podía ser hombre el que vivió y habló así. Mandó el rey juntar a los discípulos, para que pusiesen en libros la historia y los sermones y los consejos de Buda; y puso a los discípulos a sueldo, para que el pueblo viese juntos el poder del rey y el del cielo, de donde creía el pueblo que había venido al mundo Buda.

Hubo unos discípulos que hicieron lo que el rey quería, y salieron con el ejército del rey a quitarles a los países de los alrededores la libertad, con el pretexto de que les iban a enseñar las verdades de Buda, que habían venido del cielo: y hubo otros que dijeron que eso era engaño de los discípulos y robo del rey, y que la libertad de un pueblo pequeño es más necesaria al mundo que el poder de un rey ambicioso, y la mentira de los sacerdotes que sirven al rey por su dinero, y que si Buda hubiera vivido, habría dicho la verdad, que él no vino del cielo sino como vienen los hombres todos, que traen el cielo en sí mismos, y lo ven, como se ve el sol, cuando, por el cariño a los hombres y la honradez, llegan a ser como si no fuesen de carne y de hueso, sino de claridad, y al malo le tienen compasión, como a un enfermo a quien se ha de curar, y al bueno le dan fuerzas, para que no se canse de animar y de servir al mundo: ¡ése sí que es cielo, y gusto divino! Pero los discípulos que estaban con el rey pudieron más; y el rey les mandó hacer pagodas de muchas torres, donde ponían a Buda de dios en el altar, y los discípulos se mandaron hacer túnicas de seda y mantos con mucho y bonetes de picos, y a los discípulos más famosos los fueron enterrando en las pagodas, con sus estatuas sobre la sepultura, y les encendían luces de día y de noche, y la gente iba a arrodillarse delante de ellos, para que les consolaran las penas que da el mundo, y les dieran lo que deseaban tener en la tierra, y los recomendaran a Buda en la hora de morir. Miles de años han pasado, y hay miles de pagodas. Allí van los anamitas tristes, que ya no encuentran en la tierra ayuda, y la van a pedir a lo desconocido del cielo.

Y al teatro van para que no se les acabe la fuerza del corazón. ¡En el teatro no hay franceses! En el teatro les cuentan los cómicos las historias de cuando Anam era país grande, y de tanta riqueza que los vecinos lo querían conquistar; pero había muchos reyes, y cada rey quería las tierras de los otros, así que en las peleas se gastó el país, y los de afuera, los chinos, los de Siam, los franceses, se juntaban con el caído para quitar el mando al vencedor, y luego se quedaban de amos, y tenían en odio a los partidos de la pelea, para que no se juntasen contra el de afuera, como se debían juntar, y lo echaran por entrometido y alevoso, que viene como amigo, vestido de paloma, y en cuanto se ve en el país se quita las plumas, y se le ve como es, tigre ladrón. En Anam el teatro no es de lo que sucede ahora, sino la historia del país; y la guerra que el bravo An-Yang le ganó al chino Chau-Tu; y los combates de las dos mujeres, Cheng Tseh y Cheng Urh, que se vistieron de guerreras, y montaron a caballo, y fueron de generales de la gente de Anam, y echaron de sus trincheras a los chinos; y las guerras de los reyes, cuando el hermano del rey muerto quería mandar en Anam, en lugar de su sobrino, o venía el rey de lejos a quitarle la tierra al rey Hue. Los anamitas, encuclillados, oyen la historia, que no cuentan los cómicos hablando o cantando, como en los dramas o en las óperas, sino con una música de mucho ruido que no deja oír lo que dicen los cómicos, que vienen vestidos con túnicas muy ricas, bordadas de flores y pájaros que nunca se han visto, con cascos de oro muy labrados en la cabeza, y alas en la cintura, cuando son generales, y dos plumas muy largas en el casco, si son príncipes: y si son gente así, de mucho poder, no se sientan en las sillas de siempre, sino en sillas muy altas. Y cuentan, y pelean, y saludan, y conversan, y hacen que toman té, y entran por la puerta de la derecha, y salen por la puerta de la izquierda: y la música toca sin parar, con sus platillos y su timbalón y su clarín y su violinete; y es un tocar extraño, que parece de aullidos y de gritos sin arreglo y sin orden, pero se ve que tienen un tono triste cuando se habla de muerte, y otro como de ataque cuando viene un rey de ganar una batalla, y otro como de procesión de mucha alegría cuando se casa la princesa, y otro como de truenos y de ruido cuando entra, con su barba blanca, el gran sacerdote: y cada tono lo adornan los músicos como les parece bien, inventando el acompañamiento según lo van tocando, de modo que parece que es música sin regla, aunque si se pone bien el oído se ve que la regla de ellos es dejarle la idea libre al que toca, para que se entusiasme de veras con los pensamientos del drama, y ponga en la música la alegría, o la pena, o la poesía, o la furia que sienta en el corazón, sin olvidarse del tono de la música vieja, que todos los de la orquesta tienen que saber, para que haya una guía en medio del desorden de su invención, que es mucho de veras, porque el que no conoce sus tonos no oye más que los tamborazos y la algarabía; y así sucede en los teatros de Anam que a un europeo le da dolor de cabeza, y le parece odiosa, la música que al anamita que está junto a él le hace reír de gusto, o llorar de la pena, según estén los músicos contando la historia del letrado pobre que a fuerza de ingenio se fue burlando de los consejeros del rey, hasta que el consejero llegó a ser el pobre —o la otra historia triste del príncipe que se arrepintió de haber llamado al extranjero a mandar en su país, y se dejó morir de hambre a los pies de Buda, cuando no había remedio ya, y habían entrado a miles en la tierra cobarde los extranjeros ambiciosos, y mandaban en el oro y las fábricas de seda, y en el reparto de las tierras, y en el tribunal de la justicia los extranjeros, y los hijos mismos de la tierra ayudaban al extranjero a maltratar al que defendía con el corazón la libertad de la tierra: la música entonces toca bajo y despacio, y como si llorase, y como si se escondiese debajo de la tierra: y los actores, como si pasase un entierro, se cubren con las mangas del traje las caras. Y así es la música de sus dramas de historia, y de los de pelea, y de los casamientos, mientras los actores gritan y andan delante de los músicos en el escenario, y los generales se echan por la tierra, para figurar que están muertos, o pasan la pierna derecha por sobre la espalda de una silla, para decir que van a montar a caballo, o entran por entre unas cortinas el novio y la princesa, para que se sepa que se acaban de casar. Porque el teatro es un salón abierto, sin las bambalinas ni bastidores, y sin aparatos ni pinturas: sino que cuando la escena va a cambiar, sale un regidor de blusa y turbante, y se lo dice al público, o pone una mesa, que quiere decir banquete, o cuelga una lanza al fondo, que quiere decir batalla, o sopla el alcohol que trae en la boca sobre una antorcha encendida, lo que quiere decir que hay incendio. Y este de la blusa, que anda poniendo y quitando, sale y entra entre los que hacen de príncipes de seda y generales de oro, de mil años atrás, cuando los parientes del príncipe Ly-Tieng-Vuong querían darle a beber una taza de té envenenado. Allá adentro, en lo que no se ve del teatro, hay como un mostrador, con cajas de pintarse y espejos en la pared, y un rosario de barbas, de donde el que hace de loco toma la amarilla, y la colorada al que hace de fiero, y la negra al que hace de rey hermoso, y el que hace de viejo toma la barba blanca. Y se pinta la cara el que hace de gobernador, de colorado y de negro. Por encima de todo, en lo más alto de la pared, hay una estatua de Buda. Al salir del teatro, los anamitas van hablando mucho, como enojados, como si quisieran echar a correr, y parece que quieren convencer a sus amigos cobardes, y que los amenazan. De la pagoda salen callados, con la cabeza baja, con las manos en los bolsillos de la blusa azul. Y si un francés les pregunta algo en el camino, le dicen en su lengua: «No sé.» Y si un anamita les habla de algo en secreto, le dicen: «¡Quién sabe!»

Historia de la cuchara y el tenedor

¡Cuentan las cosas con tantas palabras raras, y uno no las puede entender!: como cuando le dicen ahora a uno en la Exposición de París: «Tome una *djirincka*» —*¡djirincka!*—, y ve en un momento todo lo de la Explanada: ¡pero primero le tienen que decir a uno lo que es *djirincka!* Y por eso no entiende uno las cosas: porque no entiende uno las palabras en que se las dicen. Y luego, que no se lo han de decir a uno todo de la primera vez, porque es tanto que no se lo puede entender todo, como cuando entra uno en una catedral, que de grande que es no ve uno más que los pilares y los arcos, y la luz allá arriba, que entra como jugando por los cristales; y luego, cuando uno ha estado muchas veces, ve claro en la oscuridad, y anda como por una casa conocida. Y no es que uno no quiere saber: porque la verdad es que da vergüenza ver algo y no entenderlo, y el hombre no ha de descansar hasta que no entienda todo lo que ve. La muerte es lo más difícil de entender; pero los viejos que han sido buenos dicen que ellos saben lo que es, y por eso están tranquilos, porque es como cuando va a salir el sol, y todo se pone en el mundo fresco y de unos colores hermosos. Y la vida no es difícil de entender tampoco. Cuando uno sabe para lo que sirve todo lo que da la tierra, y sabe lo que han hecho los hombres en el mundo, siente unos deseos de hacer más que ellos todavía: y eso es la vida. Porque los que se están con los brazos cruzados, sin pensar y sin trabajar, viviendo de lo que otros trabajan, ésos comen y beben como los demás hombres, pero en la verdad de la verdad, ésos no están vivos.

Los que están vivos de veras son los que nos hacen los cubiertos de comer, que parecen de plata, y no son de plata pura, sino de una mezcla de metales pobres, a la que le ponen encima con la electricidad uno como baño de plata. Esos sí que trabajan, y hay taller que hace al día cuatrocientas docenas de cubiertos, y tiene como más de mil trabajadores, y muchos son mujeres, que hacen mejor que el hombre todas las cosas de finura y elegancia. Nosotros, los hombres, somos como el león del mundo, y como el caballo de pelear, que no está contento ni se pone hermoso sino cuando huele batalla, y oye ruido de sables y cañones. La mujer no es como nosotros, sino como una flor, y hay que tratarla así, con mucho cuidado y cariño, porque si la tratan mal, se muere pronto, lo mismo que las flores. Para lo delicado tienen mujeres en esas obras de platería, para limar las piezas finas, para bordarlas como encaje, con una sierra que va cortando la plata en dibujos, como esas máquinas de labrar relojes y cestos y estantes de madera blanda. Pero para lo fuerte tienen hombres; para hervir los metales, para hacer ladrillos de ellos, para ponerlos en la máquina delgados como hoja de papel, para las máquinas de recortar en la hoja muchas cucharas y tenedores a la vez, para platearlos en la artesa, donde está la plata hecha agua, de modo que no se la ve, pero en cuanto pasa por la artesa la electricidad, se echa toda sobre la cuchara y los tenedores, que están dentro colgados en hilera de un madero, como las púas de un peine.

Y ya vamos contando la Historia de la Cuchara y el Tenedor. Antes hacían de plata pura todo lo de la mesa, y las jarras y fruteras que se hacen hoy en máquina: no más que para darle figura de jarra a un redondel de plata estaba el pobre hombre dándole con el martillo alrededor de una punta del yunque, hasta que empezaba a tener figura de jarrón, y luego lo hundía de un lado y lo iba anchando de otro, hasta que quedaba redondo de abajo y estrecho en la boca, y luego, a fuerza de mano, le iba bordando de adentro los dibujos y las flores. Ahora se hace con máquina todo eso, y de un vuelo de la rueda queda el redondel hecho un jarro hueco, y lo de mano no es más que lo último, cuando va al dibujo fino de los cinceladores. De esto se puede hablar aquí, porque donde hacen los jarros, hacen los cubiertos; y el metal, lo mismo tienen que hervirlo, y mezclarlo, y enfriarlo, y aplastarlo en láminas para hacer un jarrón que para hacer una cuchara de té. Es hermoso ver eso, y parece que está uno en las entrañas de la tierra, allá donde está el fuego como el mar, que rebosa a veces y quiere salir, que es cuando hay terremotos, y cuando echan humo y agua caliente y cenizas y lava los volcanes, como si se estuviera quemando por adentro el mundo.

Eso parece el taller de platería cuando están derritiendo el metal. En un horno se cocinan las piedras, que dan humo y se van desmoronando, y parecen cera que se derrite, y como un agua turbia. En una caldera hierven juntos el níquel, el cobre y el zinc, y luego enfrían la mezcla de los tres metales, y la cortan en barras antes que se acabe de enfriar. No se sabe qué es; pero uno ve con respeto, y como con cariño, a aquellos hombres de delantal y cachucha[131] que sacan con la pala larga de un horno a otro el metal hirviente; tienen cara de gente buena, aquellos hombres de cachucha: ya no es piedra el metal, como era cuando lo trajo el carretón, sino que lo que era piedra se ha hecho barro y ceniza con el calor del horno, y el metal está en la caldera, hirviendo con un ruido que parece susurro, como cuando se tiende la espuma por la playa, o sopla un aire de mañana en las hojas del bosque. Sin saber por qué, se calla uno, y se siente como más fuerte, en el taller de las calderas.

Y después, es como un paseo por una calle de máquinas. Todas se están moviendo a la vez. El vapor es el que las hace andar, pero no tiene cada máquina debajo la caldera del agua, que da el vapor: el vapor está allá, en lo hondo de la platería, y de allí mueve unas correas anchas, que hacen dar vueltas a las ruedas de andar, y en cuanto se mueve la rueda de andar en cada máquina, andan las demás ruedas. La primera máquina se parece a una prensa de enjugar la ropa, donde la ropa sale exprimida entre dos cilindros de goma: allí los cilindros no son de goma, sino de acero; y la barra de metal sale hecha una lámina, del grueso de un cartón: es un cartón de metal.

---

[131] *Cachucha:* especie de gorro.

Luego viene la agujereadora, que es una máquina con uno como mortero que baja y sube, como la encía de arriba cuando se come; y el mortero tiene muchas cuchillas en figura de martillo de cabeza larga y estrecha, o de una espumadera de mango fino y cabeza redonda, y cuando baja el mortero, todas las cuchillas cortan la lámina a la vez, y dejan la lámina agujereada, y el metal de cada agujero cae a un cesto debajo: y ésa es la cuchara, ése es el tenedor. Cada uno de esos pedazos de metal recortados y chatos de figura de martillo es un tenedor; cada uno de los de cabeza redonda, como una moneda muy grande, es una cuchara. ¿Que cómo se le sacan los dientes al tenedor? ¡Ah! esos recortes chatos, lo mismo que los de las cucharas, tienen que calentarse otra vez en el horno, porque si el metal no está caliente se pone tan duro que no se le puede trabajar, y para darle forma tiene que estar blando. Con unas tenazas van sacando los recortes del horno: los ponen en un molde de otra máquina que tiene un mortero de aplastar, y del golpe del mortero ya salen los recortes con figura, y se le ve al tenedor la punta larga y estrecha. Otra máquina más fina lo recorta mejor. Otra le marca los dientes, pero no sueltos ya, como están en el tenedor acabado, sino sujetos todavía. Otra máquina le recorta las uniones, y ya está el tenedor con sus dientes. Luego va a los talleres del trabajo fino. En uno le ponen el filete al mango. En otro le dan la curva, porque de las máquinas de los dientes salió chato, como una hoja de papel. En otra le liman y le redondean las esquinas. En otra lo cincelan si ha de ir adornado, o le ponen las iniciales, si lo quieren con letras. En otra lo pulen, que es cosa muy curiosa, parecida a la de las piedras de amolar[132], sólo que la máquina de pulir anda más de prisa, y la rueda es de alambres delgados como cabellos, como un cepillo que da vueltas, y muchas, como que da dos mil quinientas vueltas en un minuto. Y de allí sale el tenedor o la cuchara a la platería de veras, porque es donde le ponen el baño de la electricidad, y quedan como vestidas con traje de plata. Los cubiertos pobres, los que van a costar poco, no llevan más que un baño o dos:

[132] *Amolar:* sacar corte o punta a un arma o instrumento en la muela.

los buenos llevan tres, para que la plata les dure, aunque nunca dura tanto como la plata que se trabajaba antes con el martillo. Como las cucharas, pues: antes, para hacer una cuchara, no había máquinas de aplastar el metal, ni de sacarlo en láminas delgadas como ahora, sino que a martillazo puro tenía que irlo aplastando el platero, hasta que estaba como él lo quería, y recortaba la cuchara a fuerza de mano, y a muñeca viva le daba al mango el doblez, y para hacerle el hueco le daba golpes muy despacio, cada vez en un punto diferente, encima de un yunque que parecía de jugar, con la punta redonda, como un huevo, hasta que quedaba hueca por dentro la cuchara. Ahora la máquina hace eso. Ponen el recorte de figura de espumadera en uno como yunque, que por la cabeza, donde cae lo redondo, está vacío: de arriba baja con fuerza el mortero, que tiene por debajo un huevo de hierro, y mete lo redondo del recorte en lo hueco del yunque. Ya está la cuchara. Luego la liman, y la adornan, y la pulen como el tenedor, y la llevan al baño de plata: porque es un baño verdadero, en que la plata está en el agua, deshecha, con una mezcla que llaman cianuro de potasio —¡los nombres químicos son todos así!—: y entra en el baño la electricidad, que es un poder que no se sabe lo que es, pero da luz, y color, y movimiento, y fuerza, y cambia y descompone en un instante los metales, y a unos los separa, y a los otros los junta, como en este baño de platear que, en cuanto la electricidad entra y lo revuelve, echa toda la plata del agua sobre las cucharas y los tenedores colgados dentro de él. Los sacan chorreando. Los limpian con sal de potasa. Los tienen al calor sobre láminas de hierro caliente. Los secan bien en tinas de aserrín. Los bruñen en la máquina de cepillar, con la badana les sacan brillo. Y nos lo mandan a la casa, blancos como la luz, en su caja de terciopelo o de seda.

La muñeca negra

De puntillas, de puntillas, para no despertar a Piedad, entran en el cuarto de dormir el padre y la madre. Vienen riéndose, como dos muchachones. Vienen de la mano, como dos muchachos. El padre viene detrás, como si fuera a tropezar con todo. La madre no tropieza; porque conoce el camino. ¡Trabaja mucho el padre, para comprar todo lo de la casa, y no puede ver a su hija cuando quiere! A veces, allá en el trabajo, se ríe solo, o se pone de repente como triste, o se le ve en la cara como una luz: y es que está pensando en su hija: se le cae la pluma de la mano cuando piensa así, pero enseguida empieza a escribir, y escribe tan de prisa, tan de prisa, que es como si la pluma fuera volando. Y le hace muchos rasgos a la letra, y las oes le salen grandes como un sol y las ges largas como un sable, y las eles están debajo de la línea, como si se fueran a clavar en el papel, y las eses caen al fin de la palabra, como una hoja de palma; ¡tiene que ver lo que escribe el padre cuando ha pensado mucho en la niña! Él dice que siempre que le llega por la ventana el olor de las flores del jardín, piensa en ella. O a veces, cuando está trabajando cosas de números, o poniendo un libro sueco en español, la ve venir, venir despacio, como en una nube, y se le sienta al lado, le quita la pluma, para que repose un poco, le da un beso en la frente, le tira de la barba rubia, le esconde el tintero: es sueño no más, no más que sueño, como esos que se tienen sin dormir, en que ve unos vestidos muy bonitos, o un caballo vivo de cola muy larga, o un cochecito con cuatro chivos blancos, o una sortija con la piedra azul: sueño es no más, pero dice el padre que es como si lo hubiera visto, y que después tiene más fuerza y escribe mejor. Y la niña se va, se va despacio por el aire, que parece de luz todo: se va como una nube.

Hoy el padre no trabajó mucho, porque tuvo que ir a una tienda: ¿a qué iría el padre a una tienda?: y dicen que por la puerta de atrás entró una caja grande: ¿qué vendrá en la caja?: ¡a saber lo que vendrá!: mañana hace ocho años que nació Piedad. La criada fue al jardín y se pinchó el dedo por cierto, por querer coger, para un ramo que hizo, una flor muy hermosa. La madre a todo dice que sí, y se puso el vestido nuevo, y le abrió la jaula al canario. El cocinero está haciendo un pastel, y recortando en figura de flores los nabos y las zanahorias, y le devolvió a la lavandera el gorro, porque tenía una mancha que no se veía apenas, pero, «¡hoy, hoy, señora lavandera, el gorro ha de estar sin mancha!» Piedad no sabía, no sabía. Ella sí vio que la casa estaba como el primer día de sol, cuando se va ya la nieve, y les salen las hojas a los árboles. Todos sus juguetes se los dieron aquella noche, todos. Y el padre llegó muy temprano del trabajo, a tiempo de ver a su hija dormida. La madre lo abrazó cuando lo vio entrar: ¡y lo abrazó de veras! Mañana cumple Piedad ocho años.

* * *

El cuarto está a media luz, una luz como la de las estrellas, que viene de la lámpara de velar, con su bombillo de color de ópalo. Pero se ve, hundida en la almohada, la cabecita rubia. Por la ventana entra la brisa, y parece que juegan, las mariposas que no se ven, con el cabello dorado. Le da en el cabello la luz. Y la madre y el padre vienen andando, de puntillas. ¡Al suelo, el tocador de jugar! ¡Este padre ciego, que tropieza con todo! Pero la niña no se ha despertado. La luz le da en la mano ahora; parece una rosa la mano. A la cama no se puede llegar; porque están alrededor todos los juguetes, en mesas y sillas. En una silla está el baúl que le mandó en pascuas la abuela, lleno de almendras y de mazapanes: boca abajo está el baúl, como si lo hubieran sacudido, a ver si caía alguna almendra de un rincón, o si andaban escondidas por la cerradura algunas migajas de mazapán; ¡eso es, de seguro, que las muñecas tenían hambre! En otra silla está la loza, mucha loza y muy fina, y en cada plato una fruta pintada: un plato tiene una cereza, y otro un higo, y otro una uva: da en el plato ahora la luz, en el plato del higo, y se ven como chispas de estrella: ¿cómo habrá venido esta estrella a los platos? «¡Es azúcar!», dice el pícaro padre: «¡Eso es, de seguro!»: dice la madre, «eso es que estuvieron las muñecas golosas comiéndose el azúcar». El costurero está en otra silla, y muy abierto, como de quien ha trabajado de verdad; el dedal está machucado ¡de tanto coser!: cortó la modista mucho, porque del calicó[133] que le dio la madre no queda más que un redondel con el borde de picos, y el suelo está por allí lleno de recortes, que le salieron mal a la modista, y allí está la chambra[134] empezada a coser, con la aguja clavada, junto a una gota de sangre. Pero la sala, y el gran juego, está en el velador, al lado de la cama. El rincón, allá contra la pared, es el cuarto de dormir de las muñequitas de loza, con su cama de la madre, de colcha de flores, y al lado una muñeca de traje rosado, en una silla roja: el tocador está entre la cama y la cuna, con su muñequita de trapo, tapada hasta la nariz, y el mosquitero encima: la mesa del tocador es una cajita de cartón castaño, y el espejo es de los buenos, de los que vende la señora pobre de la dulcería, a dos por un centavo. La sala está delante del velador, y tiene en medio una mesa, con el pie hecho de un carretel de hilo, y lo de arriba de una concha de nácar, con una jarra mexicana en medio, de las que traen los muñecos aguadores de México: y alrededor unos papelitos doblados, que son los libros. El piano es de madera, con las teclas pintadas; y no tiene banqueta de tornillo, que eso es poco lujo, sino una de espaldar, hecha de la caja de una sortija, con lo de abajo forrado de azul; y la tapa cosida por un lado, para la espalda, y forrada de rosa; y encima un encaje. Hay visitas, por supuesto, y son de pelo de veras, con ropones de seda lila de cuartos blancos, y zapatos dorados: y se sientan sin doblarse, con los pies en

[133] *Calicó:* tela delgada de algodón.

[134] *Chambra:* vestidura corta, a modo de blusa con poco o ningún adorno, que usan las mujeres sobre la camisa.

el asiento: y la señora mayor, la que trae gorra color de oro, y está en el sofá, tiene su levantapiés, porque del sofá se resbala; y el levantapiés es una cajita de paja japonesa, puesta boca abajo: en un sillón blanco están sentadas juntas, con los brazos muy tiesos, dos hermanas de loza. Hay un cuadro en la sala, que tiene detrás, para que no se caiga, un pomo de olor: y es una niña de sombrero colorado, que trae en los brazos un cordero. En el pilar de la cama, del lado del velador, está una medalla de bronce, de una fiesta que hubo, con las cintas francesas: en su gran moña de los tres colores está adornando la sala el medallón, con el retrato de un francés muy hermoso, que vino de Francia a pelear porque los hombres fueran libres, y otro retrato del que inventó el pararrayos, con la cara de abuelo que tenía cuando pasó el mar para pedir a los reyes de Europa que lo ayudaran a hacer libre su tierra: ésa es la sala, y el gran juego de Piedad. Y en la almohada, durmiendo en su brazo, y con la boca desteñida de los besos, está su muñeca negra.

* * *

Los pájaros del jardín la despertaron por la mañanita. Parece que se saludan los pájaros, y la convidan a volar. Un pájaro llama, y otro pájaro responde. En la casa hay algo, porque los pájaros se ponen así cuando el cocinero anda por la cocina saliendo y entrando, con el delantal volándole por las piernas, y la olla de plata en las dos manos, oliendo a leche quemada y a vino dulce. En la casa hay algo: porque si no, ¿para qué está ahí, al pie de la cama, su vestidito nuevo, el vestidito color de perla, y la cinta lila que compraron ayer, y las medias de encaje? «Yo te digo, Leonor, que aquí pasa algo. Dímelo tú, Leonor, tú que estuviste ayer en el cuarto de mamá, cuando yo fui a paseo. ¡Mamá mala, que no te dejó ir conmigo, porque dice que te he puesto muy fea con tantos besos, y que no tienes pelo, porque te he peinado mucho! La verdad, Leonor: tú no tienes mucho pelo; pero yo te quiero así, sin pelo, Leonor: tus ojos son los que quiero yo, porque con los ojos me dices que me quieres: te quiero mucho, porque no te quieren: ¡a ver! ¡sentada aquí en mis rodillas, que te quiero peinar!: las niñas buenas se peinan en cuanto se levantan; ¡a ver, los zapatos, que ese lazo no está bien hecho!: y los dientes, déjame ver los dientes: las uñas: ¡Leonor, esas uñas no están limpias! Vamos, Leonor, dime la verdad: oye, oye a los pájaros que parece que tienen baile: dime, Leonor, ¿qué pasa en esta casa?» Y a Piedad se le cayó el peine de la mano, cuando le tenía ya una trenza hecha a Leonor, y la otra estaba toda alborotada. Lo que pasaba, allí lo veía ella. Por la puerta venía la procesión. La primera era la criada con el delantal de rizos de los días de fiesta, y la cofia de servir la mesa en los días de visita: traía el chocolate, el chocolate con crema, lo mismo que el día de Año Nuevo, y los panes dulces en una cesta de plata: luego venía la madre, con un ramo de flores blancas y azules: ¡ni una flor colorada en el ramo, ni una flor amarilla!: y luego venía la lavandera, con el gorro blanco que el cocinero no se quiso poner, y un estandarte que el cocinero le hizo, con un diario y un bastón: y decía en el estandarte, debajo de una corona de pensamientos: «¡Hoy cumple Piedad ocho años!» Y la besaron, y la vistieron con el traje color de perla, y la llevaron, con el estandarte detrás, a la sala de los libros de su padre, que tenía muy peinada su barba rubia, como si se la hubieran peinado muy despacio, y redondeándole las puntas, y poniendo cada hebra en su lugar. A cada momento se asomaba a la puerta, a ver si Piedad venía: escribía, y se ponía a silbar: abría un libro, y se quedaba mirando a un retrato, a un retrato que tenía siempre en su mesa, y era como Piedad, una Piedad de vestido largo. Y cuando oyó ruido de pasos, y un vocerrón que venía tocando música en un cucurucho de papel, ¿quién sabe lo que sacó de una caja grande?: y se fue a la puerta con una mano en la espalda: y con el otro brazo cargó a su hija. Luego dijo que sintió como que en el pecho se le abría una flor, y como que se le encendía en la cabeza un palacio, con colgaduras azules de flecos de oro, y mucha gente con alas: luego dijo todo eso, pero entonces, nada se le oyó decir. Hasta que Piedad dio un salto en sus brazos, y se le quiso subir por el hombro, porque en un espejo había visto lo que llevaba en la otra mano el padre. «¡Es como el sol el pelo, mamá, lo mismo que el sol! ¡ya la vi, ya la vi, tiene el vestido rosado! ¡dile que me la dé, mamá: si es de peto verde, de peto de terciopelo! ¡como las mías son las medias, de encaje como las mías!» Y el padre se sentó con ella en el sillón, y le puso en los brazos la muñeca de seda y porcelana. Echó a correr Piedad, como si buscase a alguien. «¿Y yo me quedo hoy en casa por mi niña», le dijo su padre, «y mi niña me deja solo?» Ella escondió la cabecita en el pecho de su padre bueno. Y en mucho, mucho tiempo, no la levantó, aunque ¡de veras! le picaba la barba.

* * *

Hubo paseo por el jardín, y almuerzo con un vino de espuma debajo de la parra, y el padre estaba muy conversador, cogiéndole a cada momento la mano a su mamá, y la madre estaba como más alta, y hablaba poco, y era como música todo lo que hablaba. Piedad le llevó al cocinero una dalia roja y se la prendió en el pecho del delantal: y a la lavandera le hizo una corona de claveles: y a la criada le llenó los bolsillos de flores de naranjo, y le puso en el pelo una flor, con sus dos hojas verdes. Y luego, con mucho cuidado, hizo un ramo de nomeolvides. «¿Para quién es ese ramo, Piedad?» «No sé, no sé para quién es», ¡quién sabe si es para alguien!» Y lo puso a la orilla de la acequia, donde corría como un cristal el agua. Un secreto le dijo a su madre, y luego le dijo: «¡Déjame ir!» Pero le dijo «caprichosa» su madre: «¿Y tu muñeca de seda, no te gusta? mírale la cara, que es muy linda: y no le has visto los ojos azules». Piedad sí se los había visto; y la tuvo sentada en la mesa después de comer, mirándola sin reírse; y la estuvo enseñando a andar en el jardín. Los ojos era lo que miraba ella: y le tocaba en el lado del corazón: «¡Pero, muñeca, háblame, háblame!» Y la muñeca de seda no le hablaba. «¿Conque no te ha gustado la muñeca que te compré, con sus medias de encaje y su cara de porcelana y su pelo fino?» «Sí, mi papá, sí me ha gustado mucho. Vamos, señora muñeca, vamos a pasear. Usted querrá coches y lacayos, y querrá dulce de castañas, señora muñeca. Vamos, vamos a pasear.» Pero en cuanto estuvo Piedad donde no la veían, dejó a la muñeca en un tronco, de cara contra el árbol. Y se sentó sola, a pensar, sin levantar la cabeza, con la cara entre las dos manecitas. De pronto echó a correr, de miedo de que se hubiese llevado el agua el ramo de nomeolvides.

* * *

«¡Pero, criada, llévame pronto!» «¿Piedad, qué es eso de criada? ¡Tú nunca le dices criada así, como para ofenderla!» «No, mamá, no: es que tengo mucho sueño: estoy muerta de sueño. Mira: me parece que es un monte la barba de papá: y el pastel de la mesa me da vueltas, vueltas alrededor, y se están riendo de mí las banderitas: y me parece que están bailando en el aire las flores de la zanahoria: estoy muerta de sueño: ¡adiós, mi madre!: mañana me levanto muy tempranito: tú, papá, me despiertas antes de salir: yo te quiero ver siempre antes de que te vayas a trabajar: ¡oh, las zanahorias! ¡estoy muerta de sueño! ¡Ay, mamá, no me mates el ramo! ¡mira, ya me mataste mi flor!» «¿Conque se enoja mi hija porque le doy un abrazo?» «¡Pégame, mi mamá! ¡papá, pégame tú! Es que tengo mucho sueño». Y Piedad salió de la sala de los libros, con la criada que le llevaba la muñeca de seda. «¡Qué de prisa va la niña, que se va a caer! ¿Quién espera a la niña?» «¡Quién sabe quién me espera!» Y no habló con la criada: no le dijo que le contase el cuento de la niña jorobadita que se volvió una flor: un juguete no más le pidió, y lo puso a los pies de la cama: y le acarició a la criada la mano, y se quedó dormida. Encendió la criada la lámpara de velar, con su bombillo de ópalo: salió de puntillas: cerró la puerta con mucho cuidado. Y en cuanto estuvo cerrada la puerta, relucieron dos ojitos en el borde de la sábana: se alzó de repente la cubierta rubia: de rodillas en la cama, le dio toda la luz a la lámpara de velar: y se echó sobre el juguete que puso a los pies, sobre la muñeca negra. La besó, la abrazó, se la apretó contra el corazón: «Ven, pobrecita, ven, que esos malos te dejaron aquí sola: tú no estás fea, no, aunque no tengas más que una trenza: la fea es ésa, la que han traído hoy, la de los ojos que no hablan: dime, Leonor, dime, ¿tú pensaste en mí?: mira el ramo que te traje, un ramo de nomeolvides, de los más lindos del jardín: ¡así, en el pecho! ¡ésta es mi muñeca linda! ¿y no has llorado? ¡te dejaron tan sola! ¡no me mires así, porque voy a llorar yo! ¡no, tú no tienes frío! ¡aquí conmigo, en mi almohada, verás cómo te calientas! ¡y me quitaron, para que no me hiciera daño, el dulce que te traía! ¡así, así, bien arropadita! ¡a ver, mi beso, antes de dormirte! ¡ahora la lámpara baja! ¡y a dormir, abrazadas las dos! ¡te quiero, porque no te quieren!»

Cuentos de elefantes

De África cuentan ahora muchas cosas extrañas, porque anda por allí la gente europea descubriendo el país, y los pueblos de Europa quieren mandar en aquella tierra rica, donde con el calor del sol crecen plantas de esencia y alimento, y otras que dan fibras de hacer telas, y hay oro y diamantes, y elefantes que son una riqueza, porque en todo el mundo se vende muy caro el marfil de sus colmillos. Cuentan muchas cosas del valor con que se defienden los negros, y de las guerras en que andan, como todos los pueblos cuando empiezan a vivir, que pelean por ver quién es más fuerte, o por quitar a su vecino lo que quieren tener ellos. En estas guerras quedan de esclavos los prisioneros que tomó en la pelea el vencedor, que los vende a los moros infames que andan por allá buscando prisioneros que comprar, y luego los venden en las tierras moras. De Europa van a África hombres buenos, que no quieren que haya en el mundo estas ventas de hombres; y otros van por el ansia de saber, y viven años entre las tribus bravas, hasta que encuentran una yerba rara, o un pájaro que nunca se ha visto, o el lago de donde nace un río: y otros van de tropa, a sueldo del Khedive[135] que manda en Egipto, a ver cómo echan de la tierra a un peleador famoso que llaman el Mahdí[136],

[135] *Khedive:* gobernador que mandó en Egipto desde 1867 a 1914, haciendo las veces del rey.

[136] *Mahdí:* título genérico que significa «el bien dirigido» y que designa entre los musulmanes a un Mesías esperado para imponer el Islam, la justicia y la fraternidad. Tal creencia, ajena a la doctrina de Mahoma, es rechazada por

y dice que él debe gobernar, porque él es moro libre y amigo de los pobres, no como el Khedive, que manda como criado del Sultán turco extranjero, y alquila peleadores cristianos para pelear contra el moro del país, y quitar la tierra a los negros sudaneses. En esas guerras dicen que murió un inglés muy valiente, aquel «Gordon el chino», que no era chino, sino muy blanco y de ojos muy azules, pero tenía el apodo de chino, porque en China hizo muchas heroicidades, y aquietó a la gente revuelta con el cariño más que con el poder; que fue lo que hizo en el Sudán, donde vivía solo entre los negros del país, como su gobernador, y se les ponía delante a regañarlos como a hijos, sin más armas que sus ojos azules, cuando lo atacaban con las lanzas y las azagayas[137], o se echaba a llorar de piedad por los negros cuando en la soledad de la noche los veía de lejos hacerse señas, para juntarse en el monte, a ver cómo atacarían a los hombres blancos. El Mahdí pudo más que él, y dicen que Gordon ha muerto, o lo tiene preso el Mahdí. Mucha gente anda por África. Hay un Chaillu[138] que escribió un libro sobre el mono gorila que anda en dos pies, y pelea a palos con los viajeros que le quisieran cazar. Livingstone[139] viajó sin miedo por lo más salvaje de África, con su

---

los musulmanes *sunníes,* pero ocupa un lugar importante entre los *chiíes,* que lo identifican con el «imán oculto», miembro de la familia de Alí. En momentos de crisis, esta creencia ha sido aprovechada por fanáticos con ambición de poder que han obtenido el apoyo de masas fervorosas. Así, por ejemplo, Ubaid Allah a principios del siglo X (el fundador de la dinastía fatimí); o Ibn Tumart en el siglo XII (fundador de la dinastía almohade); o, el más conocido, Mohammed Ahmed (1844-1885). Encabezó la rebelión del Sudán contra la penetración colonial británica desde Egipto en 1881, como «guerra santa» del Islam. Sitió y capturó Jartum en 1885, dando muerte al general Gordon y a toda su guarnición. Los *derviches,* seguidores del *Mahdí,* llegaron a controlar todo el Sudán excepto los puertos del mar Rojo; los británicos no recuperaron el país hasta 1898, cuando Kitchener derrotó al sucesor del *Mahdí* (el califa Abdullah el Taashi) y ordenó destruir la tumba del *Mahdí* como símbolo de su venganza.

[137] *Azagaya:* lanza corta arrojadiza, especie de dardo o venablo.

[138] Pablo Bellón de Chaillu: explorador francés del siglo XIX que recorrió Laponia, Suecia, Finlandia y África, enriqueciendo con sus descubrimientos los conocimientos geográficos y naturalistas.

[139] David Livingstone (1813-1873): explorador y misionero escocés, descubridor de las cataratas Victoria y el lago Nyasa.

mujer. Stanley[140] está allá ahora, viendo cómo comercia, y salva del Mahdí al gobernador Emin Pachá. Muchos alemanes y franceses andan allá explorando, descubriendo tierras, tratando y cambiando con los negros, y viendo cómo les quitan el comercio a los moros. Con los colmillos del elefante es con lo que comercian más, porque el marfil es raro y fino, y se paga muy caro por él. Ese de África es colmillo vivo; pero por Siberia sacan de los hielos colmillos del mamut, que fue el elefante peludo, grande como una loma, que ha estado en la nieve, en pie, cincuenta mil años. Y un inglés, Logan, dice que no son cincuenta mil, sino que esas capas de hielo se fueron echando sobre la tierra como un millón de años hace, y que desde entonces, desde hace un millón de años, están enterrados en la nieve dura los elefantes peludos.

Allí se estuvieron en los hielos duros de Siberia, hasta que un día iba un pescador por la orilla del río Lena, donde de un lado es de arena la orilla, y de otro es de capas de hielo, echadas una encima de otra como las hojas de un pastel, y tan perfectas que parecen cosa de hombre esas leguas de capas. Y el pescador iba cantando un cantar, en su vestido de piel, asombrado de la mucha luz, como si estuviese de fiesta en el aire un sol joven. El aire chispeaba. Se oían estallidos, como en el bosque nuevo cuando se abre una flor. De las lomas corría, brillante y pura, un agua nunca vista. Era que se estaban deshaciendo los hielos. Y allí, delante del pobre Shumarkoff, salían del monte helado los colmillos, gruesos como troncos de árboles, de un animal velludo, enorme, negro. Como vivo estaba, y en el hielo transparente se le veía el cuerpo asombroso. Cinco años tardó el hielo en derretirse alrededor de él, hasta que todo se deshizo, y el elefante cayó rodando a la orilla, con ruido de trueno. Con otros pescadores vino Shumarkoff a llevarse los colmillos, de tres varas de largo. Y los perros hambrientos le comieron la carne, que estaba fresca todavía, y blanda como carne nueva: de noche, en la oscuridad, de

---

[140] Henry Morton Stanley (1841-1904): explorador británico que protagonizó en África un conocidísimo encuentro con Livingstone y escribió varios libros sobre sus expediciones.

cien perros a la vez se oía el roer de los dientes, el gruñido de gusto, el ruido de las lenguas. Veinte hombres a la vez no podían levantar la piel crinuda, en la que era de a vara cada crin. Y nadie ha de decir que no es verdad, porque en el museo de San Petersburgo están todos los huesos, menos uno que se perdió; y un puñado de la lana amarillosa que tenía sobre el cuello. De entonces a acá, los pescadores de Siberia han sacado de los hielos como dos mil colmillos de mamut.

A miles parece que andaban los mamuts, como en pueblos, cuando los hielos se despeñaron sobre la tierra salvaje, hace miles de años; y como en pueblos andan ahora, defendiéndose de los tigres y de los cazadores por los bosques de Asia y de África; pero ya no son velludos, como los de Siberia, sino que apenas tienen pelos por los rincones de su piel blanda y arrugada, que da miedo de veras, por la mucha fealdad, cuando lo cierto es que con el elefante sucede como con las gentes del mundo, que porque tienen hermosura de cara y de cuerpo las cree uno de alma hermosa, sin ver que eso es como los jarrones finos, que no tienen nada dentro, y una vez pueden tener olores preciosos, y otras peste, y otras polvo. Con el elefante no hay que jugar, porque en la hora en que se le enoja la dignidad, o le ofenden la mujer o el hijo, o el viejo, o el compañero, sacude la trompa como un azote, y de un latigazo echa por tierra al hombre más fuerte, o rompe un poste en astillas, o deja un árbol temblando. Tremendo es el elefante enfurecido, y por manso que sea en sus prisiones, siempre le llega, cuando calienta el sol mucho en abril, o cuando se cansa de su cadena, su hora de furor. Pero los que conocen bien al animal dicen que sabe de arrepentimiento y de ternura, como un cuento que trae un libro viejo que publicaron, allá al principiar este siglo, los sabios de Francia, donde está lo que hizo un elefante que mató a su cuidador, que allá llaman cornac, porque le había lastimado con el arpón la trompa; y cuando la mujer del cornac se le arrodilló desesperada delante con su hijito, y le rogó que los matase a ellos también, no los mató, sino que con la trompa le quitó el niño a la madre, y se lo puso sobre el cuello, que es donde los cornacs se sientan, y nunca permitió que lo montase más cornac que aquél.

La trompa es lo que más cuida de todo su cuerpo recio el elefante, porque con ella come y bebe, y acaricia y respira, y se quita de encima los animales que le estorban, y se baña. Cuando nada, ¡y muy bien que nadan los elefantes!, no se le ve el cuerpo, porque está en el agua todo, sino la punta de la trompa, con los dos agujeros en que acaban las dos canales que atraviesan la trompa a lo largo, y llegan por arriba a la misma nariz, que tiene como dos tapaderas, que abre y cierra según quiera recibir el aire, o cerrarle el camino a lo que en las canales pueda estar. Nadie diga que no es verdad, porque hay quien se ha puesto a contarlos: como cuarenta mil músculos, tiene la trompa del elefante, la «proboscis», como dice la gente de libros: toda es de músculos, entretejidos como una red: unos están a la larga, de la nariz a la punta, y son para mover la trompa a donde el elefante quiere, y encogerla, enroscarla, subirla, bajarla, tenderla: otros son a lo ancho, y van de las canales a la piel, como los rayos de una rueda van del eje a la llanta: ésos son para apretar las canales o ensancharlas. ¿Qué no hace el elefante con su trompa? La yerba más fina la arranca del suelo. De la mano de un niño recoge un cacahuete. Se llena la trompa de agua, y la echa sobre la parte de su cuerpo en que siente calor. Los elefantes enseñados se quitan y se ponen la carga con la trompa. Un hilo levantan del suelo, y como un hilo levantan a un hombre. No hay más modo de acobardar a un elefante enfurecido que herirle de veras en la trompa. Cuando pelea con el tigre, que casi siempre lo vence, lo echa arriba y abajo con los colmillos, y hace por atravesarlo; pero la trompa la lleva en el aire. Del olor del tigre no más, brama con espanto el elefante: las ratas le dan miedo: le tiene asco y horror al cochino. ¡A cuánto cochino ve, trompazo! Lo que le gusta es el vino bueno, y el arrak, que es el ron de la India, tanto que los cornacs le conocen el apetito, y cuando quieren que trabaje más de lo de costumbre, le enseñan una botella de arrak, que él destapa con la trompa luego, y bebe a sorbo tendido; sólo que el cornac tiene que andar con cuidado, y no hacerle esperar la botella mucho, porque le puede suceder lo que al pintor francés que, para pintar a un elefante mejor, le dijo a su criado que se lo entretuviese con la cabeza alta tirándole frutas a la trompa, pero el criado se divertía haciendo como que echaba al aire fruta sin tirarla de veras, hasta que el elefante se enojó, y se le fue encima a trompazos al pintor, que se levantó del suelo medio muerto, y todo lleno de pinturas. Es bueno el elefante de naturaleza, y se deja domar del hombre, que lo tiene de bestia de carga, y va sobre él, sentado en un camarín de colgaduras, a pelear en las guerras de Asia, o a cazar el tigre, como desde una torre segura. Los príncipes del Indostán van a sus viajes en elefantes cubiertos de terciopelos de mucho bordado y pedrería, y cuando viene de Inglaterra otro príncipe, lo pasean por las calles en el camarín de paño de oro que va meciéndose sobre el lomo de los elefantes dóciles, y el pueblo pone en los balcones sus tapices ricos, y llena las calles de hojas de rosa.

En Siam no es sólo cariño lo que le tienen al elefante, sino adoración, cuando es de piel clara, que allá creen divina, porque la religión siamesa les enseña que Buda vive en todas partes, y en todos los seres, y unas veces en unos y otras en otros, y como no hay vivo de más cuerpo que el elefante, ni color que haga pensar más en la pureza que lo blanco, al elefante blanco adoran, como si en él hubiera más de Buda que en los demás seres vivos. Le tienen palacio, y sale a la calle entre hileras de sacerdotes, y le dan las yerbas más finas y el mejor arrak, y el palacio se lo tienen pintado como un bosque, para que no sufra tanto de su prisión, y cuando el rey lo va a ver es fiesta en el país, porque creen que el elefante es dios mismo, que va a decir al rey el buen modo de gobernar. Y cuando el rey quiere regalar a un extranjero algo de mucho valor, manda hacer una caja de oro puro, sin liga de otro metal, con brillantes alrededor, y dentro pone, como una reliquia, recortes de pelo del elefante blanco. En África no los miran los pueblos del país como dioses, sino que les ponen trampas en el bosque, y se les echan encima en cuanto los ven caer, para alimentarse de la carne, que es fina y jugosa: o los cazan por engaño, porque tienen enseñadas a las hembras, que vuelven al corral por el amor de los hijos, y donde saben que anda una manada de elefantes libres les echan a las hembras a buscarlos, y la manada viene sin desconfianza detrás de las madres que vuelven adonde sus hijuelos: y allí los cazadores los enlazan, y los van domando con el cariño y la voz, hasta que los tienen ya quietos, y los matan para llevarse los colmillos.

Partidas enteras de gente europea están por África cazando elefantes; y ahora cuentan los libros de una gran cacería, donde eran muchos los cazadores. Cuentan que iban sentados a la mujeriega en sus sillas de montar, hablando de la guerra que hacen en el bosque las serpientes al león, y de una mosca venenosa que le chupa la piel a los bueyes hasta que se la seca y los mata, y de lo lejos que saben tirar la azagaya y la flecha los cazadores africanos; y en eso estaban, y en calcular cuándo llegarían a las tierras de Tippu Tib[141], que siempre tiene muchos colmillos que vender, cuando salieron de pronto a un claro de esos que hay en África en medio de los bosques, y vieron una manada de elefantes allá al fondo del claro, unos durmiendo de pie, contra los troncos de los árboles, otros paseando juntos y meciendo el cuerpo de un lado a otro, otros echados sobre la yerba, con las patas de atrás estiradas. Les cayeron encima todas las balas de los cazadores. Los echados se levantaron de un impulso. Se juntaron las parejas. Los dormidos vinieron trotando donde estaban los demás. Al pasar junto a la poza, se llenaban de un sorbo de trompa. Gruñían y tanteaban el aire con la trompa. Todos se pusieron alrededor de su jefe. Y la caza fue larga; los negros les tiraban lanzas y azagayas y flechas: los europeos escondidos en los yerbales, les disparaban de cerca los fusiles: las hembras huían, despedazando los cañaverales como si fueran yerbas de hilo: los elefantes huían de espaldas, defendiéndose con los colmillos cuando les venía encima un cazador. El más bravo le vino a un cazador encima, a un cazador que era casi un niño, y estaba solo atrás, porque cada uno había ido siguiendo a su elefante. Muy colmilludo era el bravo, y venía feroz. El cazador se subió a un árbol, sin que lo viese el elefante, pero él lo olió enseguida y vino mugiendo, alzó la trompa como para sacar de la rama al hombre, con la trompa rodeó el tronco, y lo sacudió como si fuera un rosal: no lo pudo arrancar, y se echó

[141] Tippu Tib: su nombre verdadero era Muhammad bin Hamad, comerciante árabe de Zanzíbar, que gobernó en parte de lo que hoy es la República Democrática del Congo, entre 1860 y principios de los 90.

de ancas contra el tronco. El cazador, que ya estaba al caerse, disparó su fusil, y lo hirió en la raíz de la trompa. Temblaba el aire, dicen, de los mugidos terribles, y deshacía el elefante el cañaveral con las pisadas, y sacudía los árboles jóvenes, hasta que de un impulso vino contra el del cazador, y lo echó abajo. ¡Abajo el cazador, sin tronco a que sujetarse! Cayó sobre las patas de atrás del elefante, y se le agarró, en el miedo de la muerte, de una pata de atrás. Sacudírselo no podía el animal rabioso, porque la coyuntura de la rodilla la tiene el elefante tan cerca del pie que apenas le sirve para doblarla. ¿Y cómo se salva de allí el cazador? Corre bramando el elefante. Se sacude la pata contra el tronco más fuerte, sin que el cazador se le ruede, porque se le corre adentro y no hace más que magullarle las manos. ¡Pero se caerá por fin, y de una colmillada va a morir el cazador! Saca su cuchillo, y se lo clava en la pata. La sangre corre a chorros, y el animal enfurecido, aplastando el matorral, va al río, al río de agua que cura. Y se llena la trompa muchas veces, y la vacía sobre la herida, la echa con fuerza que lo aturde, sobre el cazador. Ya va a entrar más a lo hondo el elefante. El cazador le dispara las cinco balas de su revólver en el vientre, y corre, por si se puede salvar, a un árbol cercano, mientras el elefante, con la trompa colgando, sale a la orilla, y se derrumba.

Los dos ruiseñores

(Versión libre de un cuento de Andersen)[142]

En China vive la gente en millones, como si fuera una familia que no acabase de crecer, y no se gobiernan por sí, como hacen los pueblos de hombres, sino que tienen de gobernante a un emperador, y creen que es hijo del cielo, porque nunca lo ven sino como si fuera el sol, con mucha luz por junto a él, y de oro el palanquín[143] en que lo llevan, y los vestidos de oro. Pero los chinos están contentos con su emperador, que es un chino como ellos. ¡Lo triste es que el emperador venga de afuera, dicen los chinos, y nos coma nuestra

[142] Hans Christian Andersen (1805-1875): escritor danés. Tras la muerte de su padre en 1816, y las nuevas nupcias de su madre en 1819, se marcha solo y casi sin recursos a probar suerte en Copenhague. Al principio su aventura fracasa pero, en 1822, gracias al interés del director de teatro Jonas Collin, obtiene una beca que le permite seguir sus estudios de forma regular. Superado el bachiller, a partir de 1830 comienza a publicar sus primeros relatos. Su joven reputación y la ayuda de Jonas Collin le proporcionan una beca de viaje. Entre 1833 y 1834 visita Francia e Italia. En 1835, ya en su país, Andersen publica el primer fascículo de los *Cuentos contados a los niños*. Esta colección obtiene un gran éxito y va a ser continuada casi cada año (con obras como «La sirenita», «La pequeña vendedora de fósforos», «Pulgarcita», «El Patito Feo», «La Reina de las Nieves»). Una vez alcanzado el éxito, Andersen va a repartir su tiempo entre los viajes y las estancias en casa de amigos influyentes. Andersen también escribe relatos de viajes *(Reflejo de un viaje a Harz,* 1831), piezas de teatro *(El amor en la Torre de San Nicolás),* poemas *(Fantasías y esbozos,* 1831) y novelas *(El improvisador,* 1835; *Las dos baronesas,* 1848).

[143] *Palanquín:* especie de andas usadas en Oriente para llevar en ellas a las personas importantes.

comida, y nos mande matar porque queremos pensar y comer, y nos trate como a sus perros y como a sus lacayos! Y muy galán que era aquel emperador del cuento, que se metía de noche la barba larga en una bolsa de seda azul, para que no lo conocieran, y se iba por las casas de los chinos pobres, repartiendo sacos de arroz y pescado seco, y hablando con los viejos y los niños, y leyendo, en aquellos libros que empiezan por la última página, lo que Confucio[144] dijo de los perezosos, que eran peor que el veneno de las culebras, y lo que dijo de los que aprenden de memoria sin preguntar por qué, que no son leones con alas de paloma, como debe el hombre ser, sino lechones flacos, con la cola de tirabuzón y las orejas caídas, que van donde el porquero les dice que vayan, comiendo y gruñendo. Y abrió escuelas de pintura, y de bordados, y de tallar la madera; y mandó poner preso al que gastase mucho en sus vestidos, y daba fiestas donde se entraba sin pagar, a oír las historias de las batallas y los cuentos hermosos de los poetas; y a los viejecitos los saludaba siempre como si fuesen padres suyos; y cuando los tártaros bravos entraron en China y quisieron mandar en la tierra, salió montado a caballo de su palacio de porcelana blanca y azul, y hasta que no echó al último tártaro de su tierra, no se bajó de la silla. Comía a caballo: bebía a caballo su vino de arroz: a caballo dormía. Y man-

[144] Confucio (551-479 a.C.): su época se caracterizó por el paso de una religiosidad de carácter mágico a una religiosidad racional. Confucio, que en realidad se llamaba K'ung Ch'iu, fue un sabio que predicó que la virtud moral y una sociedad ética son más eficaces que la magia para lograr el bienestar humano. Sus enseñanzas no pretendieron fundar una religión sino una forma de vida. Para Confucio, solo el hombre noble (en términos morales) debe ser gobernante y si un príncipe no se ajusta a este ideal, debe rodearse de consejeros virtuosos. La acción del hombre noble en el estado y en la sociedad se expresa por su moral, su amor y obediencia filial, que deben ser adquiridas mediante la práctica constante. Confucio dio mucha importancia al cumplimiento de los ritos de reverencia a los ancestros y al Cielo porque son la expresión de una actitud virtuosa. El confucianismo presenta una antigüedad idealizada, porque dice que en la época de los emperadores primitivos (Yao y Shun), los soberanos entregaron el control del imperio a los más dignos y respetuosos de los ritos sagrados. Para Confucio, un hombre muestra su valor practicando la virtud, la rectitud, el amor, la humanidad, la generosidad y el respeto a los padres y ancestros. Asimismo, es muy importante el aprendizaje constante y la autosuperación a través de la educación.

dó por los pueblos unos pregoneros con trompetas muy largas, y detrás unos clérigos vestidos de blanco que iban diciendo así: «¡Cuando no hay libertad en la tierra, todo el mundo debe salir a buscarla a caballo!» Y por todo eso querían mucho los chinos a aquel emperador galán, aunque cuentan que eran muchas las golondrinas que dejaba sin nido, porque le gustaba mucho la sopa de nidos: y que una vez que otra se ponía a conversar con un frasco de vino de arroz: y lo encontraban tendido en la estera, con la barba revuelta en el suelo, y el vestido lleno de manchas. Esos días no salían las mujeres a la calle, y los hombres iban a su quehacer con la cabeza baja, como si les diera vergüenza ver el sol. Pero eso no sucedía muchas veces, sino cuando se ponía triste porque los hombres no se querían bien ni hablaban la verdad: lo de siempre era la alegría, y la música, y el baile, y los versos, y el hablar de valor y de las estrellas: y así pasaba la vida del emperador, en su palacio de porcelana blanco y azul.

Hermosísimo era el palacio, y la porcelana hecha de la pasta molida del mejor polvo kaolín[145], que da una porcelana que parece luz, y suena como la música, y hace pensar en la aurora, y en cuando empieza a caer la tarde. En los jardines había naranjos enanos, con más naranjas que hojas; y peceras con peces de amarillo y carmín, con cinto de oro; y unos rosales con rosas rojas y negras, que tenían cada una su campanilla de plata, y daban a la vez música y olor. Y allá al fondo había un bosque muy grande y hermoso, que daba al mar azul, y en un árbol de los del bosque vivía un ruiseñor, que les cantaba a los pobres pescadores canciones tan lindas, que se olvidaban de ir a pescar; y se les veía sonreír del gusto, o llorar de contento, y abrir los brazos, y tirar besos al aire, como si estuviesen locos. «¡Es mejor el vino de la canción que el vino de arroz!», decían los pescadores. Y las mujeres estaban contentas, porque cuando el ruiseñor cantaba, sus maridos y sus hijos no bebían tanto vino de arroz. Y se olvidaban del

[145] *Kaolín* (o caolín): deriva del nombre de la ciudad china Kao-Ling, en China suroriental, de donde se extrae un mineral que sirve para producir una excelente porcelana.

canto los pescadores cuando no lo oían; pero en cuanto lo volvían a oír, decían, abrazándose como hermanos: «¡Qué hermoso es el canto del ruiseñor!»

Venían de afuera muchos viajeros a ver el país: y luego escribían libros de muchas hojas, en que contaban la hermosura del palacio y el jardín, y lo de los naranjos, y lo de los peces, y lo de las rosas roji-negras; pero todos los libros decían que el ruiseñor era lo más maravilloso: y los poetas escribían versos al ruiseñor que vivía en un árbol del bosque, y cantaba a los pobres pescadores los cantos que les alegraban el corazón: hasta que el emperador vio los libros, y del contento que tenía le dio con el dedo tres vueltas a la punta de la barba, porque era mucho lo que celebraban su palacio y su jardín; pero cuando llegó a donde hablaban del ruiseñor: «¿Qué ruiseñor es éste», dijo, «que yo nunca he oído hablar de él? ¡Parece que en los libros se aprende algo! ¡Y esta gente de mi palacio de porcelana, que me dice todos los días que yo no tengo nada que aprender! ¡Venga ahora mismo el mandarín mayor!» Y vino, saludando hasta el suelo, el mandarín mayor, con su túnica de seda azul celeste, de florones de oro. «¡Puh! ¡puh!» contestaba el mandarín hinchando la cabeza, a todos los que le hablaban. Pero el emperador no le decía ni «¡puh!» ni «¡puh!»; sino que se echaba a sus pies, con la frente en la estera, esperando, temblando, hasta que le decía «¡levántate!» el emperador.

—¡Levántate! ¿Qué pájaro es este de que habla este libro, que dicen que es lo más hermoso de todo mi país?

—Nunca he oído hablar de él, nunca —dijo el mandarín, arrodillándose en el aire, y con los brazos cruzados—: no ha sido presentado en palacio.

—¡Pues en palacio ha de estar esta noche! ¿Que el mundo entero sabe mejor que yo lo que tengo en mi casa?

—Nunca he oído hablar de él, nunca —dijo el mandarín: dio tres vueltas redondas, con los brazos abiertos, se echó a los pies del emperador, con la frente en la estera, y salió de espaldas, con los brazos cruzados, y arrodillándose en el aire.

Y el mandarín empezó a preguntar a todo el palacio por el pájaro. Y el emperador mandaba a cada media hora a buscar al mandarín.

—Si esta noche no está aquí el pájaro, mandarín, sobre las cabezas de los mandarines he de pasear esta noche.

—¡Tsing-pé! ¡Tsing-pé! —salió diciendo el mandarín mayor, que iba dando vueltas, con los brazos abiertos, escaleras abajo. Y los mandarines todos se echaron a buscar al pájaro, para que no pasease a la noche sobre sus cabezas el emperador. Hasta que fueron a la cocina del palacio, donde estaban guisando pescado en salsa dulce, e inflando bollos de maíz, y pintando letras coloradas en los pasteles de carne: y allí les dijo una cocinerita, de color de aceituna y de ojos de almendra, que ella conocía el pájaro muy bien, porque de noche iba por el camino del bosque a llevar las sobras de la mesa a su madre que vivía junto al mar, y cuando se cansaba al volver, debajo del árbol del ruiseñor descansaba, y era como si le conversasen las estrellas cuando cantaba el ruiseñor, y como si su madre le estuviera dando un beso.

—¡Oh, virgen china! —le dijo el mandarín—: ¡digna y piadosa virgen!: en la cocina tendrás siempre empleo, y te concederé el privilegio de ver comer al emperador, si me llevas adonde el ruiseñor canta en el árbol, porque lo tengo que traer a palacio esta noche.

Y detrás de la cocinerita se pusieron a correr los mandarines, con las túnicas de seda cogidas por delante, y la cola del pelo bailándoles por la espalda: y se les iban cayendo los sombreros picudos. Bramó una vaca, y dijo un mandarincito joven: «¡Oh, que robusta voz! ¡qué pájaro magnífico!» «Es una vaca que brama», dijo la cocinerita. Graznó una rana, y dijo el mandarincito: «¡Oh, qué hermosa canción, que suena con las campanillas!» «Es una rana que grazna», dijo la cocinerita. Y entonces rompió a cantar de veras el ruiseñor.

—¡Ése, ése es! —dijo la cocinerita, y les enseñó un pajarito, que cantaba en una rama.

—¡Ése! —dijo el mandarín mayor—: nunca creí que fuera una persona tan diminuta y sencilla: ¡nunca lo creí! O será, mandarines amigos ¡sí, debe ser! que al verse por primera vez frente a nosotros los mandarines, ha cambiado de color.

—¡Lindo ruiseñor! —decía la cocinerita—: el emperador desea oírte cantar esta noche.

—Y yo quiero cantar —le contestó el ruiseñor, soltando al aire un ramillete de arpegios.

—¡Suena como las campanillas, como las campanillas de plata! —dijo el mandarincito.

—¡Lindo ruiseñor! A palacio tienes que venir, porque en palacio es donde está el emperador.

—A palacio iré, iré —cantó el ruiseñor, con un canto como un suspiro—: ¡pero mi canto suena mejor en los árboles del bosque!

El emperador mandó poner el palacio de lujo: y resplandecían con la luz de los faroles de seda y de papel los suelos y las paredes; las rosas roji-negras estaban en los corredores y los atrios, y resonaban sin cesar, entre el bullicio del gentío, las campanillas: en el centro mismo de la sala, donde se le veía más, estaba un peral de oro, para que el ruiseñor cantase en él: y a la cocinerita le dieron permiso para que se quedase en la puerta. La corte estaba de etiqueta mayor, con siete túnicas y la cabeza acabada de rapar. Y el ruiseñor cantó tan dulcemente que le corrían en hilo las lágrimas al emperador: y los mandarines, de veras, lloraban: y el emperador quiso que le pusieran al ruiseñor al cuello su chinela[146] de oro: pero el ruiseñor metió el pico en la pluma del pecho, y dijo «gracias» en un trino tan rico y vigoroso, que el emperador no lo mandó matar porque no había querido colgarse la chinela. Y en su canto decía el ruiseñor: «No necesito la chinela de oro, ni el botón colorado, ni el birrete negro, porque ya tengo el premio más grande, que es hacer llorar a un emperador.»

Aquella noche, en cuanto llegaron a sus casas, todas las damas tomaron sorbos de agua, y se pusieron a hacer gárgaras y gorgoritos, y ya se creían muy finos ruiseñores. Y la gente de establo y cocina decía que estaba bien, lo que es mucho decir, porque ésa es gente que lo halla mal todo. Y el ruiseñor tenía su caja real, con permiso para volar dos veces al día, y una en

---

[146] *Chinela:* especie de chapín que usaban las mujeres sobre el calzado en tiempo de lodos. En este caso, se trata más bien de un cobertor para el cuello del pájaro.

la noche. Doce criados de túnica amarilla lo sujetaban cuando salía a volar, por doce hilos de seda. En la ciudad no se hablaba más que del canto, y en cuanto uno decía «rui...» el otro decía «... señor». Y llamaban «ruiseñor» a los niños que nacían, pero ninguno cantó nunca una nota.

Un día recibió el emperador un paquete, que decía «El Ruiseñor» en la tapa, y creyó que era otro libro sobre el pájaro famoso; pero no era libro, sino un pájaro de metal que parecía vivo en su caja de oro, y por plumas tenía zafiros, diamantes y rubíes, y cantaba como el ruiseñor de verdad en cuanto le daban cuerda, moviendo la cola de oro y plata: llevaba al cuello una cinta con este letrero: «¡El ruiseñor del emperador de China es un aprendiz, junto al del emperador del Japón!»

«¡Hermoso pájaro es!», dijo toda la corte, y le pusieron el nombre de «gran pájaro internacional»: porque se usan estos nombres en China, pomposos y largos: pero cuando puso el emperador a cantar juntos al ruiseñor vivo y al artificial, no anduvo el canto bueno, porque el vivo cantaba como le nacía del corazón, sincero y libre, y el artificial cantaba a compás, y no salía del valse.

—¡A mi gusto! ¡esto es a mi gusto! —decía el maestro de música; y cantó sólo el pájaro de las piedras, tan bien como el vivo. ¡Y luego, tan lleno de joyas que relumbraban, lo mismo que los brazaletes, los joyeles y los broches! Treinta y tres veces seguidas cantó la misma tonada sin cansarse, y el maestro de música y la corte entera lo hubieran oído con gusto una vez más, si no hubiese dicho el emperador que el vivo debía cantar algo. ¿El vivo? Lejos estaba, lejos de la corte y del maestro de música. Los vio entretenidos, y se les escapó por la ventana.

—¡Oh, pájaro desagradecido! —dijo el mandarín mayor, y dio tres vueltas redondas, y se cruzó de brazos.

—Pero mejor mil veces es este pájaro artificial —decía el maestro de música—: porque con el pájaro vivo, nunca se sabe cómo va a ser el canto, y con éste, se está seguro de lo que va a ser: con éste todo está en orden, y se le puede explicar al pueblo las reglas de la música.

Y el emperador dio permiso para que el domingo sacase el maestro al pájaro a cantar delante del pueblo, que parecía muy contento, y alzaba el dedo y decía que sí con la cabeza; pero un pobre pescador dijo «que él había oído al ruiseñor del bosque, y que éste no era como aquél, porque le faltaba algo de adentro, que él no sabía lo que era». El emperador mandó desterrar al ruiseñor vivo, y al otro de la caja se lo pusieron a la cabecera, en un cojín de seda, con muchos presentes de joyas y de argentería, y lo llamaban por título de corte «cantor de alcoba y pájaro continental, que mueve la cola como el emperador se la manda mover». Y el maestro de música se sintió tan feliz que escribió un libro de veinticinco tomos sobre el ruiseñor artificial, con muchos esdrújulos y palabras de extraña sabiduría; y la corte entera dijo que lo había leído y entendido, de miedo de que los tuviesen por gente fofa y de poca educación, y de que el emperador se pasease sobre sus cabezas.

Pasó un año, y emperador, corte y país conocían como cosa de sí mismos cada gorjeo y vuelta del «pájaro continental»; y como que lo podían entender, lo declaraban magnífico ruiseñor. Cantaban su valse los cortesanos todos. Y los chicuelos de la calle. Y el emperador lo cantaba también, y lo bailaba, cuando estaba solo con su vino de arroz. Era un valse el imperio, que andaba a compás, con mucho orden, al gusto del maestro de música. Hasta que una noche, cuando estaba el pájaro en lo mejor del canto, y el emperador lo oía, tendido en su cama de randas[147] y colgaduras, saltó un resorte de la máquina del ruiseñor, como huesos que se caen sonaron las ruedas, y paró la música. Se echó de la cama el emperador, y mandó llamar a un médico. El médico no supo qué hacer: y vino el relojero. El relojero, mal que bien, puso las ruedas locas en su lugar, pero encargó que usasen del pájaro muy poco, porque estaban gastados los cilindros, y el ruiseñor aquel no podía en verdad cantar más de una vez al año. El maestro de música le echó encima un discurso al relojero, y le dijo traidor, y venal, y chino espurio, y espía de los tárta-

[147] *Randas:* encaje grueso y de nudos apretados, labrado con aguja, o tejido, que suele ponerse por adorno en las ropas.

ros, porque decía que el pájaro continental no podía cantar más que una vez. En la puerta iba ya el relojero, y todavía le estaba diciendo el maestro de música malas palabras: «¡Traidor! ¡venal! ¡chino espurio! ¡espía de los tártaros!» Porque estos maestros de música de las cortes no quieren que la gente honrada diga la verdad desagradable a sus amos.

Cinco años después había mucha tristeza en la China, porque estaba al morir el pobre emperador, tanto que tenían nombrado ya al nuevo, aunque el pueblo agradecido no quería oír hablar de él, y se apretaba a preguntar por el enfermo a las puertas del mandarín, que los miraba de arriba abajo, y decía: «¡Puh!» «¡Puh!», repetía la pobre gente, y se iba a su casa llorando.

Pálido y frío estaba en su cama de randas y colgaduras el emperador, y los mandarines todos lo daban por muerto, y se pasaban el día dando las tres vueltas con los brazos abiertos, delante del que debía subir al trono. Comían muchas naranjas, y bebían té con limón. En los corredores habían puesto tapices, para que no sonara el paso. No se oía en el palacio sino un ruido de abejas.

Pero el emperador no estaba muerto todavía. Al lado de su cama estaba el pájaro roto. Por una ventana abierta entraba la luz de la luna sobre el pájaro roto, y el emperador mudo y lívido. Sintió el emperador un peso extraño sobre su pecho, y abrió los ojos para ver. Vio a la Muerte, sentada sobre su pecho. Tenía en las sienes su corona imperial, y en una mano su espada de mando, y en la otra mano su hermosa bandera. Y por entre las colgaduras vio asomar muchas cabezas raras, bellas unas y como con luz, otras feas y de color de fuego. Eran las buenas y las malas acciones del emperador, que le estaban mirando a la cara. «¿Te acuerdas?», le decían las malas acciones. «¿Te acuerdas?», le decían las buenas acciones. «¡Yo no me acuerdo de nada, de nada!», decía el emperador: «¡música, música! ¡tráiganme la tambora mandarina, la que hace más ruido, para no oír lo que me dicen mis malas acciones!» Pero las acciones seguían diciendo: «¿Te acuerdas? ¿Te acuerdas?» «¡Música, música!», gritaba el emperador: «¡oh hermoso pájaro de oro, canta, te ruego que cantes! ¡yo te he dado regalos ricos de oro! ¡yo te he colgado al cuello mi chinela de oro! ¡te ruego que cantes!» Pero el pájaro no cantaba. No había uno que supiera darle cuerda. No daba una sola nota.

Y la Muerte seguía mirando al emperador con sus ojos huecos y fríos, y en el cuarto había una calma espantosa, cuando de pronto entró por la ventana el son de una dulce música. Afuera, en la rama de un árbol, estaba cantando el ruiseñor vivo. Le habían dicho que estaba muy enfermo el emperador, y venía a cantarle de fe y de esperanza. Y según iba cantando eran menos negras las sombras, y corría la sangre más caliente en las venas del emperador, y revivían sus carnes moribundas. La Muerte misma escuchaba, y le dijo: «¡Sigue, ruiseñor, sigue!» Y por un canto, le dio la Muerte la corona de oro: y por otro, la espada de mando: y por otro canto más, le dio la hermosa bandera. Y cuando ya la Muerte no tenía ni la bandera, ni la espada, ni la corona del emperador, cantó el pájaro de la hermosura del camposanto, donde la rosa blanca crece, y da el laurel sus aromas a la brisa, y dan brillo y salud a la yerba las lágrimas de los dolientes. Y tan hermoso vio la Muerte en el canto a su jardín, que lo quiso ir a ver, y se levantó del pecho del emperador, y desapareció como un vapor por la ventana.

—¡Gracias, gracias, pájaro celeste! —decía el emperador—. Yo te desterré de mi reino, y tú destierras a la muerte de mi corazón. ¿Cómo te puedo yo pagar?

—Tú me pagaste ya, emperador, cuando te hice llorar con mi canto: las lágrimas que arranca a las almas de los hombres son el único premio digno del pájaro cantor. Duerme, emperador, duerme: yo cantaré para ti.

Y con sus trinos y arpegios se fue durmiendo el enfermo en un sueño de salud. Cuando despertó, entraba el sol, como oro vivo, por la ventana. Ni uno solo de sus criados, ni un solo mandarín, había venido a verlo. Lo creían muerto todos. El ruiseñor no más estaba junto a su cama: el ruiseñor, cantando.

—¡Siempre estarás junto a mí! ¡En el palacio vivirás, y cantarás cuando quieras! ¡Yo romperé al pájaro artificial en mil pedazos!

—No lo rompas en mil pedazos, emperador: él te sirvió bien mientras pudo: yo no puedo vivir en el palacio, ni fabricar entre los cortesanos mi nido. Yo vendré al árbol que cae a tu ventana, y te cantaré en la noche, para que tengas sueños felices. Te cantaré de los malos y de los buenos, y de los que gozan y de los que sufren. Los pescadores me esperan, emperador, en sus casas pobres de la orilla del mar. El ruiseñor no puede ser infiel a los pescadores. Yo te vendré a cantar en la noche, si me prometes una cosa.

—¡Todo te lo prometo! —dijo el emperador, que se había levantado de su cama, y tenía puesta la túnica imperial, y en la mano su gran espada de oro.

—¡No digas que tienes un pájaro amigo que te lo cuenta todo, porque le envenenarán el aire al pájaro! —Y salió volando el ruiseñor, y echando al aire un ramillete de arpegios.

Los mandarines entraron de repente en el cuarto, detrás del mandarín mayor, a ver al emperador muerto. Y lo vieron de pie, con su túnica imperial; con la mano de la espada puesta al corazón. Y se oía, como una risa, el canto del ruiseñor.

—¡Tsing-pé! ¡Tsing-pé! —dijo el gran mandarín, y dio dieciocho vueltas seguidas con los brazos abiertos, y se echó por tierra, con la frente a los pies del emperador. Y a los mandarines, arrodillados en el aire, les temblaba en la nuca la cola.

La Galería de las Máquinas

Los niños han leído mucho el número pasado de *La Edad de Oro,* y son graciosas las cartas que mandan, preguntando si es verdad todo lo que dice el artículo de la «Exposición de París». Por supuesto que es verdad. A los niños no se les ha de decir más que la verdad, y nadie debe decirles lo que no sepa que es como se lo está diciendo, porque luego los niños viven creyendo lo que les dijo el libro o el profesor, y trabajan y piensan como si eso fuera verdad, de modo que si sucede que era falso lo que les decían, ya les sale la vida equivocada, y no pueden ser felices con ese modo de pensar, ni saben cómo son las cosas de veras, ni pueden volver a ser niños, y empezar a aprenderlo todo de nuevo.

¿Que si es verdad todo lo de la Exposición? Una señora buena le armó una trampa al hombre de *La Edad de Oro*. Iban hablando del artículo, y ella le dijo: «Yo he estado en París.» «¡Ah, señora, qué vergüenza entonces! ¡qué habrá dicho del artículo!» «No: yo he estado en París, porque he leído su artículo.» Y otro señor bueno, que está en París, dice «que a él no lo engañan, que *La Edad de Oro* estuvo en París sin que él la viera, porque él se pasaba la vida en la Exposición, y todo lo que había en la Exposición que ver está en *La Edad de Oro*».

Pero el señor bueno dice que faltó un grabado, para que los niños vieran bien toda la riqueza de aquellos palacios; y es el grabado de la «Galería de las Máquinas», que era el corredor adonde daban las puertas diferentes de las industrias del mundo, y allá al fondo tenía el edificio más hermoso, donde estaban en hilera, como elefantes arrodillados, las máquinas de todo lo que el hombre sabe hacer. Quien ha visto todo aquello, vuelve diciendo que se siente como más alto. Y como *La Edad de Oro* quiere que los niños sean fuertes, bravos, y de buena estatura, aquí está, para que les ayude a crecer el corazón, el grabado de La Galería de las Máquinas.

La última página

Los padres se lo quieren dar todo a sus hijos, y si ven un caballo hermoso, con la cola que le reluce y el pelo como seda, no piensan en montarse ellos, como señorones, y salir trotando por la alameda, donde van de paseo por la tarde los coches y los jinetes, sino que piensan en sus hijos los padres, y se ponen a trabajar todavía más, para comprarle al hijito el caballo hermoso. Si pasa un niño en un velocípedo[148], con su vestido de terciopelo y su cachucha, y tan de prisa que todo el mundo se para a verlo, el padre no piensa en comprarse un velocípedo él, sino en que su hijito estará lindo de veras cuando vaya como el niño del terciopelo y la cachucha, en sus dos ruedas que dan como una luz cuando andan, y van casi tan de prisa como la luz, que es lo que anda más pronto en el mundo. La luz no se ve, y es verdad, como que si se acabase la luz, se rompería el mundo en pedazos, como se rompen allá por el cielo las estrellas que se enfrían. Así hay muchas cosas que son verdad aunque no se las vea. Hay gente loca, por supuesto, y es la que dice que no es verdad sino lo que se ve con los ojos. ¡Como si alguien viera el pensamiento, ni el cariño, ni lo que, allá dentro de su cabeza canosa, va hablándose el padre, para cuando haya trabajado mucho, y tenga con qué comprarle caballos como la seda o velocípedos como la luz a su hijo!

---

[148] *Velocípedo:* vehículo de hierro, formado por una especie de caballete, con dos o con tres ruedas, y que movía por medio de pedales quien iba montado en él.

El hombre de *La Edad de Oro* es así, lo mismo que los padres: un padrazo es el hombre de *La Edad de Oro:* como una estatua que hay del río Nilo, donde hace de río un viejo muy barbón, y encima de él saltan, y juegan, y dan vueltas de cabeza los muchachos traviesos, lo que no quiere decir, por supuesto, que el río Nilo sea un viejo de verdad, ni que sus cien hijos jugaran así encima de él, sino que el río Nilo es como un padre para toda aquella gente de las tierras de Egipto, porque les humedece los sembrados cada vez que baja de los montes con mucha agua, y así las siembras les dan mucho fruto: por eso quieren al río los egipcios como si fuera persona, y lo pintan tan viejo, porque desde hace miles de años ya hablaban del Nilo los libros de entonces, que estaban escritos en unas tiras largas que hacían de una yerba, y luego las enrollaban alrededor de una varilla, y las metían en su nicho, como los que tienen ahora los escritorios para guardar los papeles. Y los egipcios le rezaban al Nilo, como si fuera un dios, y le componían versos y cantos; y como que nada les parecía mejor que una joven hermosa, sacaban de su casa una vez al año a la egipcia más linda, y la echaban al agua, como regalo al río viejo, para que se contentase para el año, con aquella hija que le daban, y bajase del monte con más agua que nunca.

Así son los padres buenos, que creen que todos los niños son sus hijos, y andan como el río Nilo, cargados de hijos que no se ven, y son los niños del mundo, los niños que no tienen padre, los niños que no tienen quien les dé velocípedo, ni caballo, ni cariño, ni un beso. Y así es el hombre de *La Edad de Oro,* que en cada número quisiera poner el mundo para los niños, a más de su corazón; pero en la imprenta dicen que el corazón cabe siempre, y el mundo no, ni el artículo de «La Luz Eléctrica», que cuenta cómo se hace la luz, y qué cosa es la electricidad, y cómo se enciende y se apaga, y muchas cosas que parecen sueño, o cosa de lo más hondo y hermoso del cielo: porque la luz eléctrica es como la de las estrellas, y hace pensar en que las cosas tienen alma, como dijo en sus versos latinos un poeta Lucrecio[149] que hubo en Roma, y en

---

[149] Tito Lucrecio Caro: poeta y filósofo romano del siglo I a.C., contemporáneo de Julio César y Cicerón. Fue un seguidor de Epicuro y de los atomis-

que ha de parar el mundo, cuando sean buenos todos los hombres, en una vida de mucha dicha y claridad, donde no haya odio ni ruido, ni noche ni día, sino un gusto de vivir, queriéndose todos como hermanos, y en el alma una fuerza serena, como la de la luz eléctrica. Con todo eso, no cupo el artículo, y hubo que escribir otro más corto, que es ése que habla de la caza del elefante, y el modo con que venció el niño cazador al elefante fuerte. Nadie diga que el cambio no fue bueno. Se ha de conocer las fuerzas del mundo para ponerlas a trabajar, y hacer que la electricidad que mata en un rayo, alumbre en la luz. Pero el hombre ha de aprender a defenderse y a inventar, viviendo al aire libre, y viendo la muerte de cerca, como el cazador del elefante. La vida de tocador no es para hombres. Hay que ir de vez en cuando a vivir en lo natural, y a conocer la selva.

---

tas griegos y en su poema *De rerum natura (Sobre la naturaleza de las cosas)* expuso una visión mecánica del universo recogiendo y embelleciendo las ideas de éstos. Aunque el interés de Lucrecio no era el problema físico, sino la exposición de una filosofía determinada, en su obra hace una descripción de la naturaleza y expone sus teorías sobre el comportamiento de la materia: el viento, el calor, el frío, el fuego, el color de las cosas, el trueno y los relámpagos, los volcanes, etc.

Otros relatos

Hora de lluvia

Me pediste ayer tarde una historia, para que fuese para ti —leyendo cosas mías— menos triste esta noche en que no podíamos vernos.

Ahí te envío para que te entretengas en otra noche de lluvias, este cuento ligero que se parece tanto a la verdad —por tu hermoso capricho nacido, y escrito velocísimamente en noche lluviosa.

Que lo leas, mi Blanca.

Abril, 29 de 1873

Mi Blanca: A las ocho y media empiezo a escribir para ti esta brevísima historia —feliz ya, porque nace de tu cariño y tu deseo.

Espacio estrecho es una hora, y cosa rápida y risible ha de ser todo lo que en ella precipitadamente escriba yo. Tiempo, papel —todo es estrecho para este poderoso amor que vive en mí.

Llueve copiosísimamente; llueve sin cesar. Es, Blanca mía —y no te rías—, que el cielo mismo frunce el ceño, y se pone mohíno, y llora, porque no hemos podido hablarnos hoy. Tú eres el cielo.

Mi prólogo extravagante en verdad, te dice aquí adiós.

Tú esperas un cuento; yo no puedo hacerte esperar: allá va a ti.

* * *

Era un hombre soberbiamente feo. De cabello rebelde, de cabeza erguida —con la boca demasiado grande, con la nariz demasiado redonda, de faz huesosa, de cejas oblicuas, de mirar altivo, de barba osada y puntiaguda. Así era el hombre.

Ni había en aquellos labios vestigio de sonrisa. Miraba, y parecía que gemía. Hablaba, y hacía daño su tristeza —y miradas y palabras brotaban de aquella fisonomía como escondido dolor y como lágrimas.

—¿Qué, no eres feliz? —le preguntaron un día.

—¿Lo eres tú que lo preguntas? —contestó él—. Ni Dios mismo, si Dios es hombre, es feliz.

—¿Que sufres? —le dijeron otra vez.

Y miró con cariño al que lo adivinaba, y respondió:

—No: vivo.

No era aquella una tristeza necia y vulgar, ni un dolor monótono, ni una pena desconsolada y femenil. Era aquel un soberbio dolor.

—¿Qué, nada habrá que te cure? —le dijo en diciembre uno a quien él quería como hermano.

—Si la muerte fuera morirse, me curaría la muerte. Pero como morir es volver a vivir, ni la muerte me curará. —Esto dijo.

Él era acomodado, si no rico; —joven, vigoroso, querido. ¿Qué espíritu era aquél que en estas condiciones sufría?

—¿Qué tienes? —le preguntó el que lo quería tanto.

—Ni patria ni amor. ¿Entiendes tú que un corazón lata en vano, y no sepa el miserable por qué late? ¿Entiendes tú, que un alma se sienta repleta de vigor, ardiente para amar, henchida con intentos generosos, y no sepa en qué ha de emplear su fortaleza, ni encuentre cosa digna de poseer sus ansias ni halle dónde verter su generosidad? Así vivo yo. Yo siento en mí una viva necesidad, un potente deseo, una voluntad indomable de querer: yo vivo para amar: yo muero de amores, y he querido encarnarlos en la tierra, y una fue carne y otra vanidad, y otra mentira y otra estupidez, y entre tantas mujeres para los ojos, no hallo el alma una sola mujer.

»La patria me ha robado para sí mi juventud.

»Mi corazón se va lleno de ira de esas necias criaturas que lo usan, que lo desean, que lo aman quizás, pero que no son capaces de entenderlo. Y vivo cadáver, encerrado en extraño país; avergonzado de tanto necio amor. Y vivo muerto. Si hallas tú alguna vez unos ojos más claros que la luz, más puros que el primer amor, más bellos que la flor de la inocencia; para mí los guarda, para mi ansiedad los educa, dilo al instante, hermano mío, a esta alma enamorada que se muere por no tener a quien amar.

»Dilo; pero no la mires tú antes, que aunque me amara después me atormentaría ya de celos aquella mirada suya que no fue para mí. Vivo muerto ¿qué habrá que me dé vida?

Y el amigo, sombrío ante aquellas sombras, seguro de que nada curaría aquella tristeza, superior a las comunes y monótonas tristezas humanas, quedó a su vez triste aquel día, porque un amigo leal no es feliz si no ve feliz a su amigo.

Esto era en diciembre, mes frío como la indiferencia, oscuro como la desconfianza, negro como la culpa.

* * *

Son las nueve.

* * *

Era una virgen púdica: Toda la vida de una mujer está en sus ojos y eran aquellos ojos más claros que la luz, más puros que el amor primero, más bellos que la flor de la inocencia.

Eran aquellos ojos cuna gentil de todas las purezas, ricos en ternura y en bondad, riquísimos en arrobadoras miradas. Y eran en mirar tan abundantes, y había más flores en su alma que miradas en sus ojos.

Niña apenas, había crecido extraordinariamente; porque la naturaleza, ufana de su obra, se había dado orgullosa prisa por mostrársela pronto a la tierra.

Aquella criatura tenía la cara a la manera de los óvalos divinos de aquel hijo predilecto de Dios que llaman los pintores Rafael[150].

---

[150] Es uno de los pintores a los que más elogiosas palabras dedicará años más tarde en su relato sobre músicos, poetas y pintores, en el segundo número de *La Edad de Oro*.

Tenía en el cutis colores que robaban celosas las flores para engalanarse los días de primavera. Tenía una boca de líneas tan puras como la celeste boca de María.

No era su belleza perfectamente terrenal; porque su hermosura, poca quizás para la tierra, es la hermosura que necesitan las almas ávidas de cielo.

* * *

Son las nueve y diez.

* * *

—¿Amas? —le preguntaron un día a la niña. Y encendió sus mejillas un color más vivo que una amapola de las dehesas castellanas.

—¿A quién amas? —le preguntaron otra vez; y ella, alta la frente, serenísimos los ojos, inundada de alegría la faz, dijo clara y distintamente, dijo con orgullo candoroso:

—A él. A él.

* * *

—¿Quién es él? —Nada había más puro que aquella criatura. Nada habría más feliz que el hombre amado de ella—. ¿Quién es él?

Era ya abril.

—¿Que vives? ¿que despiertas? —decía abrazando a aquel hombre de cabello rebelde y faz huesosa el que como hermano lo quería—: ¿que ya vives?

—Amo, por eso vivo. Ya hallé a quien amar. Criatura de ojos más claros que la luz, más puros que el primer amor, más bellos que la flor de la inocencia.

—Y ¿la patria?

—La amo. Para los deberes, la vida. Para mi amada, el corazón.

—¿Y si mueres?

—No muero. Morir es empezar a vivir.

Si muriera, vendría todas las tardes a besarla mil veces en la frente —y ella, que me conocería, me besaría.

—¿Tanto amas?
—Tanto amo. Me regocija, me resucita, me alimenta, me despierta. Jesús salvó a la tierra: ella es mi Jesús.
—¿Que redime tus dolores?
—Sí los redime.
—Nunca te olvide. ¡Bendito amor!

* * *

¡Bendito amor! No hay ya para aquel hombre de la faz huesosa ni instantes de agonía, ni horas de ira, ni rudo dolor—. Ve el cielo siempre azul, la noche siempre clara, las almas siempre nobles y serenas, su alma misma iluminada por la paz.
Era abril.
¿Quién era el hombre?
¿Quién será, Blanca mía, la divina mujer, de óvalo de virgen, de colores que robaban las rosas, de boca de líneas tan puras como la boca de María?
—Nunca te olvidé —dijo al hombre su amigo—. ¡Bendito amor! Bendito amor, Blanca mía. No me olvides jamás.

* * *

Son las nueve y veinticinco minutos. Ya acaba mi brevísima historia—. Aún llueve. Aún esperas. Salgo a llevártela. ¿Me quieres, Blanca mía?

Relatos de necios

I

Un necio habiendo sabido que el cuervo vive sobre los doscientos años, habiendo comprado cuervo alimentaba a experiencia.

II

Un necio queriendo haber de pasar río, entró sobre caballo a la barca, y un quidam[151] habiendo preguntado la causa, dijo: acelerar.

III

Un necio habiendo encontrado a necio dijo: supe que habías muerto, y aquél dijo: sin embargo, ves a mí todavía viviente y el otro necio (repuso) pues ciertamente el diciente es, más digno de crédito, para mí con mucho que tú.

IV

Un necio queriendo haber de enseñar al caballo de él a no comer mucho, no echaba pienso a él, y habiéndose muerto el

[151] *Quidam:* una persona cualquiera.

caballo por el hambre, decía: fui perdido en grande, pues cuando aprendió a no comer, entonces murió.

V

Un necio careciendo de lo más preciso vendía los libros de él, y escribiendo al padre decía: ¡Oh padre alegrémonos, pues los libros alimentan ya a nosotros!

VI

Un amigo escribió a necio, residente en Grecia, haber de comprar libros para él, y éste habiéndose olvidado, como después de tiempo, fue encontrado, por el amigo, dijo: no recibí la carta que enviaste a mí sobre los libros.

VII

Un necio queriendo nadar, por poco fue ahogado. Juró, pues, no haber de tocar agua si no aprendía antes a nadar.

VIII

Un necio naufragando en el invierno y agarrándose cada uno de los conavegantes a los objetos para el haber de ser salvados, él se agarró a una de las áncoras.

(83-84)[152]

---

[152] Los números entre paréntesis corresponden a las páginas del tomo XXI de las *Obras completas* de Martí, La Habana, Editorial de Ciencias Sociales, 1975, 2.ª edición.

El hijo pródigo

1. Cierto hombre tenía dos hijos.

2. Y el más nuevo de ellos dijo al Padre: Padre, da a mí la parte de la herencia correspondiente a mí, y dividió la hacienda a ellos.

3. Y después de no muchos días, el hijo más nuevo habiendo reunido todo, marchó a región distante, y allí disipó la herencia de él viviendo disipadamente.

4. Y él habiendo gastado todo, hambre grande fue en aquella región, y él empezó a tener necesidad.

5. Y habiendo marchado se incorporó a uno de los ciudadanos de aquella región y envió a él al campo suyo a guardar puercos.

6. Y deseaba haber de llenar el vientre de él con los desperdicios que comían los puercos y nadie daba a él.

7. Y habiendo ido hacia sí mismo, dijo: cuántos criados o sirvientes del padre de mí desperdician los panes y yo ahora perezco por hambre.

8. Habiéndome levantado, marcharé hacia el padre de mí y diré a él: Padre, pequé contra el cielo y delante de ti.

9. No ya soy digno de ser llamado hijo de ti. Haz a mí como a uno de los sirvientes de ti.

10. Y habiéndose levantado marchó hacia el padre de él, y él distante todavía mucho, el padre de él le vio, y se enterneció, y habiendo corrido se arrojó sobre el cuello de él y besó a él.

11. Y el hijo dijo a él (8 y 9).

12. Y el padre dijo a los sirvientes de él: inmediatamente traed ropa la primera y vestid a él, y dad anillo a la mano de él, y calzado a los pies de él.

13. Y traed el ternero el cebado y sacrificad a él, y habiendo comido, regocijémonos.

14. Porque este hijo mío era muerto y resucitó, era perdido y fue encontrado, y empezaron a regocijarse.

15. Y el hijo más viejo de él estaba en el campo, y como llegando se acercó a la casa oyó música y coros.

16. Y habiendo llamado a uno de los criados, preguntaba qué sería aquello.

17. Y éste dijo a él que el hermano de ti, llega y el padre de ti mató el ternero cebado porque recobró a él con salud.

18. Fue irritado y no quería haber de entrar. El padre, pues, habiendo salido llamaba a él.

19. Y éste habiendo contestado dijo a su padre: Mira cuántos años sirvo a ti, y jamás desobedecí mandato de ti, y jamás diste a mí cabrito para que me regocijase con mis amigos.

20. Y cuando éste tu hijo habiéndose comido la herencia tuya con malas mujeres, ha llegado, mataste el ternero, el ternero cebado para él.

21. Y éste dijo a él: ¡oh hijo, tú siempre estás conmigo y todo lo mío es tuyo!

22. Conviene, pues, que nos alegremos y regocijemos, porque éste.

(85-86)

Al amor

En cierta ocasión a horas de la media noche cuando la Osa[153] vuelve ya a la mano de Bootes[154], y las tribus todas de los mortales yacen, habiendo sido domadas por el cansancio, entonces, el amor habiéndose presentado, golpeaba los pasadores de las puertas de mí.

—¿Quién, dije yo, rompe las puertas? Romperás sueños de mí, y el amor dijo: abre, soy niño; no temas: me mojo, y ando vagando en esta noche sin luna.

Habiendo oído esto, yo me compadecí, y habiendo encendido luz enseguida, abrí —y veo a un niño llevando arco, alas y aljaba[155].

---

[153] Se trata de la Osa Mayor, constelación conocida como «el Gran Carro».

[154] Bootes: constelación conocida como «el Boyero», guardador de bueyes. Lo más destacado de la constelación es la grandiosa Arturo, que es una preciosa estrella de color amarillento que, junto con Denébola de Leo y Spica de Virgo, forman un gran triángulo equilátero. La estrella Arturo está catalogada como la alfa de la constelación. Arturo es una de las más brillantes estrellas del cielo. Está a 36 años-luz de nosotros y se desplaza hacia el cielo del sur a razón de 2,2" por año. Por tanto cada 1.600 años recorre un arco de 1° sobre la bóveda celeste y dentro de muchos miles de años, se nos habrá escapado de nuestro hemisferio, para adentrarse en las inmensidades del hemisferio austral, después de atravesar el Ecuador. Arturo es una estrella gigantesca. Hemos leído alguna vez que si estuviera a la distancia a la que está nuestro Sol, la veríamos con un diámetro de 15°.

[155] *Aljaba:* caja portátil para flechas, ancha y abierta por arriba, estrecha por abajo y pendiente de una cuerda o correa con que se colgaba del hombro izquierdo a la cadera derecha.

Habiéndole sentado junto al hogar, calentaba yo manos de él con palmetas, y exprimía agua húmeda de su cabellera; pero él cuando hubo despachado el frío:

—Ea —dijo—, probaremos este arco, por si la cuerda habiendo sido mojada, está dañada ahora en algo para mí.

Y extiende, y me hiere en medio del corazón como saeta.

Y riendo, salta y me dice: ¡Oh huésped! alégrate, pues el arco está sin daño y tú padecerás en el corazón.

(89-90)

A la paloma

Querida paloma,
¿De dónde, de dónde vuelas?
¿De dónde, corriendo sobre el aire, derramas y destilas tantos perfumes?
¿Quién eres? ¿Qué te da cuidado?
Anacreonte[156] me envió a un niño, a Batilo[157] —al que manda siempre en todos, y al tirano.
Citerea[158] me vendió habiendo tomado un pequeño himno, y yo sirvo en todo esto a Anacreonte, y ahora ya ves que llevo sus cartas, y dice haber de hacer a mí muy pronto libre, y yo en verdad, aunque me dé suelta, permaneceré esclava junto a él, pues ¿qué importa a mí volar por montes y campos y posarme en los árboles habiendo comido algo salvaje?

---

156 Anacreonte (572-485 a.C.): nace en Teos (isla jónica), ciudad de Jonia que sufrió la conquista de los persas, por lo que los habitantes tuvieron que salir de la isla y fueron a Abdera (colonia griega que se encuentra en Tracia). Anacreonte tiene algunos fragmentos en los que se refiere a poemas de lucha, pero él no es un poeta belicoso. Su poesía gira en torno al amor y al vino. Anacreonte es un poeta viajero, exiliado, es un poeta de corte. Con él surge en Grecia una figura nueva: el poeta cortesano. Pero este tipo de poesía tiene unas limitaciones, pues los poetas dependen de la corte. Anacreonte representa a la Jonia refinada y decadente. Es la Jonia que canta la alegría del banquete, el disfrute de la vida, un mundo hedonista, un mundo de placeres. Canta también a amores fáciles y pasajeros. Refleja en sus poesías la fuerza del amor y el *tempus fugit*.

157 Batilo fue uno de los amantes de Anacreonte.

158 Citerea: uno de los nombres de Afrodita, diosa del deseo amoroso.

Entre tanto ahora, en verdad, como, habiendo arrebatado el pan de las manos del mismo Anacreonte, y da a beber a mí el vino que bebe antes. Habiendo bebido, bailaré, y ocultaré a mi señor con mis alas. Habiéndome posado sobre la misma lira dormiré.

Ahí lo tienes todo, hombre: acércate: me has hecho más habladora que una corneja.

(90)

A la cigarra

¡Oh cigarra! Te felicitamos, porque habiendo bebido un poco rocío sobre las copas de los árboles cantas como rey.

Pues todas aquellas cosas cuantas ves en los campos, ora cuantas las selvas producen, son tuyas. Tú eres amiga de los labradores, no dañando en algo a nadie. Eres honrada de los mortales, dulce profeta del estío: las musas en verdad te aman; el mismo Febo[159] te ama y te dio tanto penetrante.

La vejez no te oprime ¡oh sabia! nacida de la Tierra, amiga del canto, impasible, de sangre blanca: eres casi semejante a los dioses.

(92)

---

159 Febo: el mismo dios Apolo cuando representa al Sol.

El oso y su dueño

Cuentan de un oso que quiso quitar una mosca (turchina) de la nariz de su dueño dormido, e intentó sacudirla con la garra, con lo que dejó la nariz de su dueño mal parada.

(259)

Los tres avaros

Y cuentan de tres que descubrieron un tesoro, y acordaron partirlo entre los tres: y uno fue a buscar vituallas[160] *(vitto* en ital.), las que trajo envenenadas, y dieron muerte a los dos, que, conforme lo tenían concertado, mataron a su vuelta, al proveedor. Los tres, pues, murieron por no querer repartir honradamente el tesoro (La Novella del «doppio delitto», si trova in molti libri francesi e tedeschi. Favola del Játaka)[161].

(259)

---

[160] *Vituallas:* conjunto de cosas necesarias para la comida.

[161] «El cuento del "doble delito", se encuentra en muchos libros franceses y alemanes. Fábula de Játaka.»

Cuchillo de plata fina

Acurrucado: se quedó en esqueleto: se consumió sin morir: se le cayeron los ojos: le queda pelo en las cejas, y un tufo[162] sobre la frente en el cráneo mondado: se le conoce que vive en que tiembla: a retazos caído el vestido: lacras de huesos por entre el vestido podrido: omóplato desnudo. Vivo que no pudo amar. ¿Por qué está así? Le quieren arrancar a la fuerza su secreto. Se defiende con los huesos, se aprieta con las manos el lugar del corazón. De entre los huesos empolvados sale el amor, con un cuchillo de plata fina, un cuchillo diminuto, cabeza de mujer, hoja de lengua, que lo atraviesa de parte a parte, y cuando le arrancan el dolor, rueda por tierra, muerto.

(385)

[162] *Tufo:* cada una de las dos porciones de pelo, por lo común peinado o rizado, que caen por delante de las orejas.

El drama

La mujer amante —casada—, sacrificada al poeta egoísta. Ella se da a él, en alma y cuerpo: todo, a él. Él la acepta como entretenimiento. Ni siquiera como entretenimiento, sino como halago a su vanidad, como tributo a su seducción, y como estudio. Es el deber de la hermosura: sometérsele. El deber de la flor: darle su aroma. Lo del poema: Leonor, desnuda, sin más vestidos que sus cabellos, fortalece al guerrero cansado, que llega a ella moribundo, con la fatiga de sus armas; recupera las fuerzas con las de Leonor desnuda e inerme, y sigue a caballo con sus armas ligeras, rejuvenecido y ufano. Pero el drama no tiene por qué repetir lo del poema, ni privarme de escribirlo, aunque concuerda en esta idea esencial.

Ella entra.

—¡Todo por él, por él...! ¡Hasta la ignominia de sufrir aquellos besos! ¿Por qué no los estrujo? ¿por qué lo soporto? ¡Por qué pude resistirme a ellos en tiempo, y no me resistí!

Pero no, no es esa la razón. Porque si me rebelo, si aplasto esos besos, si me arranco de esos brazos, si me desenredo del cuerpo esa serpiente, si me saco del pecho, de los tejidos, de la sangre, del hueso, ese fango —él peligra, a él lo obligo. ¡No!, que él no me deba más que la felicidad. ¡Por él, hasta la ignominia! Como este paño de terciopelo negro con bordados de oro es él: vasto, y recamado. Arabescos de pensamiento, de oro puro, en noche solemne. (Recuerdo de la luz de luna sobre la Bahía de La Habana.)

La escena en que, dormido él, le lee ella el pensamiento.

(390)

Colección Letras Hispánicas

ÚLTIMOS TÍTULOS PUBLICADOS

541 *Cancionero,* GÓMEZ MANRIQUE.
Edición de Francisco Vidal González.
542 *Exequias de la lengua castellana,* JUAN PABLO FORNER.
Edición de Marta Cristina Carbonell.
543 *El lenguaje de las fuentes,* GUSTAVO MARTÍN GARZO.
Edición de José Mas.
544 *Eva sin manzana. La señorita. Mi querida señorita. El nido,* JAIME DE ARMIÑÁN.
Edición de Catalina Buezo.
545 *Abdul Bashur, soñador de navíos,* ÁLVARO MUTIS.
Edición de Claudio Canaparo.
546 *La familia de León Roch,* BENITO PÉREZ GALDÓS.
Edición de Íñigo Sánchez Llama.
547 *Cuentos fantásticos modernistas de Hispanoamérica.*
Edición de Dolores Phillipps-López.
548 *Terror y miseria en el primer franquismo,* JOSÉ SANCHIS SINISTERRA.
Edición de Milagros Sánchez Arnosi.
549 *Fábulas del tiempo amargo y otros relatos,* MARÍA TERESA LEÓN.
Edición de Gregorio Torres Nebrera.
550 *Última fe (Antología poética, 1965-1999),* ANTONIO MARTÍNEZ SARRIÓN.
Edición de Ángel L. Prieto de Paula.
551 *Poesía colonial hispanoamericana.*
Edición de Mercedes Serna.
552 *Biografía incompleta. Biografía cotinuada,* GERARDO DIEGO.
Edición de Francisco Javier Díez de Revenga.
553 *Siete lunas y siete serpientes,* DEMETRIO AGUILERA-MALTA.
Edición de Carlos E. Abad.
554 *Antología poética,* CRISTÓBAL DE CASTILLEJO.
Edición de Rogelio Reyes Cano.
555 *La incógnita. Realidad,* BENITO PÉREZ GALDÓS.
Edición de Francisco Caudet.
556 *Ensayos y crónicas,* JOSÉ MARTÍ.
Edición de José Olivio Jiménez.
557 *Recuento de invenciones,* ANTONIO PEREIRA.
Edición de José Carlos González Boixo.
558 *Don Julián,* JUAN GOYTISOLO.
Edición de Linda Gould Levine.

559 *Obra poética completa (1943-2003)*, RAFAEL MORALES.
Edición de José Paulino Ayuso.
560 *Beltenebros*, ANTONIO MUÑOZ MOLINA.
Edición de José Payá Beltrán.
561 *Teatro breve entre dos siglos (Antología)*.
Edición de Virtudes Serrano.
562 *Las bizarrías de Belisa*, LOPE DE VEGA.
Edición de Enrique García Santo-Tomás.
563 *Memorias de un solterón*, EMILIA PARDO BAZÁN.
Edición de M.ª Ángeles Ayala.
564 *El gesticulador*, RODOLFO USIGLI.
Edición de Daniel Meyran.
565 *En la luz respirada*, ANTONIO COLINAS.
Edición de José Enrique Martínez Fernández.
566 *Balún Canán*, ROSARIO CASTELLANOS.
Edición de Dora Sales.
567 *Capítulos que se le olvidaron a Cervantes*, JUAN MONTALVO.
Edición de Ángel Esteban.
568 *Diálogos o Coloquios*, PEDRO MEJÍA.
Edición de Antonio Castro Díaz.
569 *Los premios*, JULIO CORTÁZAR.
Edición de Javier García Méndez.
570 *Antología de cuentos*, JOSÉ JIMÉNEZ LOZANO.
Edición de Amparo Medina-Bocos.
571 *Apuntaciones sueltas de Inglaterra*, LEANDRO FERNÁNDEZ DE MORATÍN.
Edición de Ana Rodríguez Fischer.
572 *Ederra. Cierra bien la puerta*, IGNACIO AMESTOY.
Edición de Eduardo Pérez-Rasilla.
573 *Entremesistas y entremeses barrocos*.
Edición de Celsa Carmen García Valdés.
574 *Antología del Género Chico*.
Edición de Alberto Romero Ferrer.
575 *Antología del cuento español del siglo XVIII*.
Edición de Marieta Cantos Casenave.
576 *La celosa de sí misma*, TIRSO DE MOLINA.
Edición de Gregorio Torres Nebrera.
577 *Numancia destruida*, IGNACIO LÓPEZ DE AYALA.
Edición de Russell P. Shebold.
578 *Cornelia Bororquia o La víctima de la Inquisición*, LUIS GUTIÉRREZ.
Edición de Gérard Dufour.

579 *Mojigangas dramáticas (siglos XVII y XVIII).*
Edición de Catalina Buezo.
580 *La vida difícil,* ANDRÉS CARRANQUE DE RÍOS.
Edición de Blanca Bravo.
581 *El pisito. Novela de amor e inquilinato,* RAFAEL AZCONA.
Edición de Juan A. Ríos Carratalá.
582 *En torno al casticismo,* MIGUEL DE UNAMUNO.
Edición de Jean-Claude Rabaté.
583 *Textos poéticos (1929-2005),* JOSÉ ANTONIO MUÑOZ ROJAS.
Edición de Rafael Ballesteros, Julio Neira y Francisco Ruiz Noguera.
584 *Ubú president o Los últimos días de Pompeya. La increíble historia del Dr. Floit & Mr. Pla. Daaalí,* ALBERT BOADELLA.
Edición de Milagros Sánchez Arnosi.
585 *Arte nuevo de hacer comedias,* LOPE DE VEGA.
Edición de Enrique García Santo-Tomás.
586 *Anticípolis,* LUIS DE OTEYZA.
Edición de Beatriz Barrantes Martín.
587 *Cuadros de amor y humor, al fresco,* JOSÉ LUIS ALONSO DE SANTOS.
Edición de Francisco Gutiérrez Carbajo.
588 *Primera parte de Flores de poetas ilustres de España,* PEDRO ESPINOSA.
Edición de Inoria Pepe Sarno y José María Reyes Cano.
589 *Arquitecturas de la memoria,* JOAN MARGARIT.
Edición bilingüe de José Luis Morante.
590 *Cuentos fantásticos en la España del Realismo.*
Edición de Juan Molina Porras.
591 *Bárbara. Casandra. Celia en los infiernos,* BENITO PÉREZ GALDÓS.
Edición de Rosa Amor del Olmo.
592 *La Generación de 1936. Antología poética.*
Edición de Francisco Ruiz Soriano.
593 *Cuentos,* MANUEL GUTIÉRREZ NÁJERA.
Edición de José María Martínez.
594 *Poesía. De sobremesa,* JOSÉ ASUNCIÓN SILVA.
Edición de Remedios Maraix.
596 *La Edad de Oro y otros relatos,* JOSÉ MARTÍ.
Edición de Ángel Esteban.

DE PRÓXIMA APARICIÓN

El recurso del método, ALEJO CARPENTIER.
Edición de Salvador Arias.